O HOMEM ETERNO

G. K. CHESTERTON

O HOMEM ETERNO

Traduzido por ALMIRO PISETTA

Os textos de referência bíblica foram extraídos da *Almeida Revista e Atualizada*, 2ª edição (RA), da Sociedade Bíblica do Brasil.

CIP-Brasil. Catalogação na publicação
Sindicato Nacional dos Editores de Livros, RJ

C45h

Chesterton, G. K. (Gilbert Keith), 1874-1936
O homem eterno / G. K. Chesterton; tradução Almiro Pisetta. – [2. ed.]. — São Paulo: Mundo Cristão, 2018.
336 p.; 21 cm.

Tradução de: The everlasting man
ISBN 978-85-433-0316-1

1. Cristianismo. 2. Teologia. 3. Religiões – Relações. I. Pisetta, Almiro. II. Título.

18-48762 CDD: 230
CDU: 27

Categoria: Literatura

Publicado no Brasil com todos os direitos reservados por:
Editora Mundo Cristão
Rua Antônio Carlos Tacconi, 69, São Paulo, SP, Brasil, CEP 04810-020
Telefone: (11) 2127-4147
www.mundocristao.com.br

1ª edição: junho de 2010
2ª edição: maio de 2018
2ª reimpressão: 2021

Sumário

Nota ao leitor

Este livro precisa de uma nota preliminar para que seu escopo não seja mal entendido. Mais que teológica, a visão sugerida é histórica, e não trata diretamente da mudança religiosa que tem sido o principal acontecimento de minha vida, fato sobre o qual já estou escrevendo um volume mais francamente controverso. É impossível, espero, para qualquer católico escrever qualquer livro sobre qualquer assunto, principalmente sobre este assunto, sem mostrar que ele é católico. Mas este estudo não se preocupa especialmente com diferenças entre católicos e protestantes. Boa parte dele dedica-se a muitos tipos de pagãos mais que a qualquer tipo de cristão; e sua tese é que os que dizem que Cristo está no mesmo nível de mitos semelhantes, que o cristianismo está no mesmo nível de religiões similares, só estão repetindo uma fórmula muito envelhecida contestada por um fato muito chocante. Para sugerir isso eu não tive de ir muito além de fatos conhecidos de todos. Não reivindico erudição; e para certas coisas preciso depender, como praticamente já se tornou moda, daqueles que são mais eruditos. Sendo que mais de uma vez divergi do sr. H. G. Wells em sua visão da história, é muito mais que justo que eu aqui deva congratular-me com ele pela coragem e imaginação construtiva demonstradas ao longo de sua vasta, variada e profundamente interessante obra; mas ainda mais por ele ter afirmado o direito justo do amador de fazer o que puder com os fatos apresentados pelos especialistas.[1]

Introdução

O plano deste livro

Há duas maneiras de chegar em casa, e uma delas é ficar por lá. A outra é caminhar e dar a volta ao mundo inteiro até retornarmos ao mesmo lugar. E eu tentei seguir o rastro de uma viagem assim em uma história que escrevi outrora. É, todavia, um alívio passar daquele tópico para outra história que nunca escrevi. Como todos os livros que nunca escrevi, trata-se de longe do melhor livro que jamais escrevi. Mas é muito grande a probabilidade de que nunca venha a escrevê-lo, por isso vou usá-lo aqui de modo simbólico, pois era um símbolo da mesma verdade. Eu o concebi como um romance situado naqueles vastos vales com encostas em declive, como aqueles ao longo dos quais os antigos cavalos brancos de Wessex aparecem esboçados nos flancos das montanhas.[1] O romance dizia respeito a algum rapaz cujo sítio ou casinha situava-se num desses declives, e ele empreendeu uma viagem em busca de alguma coisa tal como uma efígie ou o túmulo de algum gigante. E quando estava a uma boa distância de casa ele olhou para trás e viu que seu próprio sítio e quintal brilhando nitidamente no flanco da montanha, como as cores e quadrantes de um brasão, eram apenas partes de alguma dessas figuras gigantescas, onde ele sempre havia morado, mas que eram demasiado grandes e estavam perto demais para serem vistas por inteiro. Esse, penso eu, é um quadro verdadeiro do progresso de qualquer inteligência atual realmente independente; e essa é ideia deste livro.

A ideia deste livro, em outras palavras, é que, depois de realmente fazer parte da cristandade, a segunda melhor coisa é situar-se realmente fora dela. E um aspecto particular dessa ideia é que os críticos populares do cristianismo não se situam realmente fora dele. Encontram-se num terreno discutível, em todas as acepções do termo. Duvidam de suas próprias dúvidas. A crítica deles assume um tom curioso: é como uma gritaria aleatória de analfabetos. Produzem um palavrório atualizado e anticlerical numa espécie de conversa fiada. Queixam-se de curas que se vestem como curas; como se devêssemos todos ter mais liberdade se todos os policiais que nos perseguissem ou nos capturassem fossem detetives à paisana. Ou então se queixam de que um sermão não pode ser interrompido e chamam o púlpito de castelo de um covarde, embora não chamem o escritório de um editor de castelo de um covarde. Isso seria injusto tanto para com jornalistas quanto para com sacerdotes; mas seria muito mais verdadeiro em referência a jornalistas. O clérigo se apresenta em pessoa, e alguém poderia facilmente lhe desferir um chute quando saísse da igreja; o jornalista esconde até o próprio nome de modo que ninguém pode chutá-lo. Os jornalistas escrevem cartas e artigos malucos e sem sentido sobre o motivo de as igrejas estarem vazias, sem nem sequer ir até lá para saber se estão vazias, ou quais estão vazias. Suas sugestões são mais enfadonhas e ociosas que o mais insípido cura de uma farsa em três atos e nos levam a confortá-lo seguindo o estilo do cura de *Bab Ballads*, de W. S. Gilbert: "Sua cabeça não é vazia como a de Hopley Porter". Assim podemos realmente dizer ao mais insignificante membro do clero: "Sua cabeça não é tão vazia como a do Leigo indignado, ou da Pessoa simples, ou do Homem da rua, ou de qualquer um dos críticos dos jornais; pois eles não têm a mais vaga noção do que querem, sem falar no que lhes deveríamos dar". De repente eles se viram e insultam a Igreja por ela não ter impedido a Guerra que eles mesmos não quiseram impedir, e que ninguém jamais professara ser capaz de impedir, com exceção de alguns membros daquela mesma escola de céticos progressistas e cosmopolitas que são os principais inimigos da Igreja. Foi o mundo anticlerical e agnóstico que profetizou o advento da paz universal; é esse mundo que se sentiu, ou que deveria ter-se sentido, envergonhado e confuso ante o advento da guerra universal. Quanto à visão geral de que a Igreja ficou desacreditada em virtude da Guerra — eles também poderiam dizer que a Arca ficou desacreditada em virtude do Dilúvio. Quando o mundo vai mal, comprova-se sobretudo que a Igreja está certa. A Igreja se justifica não porque seus filhos não pecam, mas porque pecam. Mas isso marca a disposição deles acerca de toda a tradição religiosa: eles estão num estado de reação contra ela. Tudo está bem com o rapaz quando ele mora na propriedade de seu pai; e tudo está bem com ele quando está longe o suficiente para olhar para trás e ver a propriedade toda. Mas essa gente chegou a um estado intermediário, caiu num valo intermediário de onde não se podem ver nem os montes lá na frente, nem os montes lá atrás. Eles não conseguem sair da penumbra da controvérsia cristã. Não conseguem ser cristãos e não conseguem deixar de ser anticristãos. Toda a atmosfera é de reação: azedume, perversidade, crítica barata. Essa gente ainda vive na sombra da fé e perdeu a luz da fé.

Ora, a melhor relação com a nossa casa espiritual é ficar suficientemente perto para amá-la. Mas a segunda melhor relação é ficar suficientemente longe para não odiá-la. A tese destas páginas é que, embora o melhor juiz do cristianismo seja o cristão, o segundo melhor juiz seria alguém mais parecido com um confucionista. O pior de todos os juízes é aquele que está mais preparado com seus julgamentos; o cristão malformado que gradativamente se transforma no agnóstico mal-humorado, preso no meio de uma briga da qual ele nunca entendeu o começo, infestado por uma espécie de tédio hereditário sem saber do quê, e já cansado de ouvir o que ele nunca ouviu. Ele não julga o cristianismo calmamente como faria um confucionista; não o julga como ele julgaria o confucionismo. Não consegue, mediante um esforço de imaginação, situar a Igreja Católica a milhares de quilômetros de distância em estranhos céus matinais e julgá-la tão imparcialmente como se fosse um pagode chinês. Dizem que o grande Francisco Xavier, que quase conseguiu estabelecer a Igreja na China como uma torre mais alta que todos os pagodes, fracassou em parte porque seus seguidores foram acusados por seus próprios missionários de representar os Doze Apóstolos com roupagem ou atributos de chineses. Mas seria muito melhor vê-los como chineses e julgá-los imparcialmente como chineses do que vê-los como ídolos sem traços característicos feitos para serem quebrados por iconoclastas; ou então como alvos a serem atingidos por *cockneys* de mãos vazias. Melhor seria ver a coisa toda como remoto culto asiático; ver as mitras de seus bispos como os altaneiros chapéus de bonzos misteriosos; ver seus cajados pastorais como as bengalas retorcidas feito serpentes levadas em alguma procissão asiática; ver os livros de oração fantásticos como a roda de oração e a cruz retorcida como a suástica. Então pelo menos não precisaríamos perder as estribeiras como aparentemente fazem alguns dos críticos céticos, sem falar em perder o bom senso. Seu anticlericalismo tornou-se uma atmosfera de negação e hostilidade da qual eles não conseguem escapar. Melhor do que tudo isso seria ver a coisa toda como algo próprio de outro continente ou outro planeta. Contemplar bonzos com um olhar indiferente seria uma atitude mais filosófica do que ficar resmungando sem parar e sem fazer sentido contra bispos. Passar por uma igreja como se ela fosse um pagode seria melhor do que permanecer constantemente no pórtico, impotente tanto para entrar e ajudar quanto para ir embora e esquecer. Para aqueles nos quais uma simples reação acabou se tornando uma obsessão, eu seriamente recomendo o esforço imaginativo de ver os Doze Apóstolos como chineses. Em outras palavras, recomendo a esses críticos que tentem dispensar aos cristãos um tratamento tão justo quanto o que dispensariam aos sábios pagãos.

Mas com isso chegamos ao ponto final e vital. Tentarei mostrar nestas páginas que quando nós *realmente* fazemos esse esforço imaginativo para ver todo contexto de um ponto de vista externo, percebemos que de fato se parece com o que tradicionalmente se diz no seu interior. É precisamente quando o rapaz se distancia o bastante para ver o gigante que ele vê que se trata de fato de um gigante. É precisamente quando finalmente vemos a Igreja cristã à distância sob aqueles céus orientais claros e uniformes que percebemos que de fato se trata da Igreja de Cristo. Resumindo, no momento em que realmente somos imparciais a respeito dela sabemos por que as pessoas são parciais com ela. Mas essa segunda proposição exige uma discussão mais séria; e eu me proponho aplicar-me aqui a discuti-la.

Assim que na minha cabeça ficou clara essa concepção de algo sólido no caráter único e solitário da história divina, ocorreu-me que existia exatamente o mesmo caráter estranho mas sólido na história humana que havia levado até ela, uma vez que a história humana também tinha uma raiz que era divina. Quero dizer que exatamente como a Igreja se torna mais singular quando é comparada de modo imparcial com a vida religiosa comum da humanidade, assim também a humanidade se torna mais singular quando é comparada com a vida comum da natureza. E notei que a história moderna em sua quase totalidade inclina-se para algo semelhante à prática sofista, primeiro para suavizar a brusca transição de animais para homens e depois para suavizar a brusca transição de pagãos para cristãos. Ora, quanto mais lemos num espírito realista sobre essas duas transições, tanto mais bruscas percebemos que são. Os críticos não veem esse distanciamento porque eles *não* estão distanciados. Por não observarem os fatos numa luz pura, os críticos não conseguem ver a diferença entre preto e branco. Por adotarem uma atitude particular de reação e revolta, eles têm um motivo para entender que toda cor branca é cinza sujo e a preta não é tão preta como aparece na pintura. Não afirmo que não haja desculpas humanas para a revolta; não afirmo que ela não seja de algum modo compassiva. O que quero dizer é que ela não é de modo algum científica. Um iconoclasta pode sentir-se indignado; um iconoclasta pode estar indignado com razão; mas um iconoclasta não é imparcial. E é pura hipocrisia fingir que nove entre dez dos mais ilustres críticos e evolucionistas científicos e professores de religião comparada sejam minimamente imparciais. Por que deveriam ser imparciais, o que é ser imparcial quando o mundo inteiro está em guerra discutindo se uma coisa é uma superstição voraz ou uma esperança divina? Não finjo ser imparcial no sentido de que o último ato de fé fixa a mente de um ser humano por satisfazer-lhe a inteligência. Mas eu professo que sou muito mais imparcial do que eles, no sentido de que posso contar a história de modo imparcial, com alguma espécie de justiça imaginativa para com todas as partes, e eles não podem. Eu professo que sou imparcial no sentido de que deveria me envergonhar por dizer, sobre o Lama do Tibete, os mesmos absurdos que eles dizem sobre o Papa de Roma, ou por ter, pelo apóstata Juliano, tão pouca compaixão como eles têm pela companhia de Jesus. Eles não são imparciais; em hipótese alguma, eles nunca mantêm as balanças históricas equilibradas. E principalmente nunca são imparciais sobre essa questão de evolução e transição. Sugerem em tudo as gradações cinzentas do crepúsculo, porque acreditam que se trata do crepúsculo dos deuses. Eu sustento que, sendo ou não o crepúsculo dos deuses, não é a luz do dia dos homens.

Eu sustento que, quando expostas à luz do dia, estas duas realidades são totalmente estranhas e únicas; e que é apenas à falsa luz crepuscular de um período imaginário de transição que se pode fazer estas realidades se parecerem minimamente com qualquer outra coisa. A primeira delas é a criatura chamada homem, e a segunda é o homem chamado Cristo. Por isso dividi este livro em duas partes: a primeira é um esboço da principal aventura da raça humana na medida em que permaneceu pagã; e a segunda é um resumo da real diferença que se instaurou quando ela se tornou cristã. Os dois motivos exigem certo método, um método que não é muito fácil de aplicar e talvez seja ainda menos fácil de definir e defender.

Para percutir, no único sentido sadio ou possível, a nota da imparcialidade, é necessário tocar o nervo da novidade. Quero dizer que em certo sentido vemos os acontecimentos de modo imparcial quando os vemos pela primeira vez. É por isso, poderia eu observar de passagem, que as crianças em geral não têm nenhuma dificuldade com os dogmas da Igreja. Mas a Igreja, sendo um campo prático de trabalho e luta, é necessariamente um campo para homens e não meramente para crianças. Nela deve haver, para fins de trabalho, muito de tradição, de familiaridade e até de rotina. Desde que seus fundamentos sejam sentidos com sinceridade, essa pode ser a condição mais sadia. Mas, quando seus fundamentos são postos em dúvida, como acontece no presente, nós devemos tentar recorrer à candura e ao deslumbramento da criança; à objetividade e ao realismo intactos da inocência. Ou então, se isso não for possível, devemos pelo menos tentar nos livrar da nuvem do mero costume e ver a realidade como nova, mesmo que isso signifique vê-la como algo não natural. As coisas que podem normalmente ser familiares enquanto a familiaridade gera afeição deveriam deixar de ser familiares quando a familiaridade gera desprezo. Pois em relação a coisas tão grandes como as que aqui são consideradas, seja qual for nossa visão delas, o desprezo deve ser um erro. De fato o desprezo deve ser uma ilusão. Devemos invocar a mais indômita e sublime imaginação; a imaginação que consegue ver o que está aí.

A única maneira de sugerir essa ideia é por meio de um exemplo de alguma coisa, de praticamente qualquer coisa, que sempre foi considerada bela ou maravilhosa. George Wyndham disse-me certa vez que havia visto um dos primeiros aeroplanos decolar pela primeira vez, e foi maravilhoso; mas não tão maravilhoso como um cavalo que se deixa montar por um homem. Outra pessoa disse que um homem distinto sobre um belo cavalo é o objeto físico mais nobre do mundo. Ora, desde que se sinta isso da maneira certa, tudo bem. A primeira e melhor forma de apreciar o caso deve provir de gente com uma tradição de tratar animais de modo adequado, de homens com uma relação correta com cavalos. Um menino que se lembra de seu pai que andava a cavalo, que o montava bem e o tratava bem, saberá que a relação pode ser satisfatória e se sentirá satisfeito. Ele se sentirá muito mais indignado ante maus-tratos dispensados a cavalos porque sabe como eles deveriam ser tratados; mas não verá nada de anormal num homem montando um cavalo. Ele não prestará ouvidos ao grande filósofo moderno que lhe explica que o cavalo deveria ir montado no homem. Ele não seguirá a fantasia pessimista de Swift dizendo que os homens devem ser desprezados como macacos e os cavalos adorados como deuses. E quando cavalo e homem juntos formam uma imagem que para ele é humana e civilizada, será fácil, por assim dizer, elevar o cavalo e o homem e transformá-los em algo heroico ou simbólico; como uma visão de São Jorge nas nuvens. A fábula do cavalo alado não soará de todo inatural para ele, e ele saberá por que Ariosto colocou muitos heróis cristãos sobre uma sela tão etérea e fez deles cavaleiros do céu. Pois o cavalo foi de fato elevado juntamente com o homem da maneira mais fantástica na própria palavra que usamos ao falar de "cavalheirismo". O próprio nome do cavalo foi conferido à disposição e ao momento mais elevado do homem; de modo que quase poderíamos dizer que o mais belo cumprimento dispensável a um homem é chamá-lo de cavalo.

Mas se um homem está num estado de espírito no qual ele *não* consegue sentir essa espécie de deslumbramento, então sua cura deve começar exatamente na outra extremidade. Devemos agora supor que ele se deixou levar para um estado de espírito sem graça, no qual alguém sentando sobre um cavalo não tem mais significado do que alguém sentando sobre uma cadeira. O deslumbramento de que falava Wyndham, a beleza que fazia aquilo parecer uma estátua equestre, o significado do cavaleiro mais cavalheiresco, para ele podem ter-se tornado apenas uma convenção e uma chatice. Talvez tenham sido apenas uma moda; talvez tenham saído de moda; talvez se tenha falado demais daquilo ou falado da maneira errada; talvez então fosse difícil preocupar-se com cavalos sem correr o terrível risco de ser rústico. Seja como for, ele está naquela condição em que já não se liga mais para um cavalo do que para um cavalinho de pau. A investida do avô dele na batalha de Balaclava parece-lhe tão insípida e empoeirada como o álbum que contém aqueles retratos da família. Uma pessoa assim de fato ainda não se esclareceu sobre o álbum; pelo contrário, apenas ficou cega devido ao pó. Mas quando tiver atingido *esse* grau de cegueira, ela não conseguirá de modo algum olhar para um cavalo ou para um cavaleiro a não ser que veja o quadro todo como um quadro totalmente desconhecido e quase sobrenatural.

Saindo de alguma floresta escura, num certo alvorecer antigo, deve vir em nossa direção, movendo-se com dificuldade e mesmo assim dançando, nada menos que uma das criaturas pré-históricas mais esquisitas. Devemos ver pela primeira vez a cabeça estranhamente pequena acoplada a um pescoço não apenas mais comprido, mas também mais grosso que ela, como a cara de uma gárgula que é encaixada na ponta de uma calha, com um único tufo desproporcional de cabelo caindo da saliência daquele pescoço pesado, feito uma barba fora de lugar; os pés, cada um deles como um tacão de chifre, únicos entre os pés de tantos animais domésticos; de modo que o verdadeiro medo é o de ser identificado por não ter um casco inteiriço em vez de fendido. E não constitui mera fantasia verbal vê-lo assim como um monstro sem par, pois em certo sentido um monstro significa o que é único, e ele é de fato único. A ideia, porém, é que quando o vemos assim como ele foi visto pelo primeiro homem, nós começamos novamente a ter uma sensação do que significou a primeira experiência de alguém montá-lo. Num sonho assim ele pode parecer feio, mas realmente não deixa de parecer impressionante; e com certeza o anão bípede que conseguiu subir no lombo dele não parecerá inexpressivo. Percorrendo um caminho mais longo e mais errático nós devemos retornar à mesma maravilha do homem e do cavalo; e, se possível, a maravilha será até mais maravilhosa. Vamos novamente ter um vislumbre de São Jorge; ainda mais glorioso porque São Jorge não está sobre o cavalo, mas sim montando o dragão.

Nesse exemplo apresentado simplesmente por ser um exemplo, notar-se-á que não afirmo que o cavalo fantástico testemunhado pelo primeiro homem na floresta é mais real ou maravilhoso do que o cavalo doméstico visto pela pessoa civilizada que sabe apreciar o que é normal. Dos dois extremos, julgo que no todo o entendimento tradicional da verdade é o melhor. Mas afirmo que a verdade se descobre num ou noutro desses dois extremos, e ela se perde na condição intermediária de mera exaustão e esquecimento da tradição. Em outras palavras, afirmo que é melhor ver um cavalo como um monstro do que vê-lo apenas como um lento substituto de um carro. Se chegamos a *esse* estado de espírito que vê num cavalo algo envelhecido, é muito melhor ter medo de um cavalo por ser ele demasiado robusto.

Ora, como acontece com o monstro que se chama cavalo, assim acontece com o monstro que se chama homem. É óbvio que a melhor condição de todas, na minha opinião, é sempre considerar o homem como ele é visto na minha filosofia. Aquele que adota a visão cristã e católica da natureza humana terá certeza de que se trata de uma visão universal e, portanto, sadia e se sentirá satisfeito. Mas se tiver perdido a visão sadia, ele só pode retornar por meio de algo muito parecido com uma visão insana; isto é, vendo o homem como um animal estranho e percebendo como é estranho esse animal. Mas exatamente como ver o homem como um prodígio pré-histórico acaba nos levando de volta à admiração da superioridade do homem e não para longe dela, assim a consideração *realmente* distanciada da curiosa carreira do homem nos levará de volta à antiga fé nos obscuros desígnios de Deus e não para longe dela. Em outras palavras, exatamente quando vemos como é esquisito o quadrúpede é que nós louvamos o homem que o monta; e exatamente quando vemos como é esquisito o bípede é que nós louvamos a Providência que o criou.

Em resumo, o propósito desta introdução é defender esta tese: que precisamente quando vemos o homem como um animal é que nós sabemos que ele não é um animal. Precisamente quando tentamos retratá-lo como uma espécie de cavalo sobre as pernas traseiras é que de súbito percebemos que ele deve ser algo tão miraculoso como o cavalo alado que ascendeu às nuvens do céu. Todas as estradas conduzem a Roma, todos os caminhos levam de volta à filosofia central e civilizada, inclusive esta estrada que passa pela terra dos elfos e das pernas para o ar. Mas pode ser que seja melhor nunca ter deixado a terra de uma tradição racional, em que os homens montam com leveza seus cavalos e são grandes caçadores perante o Senhor.

Assim, no caso especialmente do cristianismo nós temos de reagir contra o forte viés da exaustão. É quase impossível dar cores vivas aos fatos, porque são fatos conhecidos; e para homens decaídos muitas vezes é verdade que a familiaridade é exaustão. Eu estou convencido de que, se pudéssemos contar a história sobrenatural de Cristo palavra por palavra como se fosse a história de um herói chinês, chamando-o de Filho do céu em vez de Filho do Homem e tracejando os raios de sua auréola com fios de ouro de bordados chineses ou com a laca dourada da cerâmica chinesa, em vez de usar o folhado a ouro de nossos antigos quadros católicos, haveria um testemunho unânime da pureza espiritual da história. Nesse caso nada ouviríamos sobre a injustiça da substituição ou o absurdo da expiação, sobre o exagero supersticioso do peso do pecado ou a intolerável insolência de uma invasão das leis da natureza. Admiraríamos o cavalheirismo da concepção chinesa de um deus que caiu do céu para lutar com dragões e impedir que os maus fossem devorados por sua própria culpa e loucura. Admiraríamos a sutileza da visão chinesa da vida, capaz de perceber que todas as imperfeições humanas são, segundo a mais pura verdade, imperfeições evidentes. Admiraríamos a esotérica e superior sabedoria chinesa, que afirma haver leis cósmicas superiores às leis que conhecemos; acreditaríamos em cada mágico indiano que decidisse vir até nós falando nesse mesmo estilo. Se o cristianismo fosse apenas uma nova moda oriental, ele nunca seria acusado de ser uma velha fé oriental. Eu não proponho neste livro seguir o suposto exemplo de Francisco Xavier com a intenção imaginativa oposta, e transformar os Doze Apóstolos em mandarins; nem fazê-los parecer nativos, nem fazê-los parecer estrangeiros. Não proponho fazer o que seria uma brincadeira totalmente bem-sucedida: a de contar toda a história do evangelho e toda a história da igreja num cenário de pagodes e rabichos; e observar com malicioso humor quanto ela seria admirada como uma história pagã, exatamente na região onde, como uma história cristã, ela é condenada. Mas eu me proponho percutir sempre que possível essa nota do que é novo e estranho, e por essa razão o estilo, mesmo num assunto tão sério, pode às vezes ser deliberadamente grotesco e fantasioso. Realmente quero ajudar o leitor a ver o cristianismo do ponto de vista exterior no sentido de vê-lo como um todo, contra o pano de fundo de outras realidades históricas; exatamente como quero que ele veja a humanidade como um todo, contra o pano de fundo de realidades naturais. E eu afirmo que nos dois casos, quando vistas desse modo, essas realidades se destacam de seu pano de fundo como realidades sobrenaturais. Elas *não* se esfumam nas outras coisas com as cores do impressionismo; destacam-se do resto com as cores da heráldica; tão vívidas como a cor vermelha sobre o branco de um brasão ou o leão negro sobre um fundo azul. Assim se destaca a argila vermelha contra o campo verde da natureza, ou o Cristo branco sobre a argila vermelha de sua raça.

Mas para ver essas realidades com clareza nós precisamos vê-las como um todo. Precisamos ver como se desenvolveram e como começaram, pois a parte mais incrível da história é que coisas que começaram assim devessem desenvolver-se assim. Quem quiser entregar-se à mera imaginação pode imaginar que outras coisas poderiam ter acontecido ou outras entidades evoluído. Quem quiser pensar no que poderia ter acontecido pode conceber uma espécie de igualdade evolucionária; mas quem enfrentar o que de fato aconteceu deve defrontar-se com uma exceção e um prodígio. Se alguma vez houve um momento em que o homem foi apenas um animal, nós podemos se quisermos fazer um quadro fantasioso de sua carreira transferida para algum outro animal. Poder-se-ia criar uma fantasia divertida na qual elefantes construíssem seguindo uma arquitetura elefantina, com torres e torreões iguais a presas e trombas, cidades acima da escala de qualquer colosso. Poder-se-ia conceber uma fábula agradável na qual uma vaca tivesse desenvolvido uma fantasia e vestisse quatro botas e dois pares de calças. Poderíamos imaginar um supermacaco mais maravilhoso que qualquer super-homem, uma criatura quadrúmana que esculpisse e pintasse com as mãos e cozinhasse e fizesse trabalhos de carpintaria com os pés. Mas se estamos considerando o que de fato aconteceu, certamente deveremos a todo momento concluir que o homem se afastou de tudo interpondo uma distância igual à dos espaços astronômicos e à velocidade de um raio. E da mesma maneira, embora possamos se quisermos ver a Igreja no meio de uma multidão de superstições mitríacas e maniqueias brigando e matando-se entre si no fim do Império; embora possamos se quisermos imaginar a Igreja morta nessa luta e algum outro culto qualquer lhe tomando o lugar, nós ficaremos ainda mais surpresos (e talvez intrigados) se a encontrarmos dois mil anos depois precipitando-se através dos tempos como raio alado do pensamento e eterno entusiasmo; algo sem rival ou semelhança; e ainda assim tão nova quanto velha.

Da criatura chamada homem

1

O homem na caverna

Muito longe, em alguma estranha constelação em céus infinitamente remotos, há uma pequena estrela, que algum astrônomo algum dia talvez venha a descobrir. Eu pelo menos nunca pude observar no rosto ou no comportamento da maioria dos astrônomos e cientistas nenhuma evidência de que eles a haviam descoberto, muito embora eles estivessem de fato caminhando sobre ela o tempo todo. É uma estrela que produz plantas e animais muito estranhos; e nenhum deles é mais estranho que os cientistas. Essa pelo menos é a maneira como eu começaria a história do mundo, se tivesse de seguir a tradição científica de começar com uma explicação do universo astronômico. Eu tentaria ver até mesmo esta terra do ponto de vista exterior, não por meio da insistência comum de sua posição em relação ao sol, mas por meio de algum esforço imaginativo de conceber sua remota posição para o espectador não humano. Só que eu não acredito em ser desumanizado para estudar a humanidade. Não acredito em discorrer sobre distâncias que supostamente atrofiam o mundo. Acho até que há algo um tanto vulgar acerca dessa ideia de tentar reprovar o espírito pelo tamanho. E como a primeira ideia não é viável, a de fazer da terra um planeta estranho para torná-lo significativo, eu não vou curvar-me à outra fraude e fazê-lo pequeno para torná-lo insignificante. Preferiria insistir em que nós nem sequer sabemos que a terra é um planeta, no sentido em que sabemos que ela é um lugar; e de fato um lugar muito extraordinário. Essa é a nota que pretendo percutir desde o princípio, não num estilo próprio da astronomia, mas nalgum estilo mais familiar.

Uma de minhas primeiras aventuras, ou desventuras, jornalísticas tinha a ver com um comentário sobre Grant Allen, que escrevera um livro intitulado *The Evolution of the Idea of God* [A evolução da ideia de Deus]. Incidentalmente eu comentei que seria muito mais interessante se Deus escrevesse um livro sobre a evolução da ideia de Grant Allen. E me lembro de que o editor desaprovou minha sugestão por ser blasfema. É óbvio que isso me divertiu muito. Pois a graça do caso estava naturalmente no fato de que jamais lhe ocorrera observar o próprio título do livro, que era de fato blasfemo, uma vez que, traduzido para o inglês, dizia: "Eu vou lhes mostrar como esta ideia absurda de que há um Deus evoluiu entre os homens". Meu comentário era rigorosamente piedoso e adequado: confessava o propósito divino mesmo em suas manifestações aparentemente obscuras e sem sentido. Naquele momento aprendi muitas coisas, inclusive o fato de que existe algo meramente acústico em grande parte daquela espécie agnóstica de reverência. O editor não percebera o detalhe, porque no título do livro a palavra comprida aparecia no começo e a palavra curta no fim; ao passo que no meu comentário a palavra curta aparecia no começo e lhe causou uma espécie de choque. Eu notei que se você coloca uma palavra como *God* [Deus] na mesma frase em que aparece a palavra *dog* [cão], essas palavras abruptas e angulares afetam as pessoas como tiros de pistola. Não importa que você diga que *God* criou o *dog* ou que o *dog* criou *God*; essa é apenas uma daquelas discussões estéreis de teólogos. Mas desde que você comece com uma palavra comprida como *evolução*, o resto vai passar sem dificuldade; muito provavelmente o editor não lera o título completo, pois era um título bastante comprido, e ele era um homem bastante ocupado.

Esse pequeno incidente sempre ficou na minha cabeça como uma espécie de parábola. A maioria das modernas histórias da humanidade começa com a palavra evolução, e com muita exposição bastante prolixa da evolução, em grande parte pelo mesmo motivo operante nesse caso. Há algo lento e reconfortante e gradual envolvendo essa palavra e mesmo essa ideia. Na realidade, não se trata, com respeito a essas coisas primárias, de uma palavra muito prática ou de uma ideia muito proveitosa. Ninguém consegue imaginar como o nada se poderia transformar em alguma coisa. Ninguém se aproxima nem sequer um centímetro disso mediante a explicação de como alguma coisa poderia se transformar em alguma outra coisa. É de fato muito mais lógico começar dizendo: "No princípio Deus criou o céu e a terra", mesmo que só se queira dizer: "No princípio algum poder inimaginável começou algum processo inimaginável". Pois Deus é por natureza um nome misterioso, e ninguém jamais supôs que o homem pudesse imaginar como o mundo foi criado e muito menos que ele pudesse criar um mundo. Mas de fato a evolução é erroneamente tomada como uma explicação. Ela tem o condão fatal de deixar em muitas mentes a impressão de que elas a entendem e entendem todo o resto; da mesma forma que muitos alimentam a falsa impressão de que leram *A origem das espécies*.

Mas essa noção de algo suave e lento, como a subida de uma encosta, constitui grande parte da ilusão. É absurdo assim como ilusório, pois a lentidão nada tem a ver com o caso. Um acontecimento não é nem um pouco intrinsecamente mais inteligível ou ininteligível devido ao ritmo em que se desenrola. Para uma pessoa que não acredita em milagres, um milagre lento seria exatamente tão inacreditável quanto um rápido. É possível que a bruxa grega tenha transformado marinheiros em porcos com um toque de vara de condão. Mas ver um general da marinha de nosso círculo de conhecidos parecendo-se cada dia mais com um suíno, até acabar com quatro pés de porco e um rabinho enrolado, já seria motivo de preocupação. Poderia sim ser uma experiência mais misteriosa capaz de causar arrepios. É possível que o bruxo medieval tenha voado pelo ares saltando de uma torre; mas com certeza um cavalheiro idoso caminhando pelos ares, num passeio tranquilo e despreocupado, aparentemente ainda exigiria alguma explicação. No entanto, perpassa todo o tratamento racionalista da história essa ideia curiosa e confusa de que a dificuldade é evitada, ou até mesmo o mistério é eliminado, pela consideração da simples protelação ou de algo que retarde o processo das coisas. Haverá mais a dizer sobre exemplos particulares em outras partes do livro; a questão aqui é a falsa atmosfera de facilidade e despreocupação conferida pela mera sugestão de ir devagar; o tipo de conforto que se pode dar a uma nervosa senhora de idade viajando de carro pela primeira vez.

H. G. Wells confessou ser um profeta, e nessa questão foi profeta a sua própria custa. É curioso que seu conto fantástico tenha sido uma resposta completa a seu último livro de história. *A máquina do tempo* destruiu de antemão todas as confortáveis conclusões fundadas na simples relatividade do tempo. Naquele sublime pesadelo o herói viu árvores subindo aos céus como foguetes verdes e a vegetação se estendendo como uma conflagração verde, ou o sol esfuziando pelo céu de leste a oeste com a rapidez de um meteoro. No entanto, no entendimento dele essas coisas eram igualmente naturais quando aconteciam em alta velocidade; e no nosso entendimento elas são igualmente sobrenaturais quando acontecem devagar. A questão fundamental é saber por que elas simplesmente acontecem; e alguém que de fato entende essa questão saberá que sempre se tratou e se tratará de uma questão religiosa; ou de qualquer forma de uma questão filosófica ou metafísica. Com quase toda a certeza ele não julgará que sua resposta reside na substituição de uma mudança abrupta por uma mudança gradual; ou, em outras palavras, numa versão meramente relativa da mesma história sendo espichada ou matraqueada rapidamente até o fim, como se pode fazer com qualquer história no cinema girando a manivela.

Sendo assim, o que se faz necessário para resolver esses problemas da existência primitiva é algo mais semelhante a um espírito primitivo. Evocando essa visão das primeiras coisas, eu pediria ao leitor para fazer comigo uma espécie de experimento de simplicidade. E por simplicidade eu não quero dizer estupidez, mas sim uma espécie de clareza que vê coisas como a vida e não palavras como "evolução". Para esse propósito seria realmente melhor girar a manivela da Máquina do Tempo um pouco mais rápido e ver a relva crescer e as árvores subirem até o céu, se esse experimento pudesse contrair, concentrar e esclarecer o desfecho de toda a questão. O que sabemos, num sentido em que não sabemos mais nada, é que as árvores e a relva cresceram e que muitas outras coisas extraordinárias de fato aconteceram; que estranhas criaturas se sustentam no espaço aberto golpeando-o com leques de vários formatos fantásticos; que outras estranhas criaturas se movem e vivem sob imensas extensões de água; que outras estranhas criaturas caminham sobre quatro patas; e que a mais estranha de todas as criaturas caminha sobre duas pernas. Essas são realidades e não teorias; e comparada com elas a evolução, o átomo e até mesmo o sistema solar são apenas teorias. A questão neste caso é uma questão de história e não de filosofia; tanto que só se faz necessário observar que nenhum filósofo nega que o mistério ainda envolve as duas grandes transições: a origem do próprio universo e a origem do princípio da própria vida. A maioria dos filósofos tem o esclarecimento de acrescentar que um terceiro mistério se prende à origem do próprio homem. Em outras palavras, uma terceira ponte foi construída sobre um terceiro abismo do inimaginável quando veio ao mundo o que chamamos de razão e o que chamamos de vontade. O homem não constitui apenas uma evolução, mas antes uma revolução. O fato de ele ter uma espinha dorsal ou outras partes que seguem um padrão similar ao de aves e peixes é óbvio, seja qual for o seu significado. Mas se nós tentamos vê-lo, por assim dizer, como um quadrúpede que se equilibra sobre as pernas traseiras, deveremos achar o que vem depois muito mais fantástico e subversivo do que se ele se equilibrasse sobre a cabeça.

Tomarei um exemplo para servir de introdução à história do homem. Ele ilustra o que eu quero dizer quando afirmo que certa franqueza infantil se faz necessária para ver a verdade sobre a infância do mundo. Ilustra o que quero dizer quando afirmo que uma mistura de ciência popular e de jargão jornalístico confundiu os fatos acerca das primeiras coisas, de modo que não podemos distinguir qual delas veio realmente primeiro. Ilustra, embora apenas numa única ilustração conveniente, tudo o que quero dizer ao afirmar a necessidade de ver as nítidas diferenças que dão à história sua forma, em vez de ficarmos submersos em todas essas generalizações sobre lentidão e uniformidade. Pois nós de fato precisamos, nas palavras do sr. Wells, de *uma história universal.*[1] Mas podemos nos arriscar a dizer, nas palavras do sr. Mantalini, que essa história evolucionária não tem esquema lógico algum ou então trata-se de um esquema *mardito.*[2] Mas, acima de tudo, ilustra o que quero dizer quando afirmo que, quanto mais nós realmente olharmos para o homem como um animal, tanto menos ele parecerá um animal.

Hoje em dia nossos romances e jornais se apresentam infestados de inúmeras alusões a um personagem popular chamado homem das cavernas. Ele nos parece muito familiar, não apenas como personagem público, mas também como personagem privado. Sua psicologia é seriamente levada em consideração na ficção psicológica e na medicina psicológica. Até onde eu consigo entender, a principal ocupação na vida dele era bater na esposa, ou tratar as mulheres em geral com o que, creio eu, no mundo do cinema é conhecido como "violência física". Nunca cheguei a descobrir as provas dessa ideia; não sei em que diários primitivos ou pré-históricos registros de divórcio ela se funda. Tampouco, como já expliquei em outra ocasião, consegui ver sua probabilidade, mesmo considerada *a priori*. Sempre nos dizem, sem explicações ou argumentos de autoridade, que o homem primitivo brandia um porrete e derrubava a mulher antes de levá-la embora. Mas, com base na analogia com todos os animais, pareceria um recato e relutância quase mórbidos, por parte da madame, sempre insistir em ser derrubada antes de consentir em ser levada embora. E repito que nunca consegui compreender por que, quando o macho era tão rude, a fêmea deveria ser assim tão refinada. O homem das cavernas talvez tenha sido um bruto, mas não há motivo para ele ter sido mais bruto que os brutos. E os amores das girafas e os romances fluviais dos hipopótamos ocorrem sem nada desse estardalhaço ou tumulto preliminares. O homem das cavernas talvez não tenha sido melhor que o urso das cavernas; mas a filhotinha do urso, tão celebrada na hinologia,[3] não é treinada com nenhuma dessas tendências para a condição de solteirona. Em resumo, esses detalhes da vida doméstica das cavernas me intrigam tanto com base na hipótese revolucionária quanto com base na hipótese estática; seja como for, gostaria de analisar suas provas, mas infelizmente nunca consegui descobri-las. Mas o curioso é o seguinte: enquanto dez mil línguas de fofoqueiros mais ou menos científicos ou literários pareciam estar falando ao mesmo tempo desse sujeito infeliz, sob o título de homem das cavernas, a única ligação em que é de fato relevante e sensato falar dele como homem das cavernas ficou comparativamente esquecida. As pessoas usaram esse termo indefinido de vinte maneiras indefinidas; mas nunca sequer olharam para seu próprio termo buscando aquilo que realmente se poderia aprender com ele.

Na verdade, as pessoas se interessaram por tudo a respeito do homem das cavernas, exceto por aquilo que ele fazia lá. Ora, acontece que realmente existem algumas provas reais do que ele fez na caverna. São bastante reduzidas, como todas as provas pré-históricas, mas dizem respeito ao real homem das cavernas e a sua caverna, e não ao homem das cavernas da literatura e a seu porrete. E será útil para o nosso entendimento da realidade considerar pura e simplesmente o que são essas provas reais e não ir além delas. O que se descobriu na caverna não foi um porrete, o horrível porrete com manchas de sangue e marcas entalhadas indicando o número de mulheres golpeadas por ele na cabeça. A caverna não era um aposento de

Barba-azul repleto de esqueletos de mulheres abatidas; não estava repleta de crânios femininos enfileirados e todos rachados como ovos. Era algo totalmente desvinculado, de um modo ou de outro, de todas as frases modernas e implicações filosóficas e rumores literários que hoje confundem toda essa questão. E se nós desejamos ver como de fato é esse autêntico vislumbre da manhã do mundo, será muito melhor imaginar até mesmo a história de sua descoberta como uma dessas lendas da terra do amanhecer. Seria muito melhor contar a história do que de fato se descobriu simplesmente como a história de heróis descobrindo o Velo de Ouro ou o Jardim das Hespérides, se assim fosse possível fugir da névoa de teorias controversas para as cores límpidas e os nítidos perfis daquele amanhecer. Os antigos poetas épicos pelo menos sabiam contar uma história, talvez uma história inacreditável, mas nunca uma história distorcida, nunca uma história torturada e deformada para adaptar-se a teorias e filosofias inventadas séculos mais tarde. Seria bom que os investigadores modernos descrevessem suas teorias no despojado estilo narrativo dos primeiros viajantes, sem nenhuma dessas longas palavras alusivas repletas de implicações e sugestões irrelevantes. Então talvez conseguíssemos descobrir o que de fato sabemos sobre o homem das cavernas ou, de qualquer modo, sobre a caverna.

Um sacerdote e um menino entraram algum tempo atrás num buraco nas montanhas e passaram para uma espécie de túnel subterrâneo que conduzia a um desses labirintos de corredores secretos cavados na rocha. Eles rastejaram por fendas que pareciam quase intransponíveis, arrastaram-se por túneis que poderiam ter sido feitos para toupeiras, caíram em vãos assustadores que pareciam poços, pareciam estar se enterrando vivos sete vezes além da esperança da ressurreição. Esse é apenas o lugar-comum de todas essas corajosas explorações; mas neste ponto se faz necessário alguém para expor essas histórias na sua luz primária em que elas não são um lugar-comum. Há, por exemplo, algo estranhamente simbólico no detalhe de que os primeiros intrusos naquele mundo submerso foram um sacerdote e um menino, tipos que representam a antiguidade e a juventude do mundo. Mas aqui eu estou ainda mais preocupado com o simbolismo do menino do que com o do sacerdote. Ninguém que se lembre da infância precisa que lhe digam o que poderia significar para um menino entrar como Peter Pan sob o teto das raízes de todas as árvores e ir cada vez mais fundo, até atingir o que William Morris chamou de as próprias raízes das montanhas. Suponhamos que alguém, com aquele realismo simples e intacto que faz parte da inocência, fizesse essa jornada até o fim, não visando o que pudesse deduzir ou demonstrar em alguma empoeirada discussão de revista, mas simplesmente para ver o que fosse possível. O que ele de fato viu foi uma caverna tão distante da luz que poderia ter sido a lendária caverna Domdaniel[4] sob o fundo do mar. Esse aposento secreto de rocha, ao ser iluminado depois de sua longa noite de séculos incontáveis, revelou em suas paredes enormes e alastrados contornos feitos com argila de várias cores; e, quando os visitantes acompanharam suas linhas, reconheceram, através daquele vasto vão de séculos, o movimento e o gesto de uma mão humana. Eram desenhos ou pinturas de animais; e foram desenhados ou pintados não apenas por um homem, mas por um artista. Apesar de todas as limitações possíveis, eles exibiam o amor pelo traço grande e curvo ou longo e ondulado que qualquer um que já desenhou ou tentou desenhar há de reconhecer; e a respeito desse traço nenhum artista aceitará ser contestado por nenhum cientista. Os desenhos mostravam o espírito experimental e aventureiro do artista, o espírito que, em vez de evitar, tenta o que é difícil; como no ponto onde o desenhista havia representando o movimento da rena ao virar completamente a cabeça para farejar a própria cauda, ação bastante comum no cavalo. Mas há muitos modernos pintores de animais para quem representar essa cena seria uma tarefa bastante difícil. Nesse e em outros vinte detalhes fica claro que o artista havia observado os animais com certo interesse e presumivelmente com certo prazer. Nesse sentido pareceria que ele não era apenas um artista, mas também um naturalista; o tipo de naturalista que é realmente natural.

Sendo assim, nem é preciso observar, a não ser de passagem, que não há absolutamente nada na atmosfera das cavernas que sugira a atmosfera sombria e pessimista das cavernas dos ventos dos jornais, vociferando e soprando ao nosso redor com inúmeros ecos a respeito do homem das cavernas. Na medida em que algum caráter humano pode ser sugerido por esses traços, esse caráter humano é muito humano e até mesmo humanitário. Certamente não se trata do ideal de um caráter desumano, como a abstração invocada na ciência popular. Quando romancistas educadores e psicólogos de todos os tipos falam do homem das cavernas, eles nunca o imaginam em conexão com coisa alguma que de fato está na caverna. Quando o realista de romances de sexo escreve: “Rubras faíscas dançavam no cérebro de Dagmar Pinto; ele sentia o espírito do homem das cavernas crescendo dentro dele”, os leitores do romancista se sentiriam muito decepcionados se Dagmar apenas sumisse e fosse desenhar enormes vacas na parede da sala de visitas. Quando o psicanalista escreve a um paciente: “Os instintos submersos do homem das cavernas sem dúvida estão estimulando você a satisfazer um impulso violento”, ele não está se referindo ao impulso de pintar uma aquarela; ou de fazer estudos introspectivos sobre como o gado mexe a cabeça quando está pastando. No entanto, nós temos provas de que o homem das cavernas de fato fazia essas coisas meigas e inocentes; e não temos o menor sinal de evidência de que ele praticasse alguma dessas atividades violentas e ferozes. Em outras palavras, o homem das cavernas tal qual ele nos é comumente apresentado é apenas um mito, ou melhor, mera confusão; pois um mito tem no mínimo um esquema imaginativo de verdade. Toda essa maneira atual de falar é simplesmente uma confusão e um mal-entendido, que não se funda em nenhuma espécie de evidência científica e é apreciado apenas como desculpa para um estado de espírito anarquista que é muito moderno. Se algum cavalheiro quer bater numa mulher, ele sem dúvida pode ser um grosseirão sem denegrir o caráter do homem das cavernas, acerca do qual não sabemos quase nada a não ser o que se consegue deduzir de algumas inofensivas e agradáveis pinturas numa parede.

Mas esse não é o ponto principal acerca das pinturas ou da moral particular que devemos tirar delas. Essa moral é algo muito mais amplo e mais simples, tão amplo e simples que quando é declarado pela primeira vez parece infantil. E de fato é, no sentido mais elevado, infantil; e é por isso que neste apólogo em certo sentido eu o enxerguei através dos olhos de uma criança. Trata-se na verdade do maior dos fatos constatados pelo menino na caverna; e talvez seja demasiado grande para ser visualizado. Se o menino era alguém do rebanho do sacerdote, pode-se presumir que fora treinado em certa condição que se chama bom senso; aquele consenso que muitas vezes chega até nós na forma de tradição. Nesse caso ele simplesmente reconheceria a obra do homem primitivo como a obra de um homem, interessante mas de modo algum incrível por ser primitiva. Ele veria o que lá estava para ver; e não se sentiria tentado a ver o que lá não estava, levado por algum entusiasmo evolucionário ou especulação da moda. Se ele houvesse ouvido essas coisas, naturalmente admitiria que as especulações poderiam ser verdadeiras e não incompatíveis com os fatos verdadeiros. Talvez o artista tivesse outra faceta de caráter além daquela que, isoladamente, ele deixou registrada em suas obras de arte. Talvez o homem primitivo sentisse um prazer especial em bater nas mulheres bem como em desenhar animais. Tudo o que podemos dizer é que os desenhos registram o primeiro, mas não o segundo. Pode ser verdade que, quando o homem das cavernas acabava de pular em cima de sua mãe, ou de sua mulher, conforme o caso, ele gostasse de ouvir o pequeno regato gorgolejando e também de observar as renas que desciam até o riacho para beber. Essas coisas não são impossíveis, mas são irrelevantes. O bom senso da criança poderia restringir-se a aprender dos fatos o que os fatos têm a ensinar; e os desenhos na caverna são praticamente quase todos os fatos que existem. No que se refere a provas, a criança seria justificada se supusesse que um homem havia representado animais com pedras e ocre vermelho pela mesma razão que ele costumava tentar representar animais com carvão e giz vermelho. O homem havia desenhado um cervo adulto exatamente como o menino havia desenhado um cavalo: porque era divertido. O homem havia desenhado o cervo de cabeça virada como o menino havia desenhado um porco de olhos fechados: porque era difícil. O menino e o homem, sendo ambos humanos, estariam unidos pela fraternidade dos homens; e a fraternidade dos homens é até mais nobre quando une o abismo das eras do que quando une apenas o hiato que separa classes. Mas, seja como for, ele não veria nenhuma prova do homem das cavernas do rude evolucionismo: porque não há nenhuma prova disso. Se alguém lhe dissesse que todas aquelas pinturas haviam sido desenhadas por Francisco de Assis motivado por puro amor pelos animais, não haveria nada na caverna para contradizer isso.

De fato encontrei-me certa ocasião com uma senhora que com toque de humor sugeriu que a caverna era uma creche, onde os bebês eram colocados para ficar especialmente seguros, e os animais coloridos foram desenhados nas paredes para diverti-los: algo muito parecido com os desenhos de elefantes e girafas que adornam uma escola infantil moderna. E embora fosse apenas uma brincadeira, a observação mais que depressa chama a atenção para algumas das outras suposições que nós fazemos de modo precipitado. As pinturas não provam nem sequer que o homem das cavernas vivia em cavernas, assim como a descoberta de uma adega de vinhos em Balham (muito tempo depois que aquele subúrbio havia sido destruído pela ira humana ou divina) não provaria que as classes médias da era vitoriana moravam em habitações completamente subterrâneas. A caverna poderia ter tido um propósito especial como a adega; poderia ter sido um lugar sagrado, ou um refúgio de guerra, ou um ponto de encontro de uma sociedade secreta, ou qualquer outro tipo de coisa. Mas é perfeitamente verdade que sua decoração artística tem muito mais da atmosfera de uma creche do que desses pesadelos de furor e fúria caóticos. Imaginei uma criança de pé na caverna; e é fácil imaginar qualquer criança, moderna ou infinitamente remota no tempo, fazendo um gesto natural como se fosse acariciar os animais pintados na parede. Nesse gesto está a prefiguração, como veremos mais tarde, de outra caverna e de outra criança.

Mas suponhamos que o menino não tenha sido educado por um sacerdote, mas por um professor, um desses catedráticos que simplificam a relação de homens e animais reduzindo-a a uma simples variação evolucionária. Suponhamos que o menino via a si mesmo com a mesma simplicidade e sinceridade, como um simples Mowgli que anda com seu bando e mal se distingue do resto exceto por uma relativa e recente variação. Qual seria para ele a mais simples lição daquele estranho livro de gravuras feito de pedra? No fim das contas, tudo se reduziria a isso: ele havia cavado muito fundo e descoberto o lugar onde um homem desenhara um cervo. Mas teria de cavar muito mais fundo antes de descobrir o lugar onde um cervo houvesse desenhado um homem. Isso soa como um truísmo, mas nesse caso trata-se de uma verdade realmente tremenda. Ele poderia descer a profundezas impensáveis; poderia ir ao fundo de continentes submersos tão estranhos como remotas estrelas; poderia ir parar no interior do mundo tão distante dos homens como o outro lado da lua; poderia ver nesses frios abismos ou colossais terraços de pedra, esboçados no desbotado hieróglifo do fóssil, as ruínas de dinastias perdidas de vida biológica, mais parecidas com as ruínas de sucessivas criações e universos separados do que com os estágios na história de um único universo. Ele descobriria a trilha de monstros que cegamente se desenvolvem em direções fora de todas as nossas imaginações de peixes e aves; tateando e tocando e agarrando a vida com todas os seus extravagantes prolongamentos de chifres e línguas e tentáculos; produzindo uma floresta de fantásticas caricaturas de garras e barbatanas e dedos. Mas em parte alguma encontraria ele um dedo que houvesse traçado uma linha significativa sobre a areia; em parte alguma, uma garra que houvesse começado a riscar a vaga sugestão de uma forma. Por tudo o que parece, isso seria tão impensável em todas aquelas inúmeras variações cósmicas de esquecidas eras como o seria nos animais e aves que estão diante de nossos olhos. A criança não esperaria ver isso, como tampouco esperaria ver o gato arranhando na parede uma caricatura vingativa do cachorro. O bom senso infantil impediria que a criança mais evolucionária esperasse ver algo semelhante; no entanto, nos traços dos rudes e recém-evoluídos ancestrais da humanidade ela teria visto exatamente isso. Certamente deve impressioná-la como algo estranho o fato de homens tão distantes dela estarem tão perto, e de animais tão perto dela estarem tão distantes. Para a sua simplicidade deve parecer no mínimo estranho não encontrar nenhum vestígio do começo de alguma arte em nenhum dos animais. Essa é a lição mais simples a aprender na caverna das pinturas coloridas; só que é simples demais para aprender. É a simples verdade que o homem difere dos animais em espécie e não em grau; e a prova disso está aqui: soa como um truísmo dizer que o homem mais primitivo fez o desenho de um macaco, e soa como uma piada dizer que o macaco mais inteligente fez o desenho de um homem. Algo de divisão e proporção apareceu; algo único. A arte é a assinatura do homem.

Esse é o tipo de verdade simples com o qual a história do princípio deveria realmente principiar. O evolucionista fica plantado na caverna pintada olhando para coisas que são demasiado grandes para ver e demasiado simples para entender. Ele tenta deduzir todos os tipos de outras coisas indiretas e duvidosas a partir dos detalhes dos desenhos, porque não consegue ver os significados primários do todo: deduções toscas e teóricas sobre a ausência de religião ou a presença de superstição;

sobre governo tribal e caça e sacrifícios humanos e Deus sabe lá o quê. No capítulo seguinte tentarei detalhar um pouco mais a questão muito discutida sobre essas origens pré-históricas das ideias humanas e especialmente da ideia religiosa. Aqui estou apenas tomando este único caso da caverna como uma espécie de símbolo do tipo mais simples de verdade com o qual a história deveria começar. No fim das contas, o fato principal que o registro dos homens das renas atesta, juntamente com todos os outros registros, é que o homem das renas sabia desenhar e as renas não. Se o homem das renas era tão animal quanto as renas, é ainda mais extraordinário o fato de que ele soubesse fazer o que todos os outros animais não sabiam. Se ele era um produto comum do desenvolvimento biológico, como qualquer outra fera ou ave, então é ainda mais extraordinário o fato de que ele não era minimamente parecido com nenhuma dessas feras ou aves. Ele parece até mais sobrenatural como um produto natural do que como um produto sobrenatural.

Mas eu comecei essa história na caverna, como a caverna das especulações de Platão, porque é uma espécie de modelo do erro das introduções e prefácios meramente evolucionários. É inútil começar dizendo que tudo é uma questão de lento e suave desenvolvimento e grau. Pois na questão simples das pinturas não há de fato nenhum sinal desse desenvolvimento ou grau. Os macacos não começaram quadros e os homens os terminaram; o Pitecantropo não desenhava mal uma rena e o *Homo sapiens* a desenhava bem. Os animais superiores não desenhavam retratos cada vez melhores; o cachorro não pintava melhor na sua melhor fase do que em seu estilo anterior como chacal; o cavalo selvagem não era impressionista, e o cavalo de raça pós-impressionista. Tudo o que podemos dizer dessa ideia de reproduzir coisas em forma de sombra ou de forma representativa é que ela não existe em parte alguma da natureza com exceção do homem; e que não podemos sequer falar sobre ela sem tratar o homem como algo separado da natureza. Em outras palavras, todos os tipos sensatos de história devem começar com o homem como homem, um ser que se apresenta absoluto e só. Como ele surgiu, ou de fato como qualquer outra coisa surgiu, é um problema para teólogos, filósofos e cientistas, não para historiadores. Mas um excelente caso-teste desse isolamento e mistério é a questão do impulso artístico. Essa criatura era de fato diferente de todas as outras criaturas; porque ela era criadora e também criatura. Nada nesse sentido poderia ser criado segundo qualquer outra imagem, exceto segundo a imagem do homem. Mas a verdade é tão verdadeira, que mesmo na ausência de qualquer crença religiosa, ela deve ser presumida como algum princípio moral ou metafísico. No capítulo seguinte veremos como esse princípio se aplica a todas as hipóteses históricas e éticas evolucionárias atualmente na moda; às origens do governo tribal ou à crença mitológica. Mas o exemplo mais claro e mais conveniente por onde começar é este princípio popular indagando o que o homem das cavernas realmente fez na sua caverna. Significa que de um jeito ou de outro algo de novo havia surgido na cavernosa noite da natureza, uma mente que é como um espelho. Ela é como um espelho porque é realmente uma entidade que reflete. É como um espelho porque somente nela todas as outras formas podem ser vistas brilhando como sombras numa visão. Acima de tudo, ela é como um espelho porque é a única coisa de sua espécie. Outras coisas podem parecer-se com ela ou parecer-se entre si de várias maneiras; outras coisas podem distinguir-se ou superar-se umas às outras de várias maneiras; exatamente como na mobília de uma sala uma mesa pode ser redonda como um espelho, ou um armário pode ser maior que um espelho. Mas o espelho é único objeto que pode conter todas as outras coisas. O homem é o microcosmo; o homem é a medida de todas as coisas; o homem é a imagem de Deus. Essas são as únicas lições verdadeiras a serem aprendidas na caverna, e está na hora de sair dela em busca do espaço aberto.

Será bom a esta altura, todavia, resumir de uma vez por todas o que significa dizer que o homem é ao mesmo tempo a exceção de tudo e o espelho e a medida de todas as coisas. Mas para ver o homem como ele é, mais uma vez se faz necessário manter-se colado àquela simplicidade que sabe livrar-se de nuvens acumuladas pelo pensamento sofista. A verdade mais simples acerca do homem é que ele é um ser muito estranho: quase no sentido de ser um estranho sobre a terra. Sem nenhum exagero, ele tem muito mais da aparência exterior de alguém que surge com hábitos alienígenas de outro mundo do que da aparência de um mero desenvolvimento deste mundo. Ele tem uma vantagem injusta e uma injusta desvantagem. Ele não consegue dormir na própria pele; não pode confiar nos próprios instintos. Ele é ao mesmo tempo um criador movendo mãos e dedos miraculosos, e uma espécie de deficiente. Anda envolto em faixas artificiais chamadas roupas; escora-se em muletas artificiais chamadas móveis. Sua mente tem as mesmas liberdades duvidosas e as mesmas violentas limitações. Ele é o único entre os animais que se sacode com a bela loucura chamada riso: como se houvesse vislumbrado na própria forma do universo algum segredo que o próprio universo desconhece. Ele é o único entre os animais que sente a necessidade de desviar seus pensamentos das realidades radicais do seu próprio ser físico; de escondê-las como se estivesse na presença de alguma possibilidade superior que origina o mistério da vergonha. Quer louvemos essas coisas como naturais ao homem, quer as insultemos como artificiais na natureza, elas mesmo assim continuam únicas. Isso é realizado por todo aquele instinto popular chamado religião, até ele ser perturbado por pedantes, especialmente os laboriosos pedantes da vida simples.[5] Os mais sofistas de todos os sofistas são os gimnosofistas.[6]

Não é natural ver o homem como um produto natural. Não é bom senso chamar o homem de objeto comum do interior ou do litoral. Não é ver direito vê-lo como um animal. Não é sensato. É um pecado contra a luz: contra a clara luz da proporção, que é o princípio da realidade. É algo a que se chega forçando uma ideia, forjando um caso, escolhendo artificialmente certa luz e sombra, ressaltando as coisas menores ou mais baixas que acidentalmente podem ser similares. O ser concreto que surge à luz do sol, esse ser ao redor do qual podemos caminhar observando-o de todos os lados, é muito diferente. É também muito extraordinário; e, quanto mais facetas observamos, mais extraordinário ele parece. Sem sombra de dúvida, não é algo que se infere e flui naturalmente de alguma outra coisa. Se nós imaginarmos que uma inteligência inumana ou impessoal poderia ter percebido desde o início a natureza geral do mundo não humano de modo suficiente para ver que as coisas evoluiriam em alguma direção como elas evoluíram, não teria havido absolutamente nada em todo o mundo natural capaz de preparar essa mente para uma novidade tão inatural. Para essa mente, o homem com toda a certeza não teria parecido algo como um rebanho que saindo dentre cem rebanhos descobrisse pastagens mais favoráveis; ou uma andorinha que saindo dentre cem andorinhas fizesse verão sob um céu estranho. Ele não estaria na mesma escala e dificilmente na mesma dimensão. Poderíamos dizer com exatidão que ele não estaria no mesmo universo. Seria algo mais parecido com ver uma vaca sair dentre cem vacas e de repente saltar por cima da lua, ou ver um porco, dentre cem porcos, criar asas num átimo e voar. Não seria uma questão de gado que encontrasse sua própria pastagem, mas de gado que construísse seus próprios estábulos; não seria uma questão de uma andorinha que fizesse verão, mas de uma andorinha que construísse uma casa de veraneio. Pois o próprio fato de as aves realmente construírem ninhos é uma dessas semelhanças que tornam mais nítida a surpreendente diferença. O próprio fato de uma ave chegar ao ponto de construir um ninho, e de não poder ir além disso, comprova que ela não tem uma mente como a do homem. Se não construísse absolutamente nada, ela talvez pudesse passar por um dos filósofos da escola quietista ou budista, indiferentes a tudo exceto à mente interior. Mas quando ela de fato constrói e fica satisfeita e canta forte sua satisfação, então sabemos que há realmente um véu invisível como uma placa de vidro entre nós e ela, como a vidraça contra a qual ela se debate em vão. Mas suponhamos que nosso observador abstrato visse uma das aves começar a construir como constroem os homens. Suponhamos que num espaço de tempo incrivelmente breve houvesse sete estilos de arquitetura para um estilo de ninho. Suponhamos que a ave com cuidado selecionasse gravetos bifurcados e folhas pontudas para expressar a penetrante piedade gótica, mas que recorresse a folhas grandes e lama escura quando quisesse, num estado de espírito mais sombrio, evocar as pesadas colunas de Bel e Astarote,[7] fazendo de seu ninho um dos jardins suspensos da Babilônia. Suponhamos que a ave criasse pequenas estátuas de argila representando pássaros celebrados nas letras e na política e as afixasse diante do ninho. Suponhamos que uma ave dentre mil começasse a fazer uma das milhares de coisas que o homem já fizera antes, até mesmo no alvorecer do mundo; e nós podemos ter certeza de que o observador não consideraria essa ave uma simples variedade evolucionária das outras aves; ele a consideraria uma ave deveras terrível; talvez uma ave de mau presságio, certamente um presságio. Aquela ave revelaria aos áugures não algo que viria a acontecer, mas algo que já havia acontecido. Esse algo seria o aparecimento de uma mente com nova dimensão de profundidade; uma mente como a do homem. Se não existe nenhum Deus, não se pode conceber nenhuma outra mente que pudesse ter previsto esse algo.

Ora, de fato não há nem uma sombra de evidência de que *esse* algo tenha de algum modo evoluído. Não há nem uma migalha de provas de que *essa* transição tenha acontecido de modo lento, ou sequer de que tenha acontecido de modo natural. Num estrito sentido científico, nós simplesmente não sabemos nada de nada sobre como esse algo surgiu, ou se surgiu, ou o que ele é. Talvez haja uma trilha interrompida de pedras e ossos vagamente sugerindo o desenvolvimento do corpo humano. Não há nada sugerindo nem mesmo de modo vago um desenvolvimento da mente humana que tenha essa natureza. Não existia e passou a existir; não sabemos em que instante ou em que infinidade de anos. Algo aconteceu; e tem toda a aparência de uma transação fora do tempo. Não tem, portanto, nada a ver com a história no sentido comum. O historiador deve tomar isso ou algo parecido com isso e aceitá-lo como um fato dado; não cabe a ele como historiador explicá-lo. Mas se ele não pode explicá-lo como historiador, não o explicará como biólogo. Em nenhum dos dois casos haverá para ele algum desdouro na aceitação do fato sem explicá-lo, pois se trata de uma realidade, e a história e a biologia lidam com realidades. Ele está plenamente justificado quando encara calmamente o porco com asas e a vaca que pulou por cima da lua, simplesmente porque são fatos que aconteceram. Ele pode racionalmente aceitar o homem como uma anomalia, porque o aceita como um fato. Pode se sentir perfeitamente confortável num mundo maluco e desconexo, ou seja, num mundo capaz de produzir essa coisa maluca e desconexa. Pois a realidade é uma coisa em que todos podemos repousar, mesmo que ela mal pareça relacionada com alguma outra coisa. A coisa está ali; e para a maioria de nós isso basta. Mas, se quisermos saber como ela pode jamais ter surgido, se de fato desejarmos vê-la relacionada de um modo realista com outras coisas, se insistirmos em vê-la evoluída diante de nossos próprios olhos a partir de um ambiente mais próximo de sua natureza, então com certeza é para coisas diferentes que devemos nos dirigir. Precisamos acordar memórias muito estranhas e voltar a sonhos muito simples, se quisermos alguma origem que possa fazer do homem algo que não seja um monstro. Precisamos descobrir causas muito diferentes antes de ele se transformar numa criatura de causação; precisamos invocar outra autoridade para transformá-lo em algo aceitável, ou mesmo em algo provável. Nessa direção se encontra tudo o que é ao mesmo tempo medonho, familiar e esquecido, com multidões de assustadoras faces e armas flamejantes. Nós podemos aceitar o homem como um fato, se nos contentamos com um fato sem explicação. Podemos aceitá-lo como um animal, se conseguimos conviver com um animal fabuloso. Mas se for absolutamente preciso termos sequência e necessidade, então de fato precisamos providenciar um prelúdio e um crescendo de milagres cada vez maiores, que profetizem, com trovões inimagináveis por todos os sete céus de uma outra ordem, um homem — que é uma criatura comum.

2

Catedráticos e homens pré-históricos

No que se refere a essas coisas pré-históricas, a ciência é fraca de uma forma que quase passou despercebida. A ciência cujas maravilhas modernas todos nós admiramos obtém seu sucesso mediante o crescimento incessante de seus dados. Em todas as invenções práticas, na maioria das descobertas naturais, ela sempre pode aumentar as provas pela experimentação. Mas ela não pode fazer o experimento de criar homens; nem mesmo de observar para ver o que os primeiros homens criam. Um inventor pode avançar passo a passo na construção de um aeroplano, mesmo que esteja fazendo suas experiências com paus e peças metálicas no fundo do quintal. Mas no fundo do quintal ele não consegue observar a evolução do Elo Perdido. Se ele houver cometido um erro em seus cálculos, o avião sempre o corrigirá espatifando-se no chão. Mas se ele houver cometido um erro sobre o hábitat arbóreo de seu ancestral, ele não poderá ver seu ancestral arbóreo despencando da árvore. Ele não pode manter o homem das cavernas como um gato no quintal e observá-lo para ver se ele realmente pratica o canibalismo ou se abduz a companheira segundo os princípios do casamento por captura. Ele não pode manter uma tribo de homens primitivos como uma matilha de cães e observar até que ponto eles são influenciados pelo instinto de rebanho. Se vir uma ave particular comportando-se de modo particular, ele pode pegar outras aves e observar se elas se comportam daquele modo; mas se encontrar um crânio, ou um pedaço de crânio num buraco de uma colina, não pode multiplicá-lo transformando-o numa visão do vale de ossos. Lidando com um passado que desapareceu quase por inteiro, ele pode apenas orientar-se pela evidência e não por experimentos. E praticamente não há evidência, nem que seja apenas comprobatória. Assim, embora a maior parte da ciência se mova numa espécie de curva, sofrendo constantes correções por novas provas, essa ciência lança-se no espaço numa linha reta que não é corrigida por nada. Mas o hábito de formular conclusões, como de fato podem ser formuladas em campos mais frutíferos, está tão arraigado na mentalidade científica que a ciência não consegue deixar de falar desse jeito. Ela fala da ideia sugerida por um pedaço de osso como se fosse algo semelhante ao aeroplano que no fim acaba sendo construído a partir de um monte de pedaços de metal. O problema do catedrático da pré-história é que ele não pode criar seus pedaços. O maravilhoso e triunfante aeroplano é feito a partir de cem erros. O pesquisador de origens só pode cometer um erro e ater-se a ele.

Nós falamos com muita propriedade da paciência da ciência; mas nesse departamento seria mais apropriado falar da impaciência da ciência. Devido à dificuldade descrita anteriormente, o teórico tem uma pressa exagerada. Temos uma série de hipóteses tão apressadas que podem muito bem ser chamadas de fantasias, e elas não podem de modo algum ser corrigidas ulteriormente pelos fatos. O antropólogo mais empírico nesse ponto é tão limitado quanto um antiquário. Ele pode apenas ater-se a um fragmento do passado e não tem como aumentá-lo para o futuro. Ele só pode agarrar seu fragmento de fato, quase como o homem primitivo agarrava seu fragmento de sílex. E na verdade ele o usa praticamente do mesmo modo e pela mesma razão. É sua ferramenta e sua única ferramenta. É sua arma e sua única arma. Com frequência ele o brande com o fanatismo que em muito excede qualquer outra manifestação dos cientistas quando conseguem coletar mais fatos pela experiência e até acrescentar novos fatos pela experimentação. Às vezes o catedrático com seu osso torna-se quase tão perigoso quanto um cachorro com o seu. E o cachorro pelo menos não deduz de seu osso uma teoria provando que a humanidade está involuindo para cachorro — ou que ela evoluiu de um deles.

Por exemplo, enfatizei a dificuldade de manter um macaco e observá-lo evoluindo num homem. Sendo impossível a evidência experimental dessa evolução, o catedrático não se contenta em afirmar (como a maioria de nós estaria disposta a fazer) que essa evolução é de qualquer modo bastante provável. Ele exibe seu ossinho, ou pequena coleção de ossos, e deduz disso as coisas mais maravilhosas. Ele descobriu em Java um pedaço de crânio, parecendo por seu contorno ser menor que o crânio humano. Nalgum lugar lá por perto, achou um fêmur ereto e, no mesmo estilo disperso, alguns dentes que não eram humanos. Se todos eles fazem parte de uma única criatura, o que é duvidoso, nosso conceito dessa criatura seria praticamente duvidoso no mesmo grau. Mas o efeito na ciência popular foi o de produzir uma figura completa e até complexa, acabada nos mínimos detalhes de cabelos e hábitos. As pessoas falaram do Pitecantropo como se falassem de Pitt, ou de Fox, ou de Napoleão. Narrativas populares publicaram retratos dele semelhantes aos retratos de Carlos I e Jorge IV. Reproduziu-se um desenho com detalhes, cuidadosamente sombreado, para mostrar que os próprios cabelos de sua cabeça haviam sido todos contados. Alguém desinformado que olhasse para seu rosto cuidadosamente delineado e seus olhos tristonhos jamais imaginaria por um instante que esse era o retrato de um fêmur; ou de alguns dentes e um fragmento de crânio. Da mesma forma, fala-se dele como se fosse um indivíduo cujas influência e personalidade são conhecidas de todos nós. Acabo de ler numa revista uma reportagem sobre Java mostrando como os habitantes modernos daquela ilha são levados ao mau comportamento pela influência pessoal do pobre velho Pitecantropo. No fato de que os habitantes modernos de Java se comportam mal eu posso facilmente acreditar; mas não imagino que eles precisem de nenhum incentivo proveniente da descoberta de alguns ossos muito suspeitos. Seja como for, esses ossos são demasiado poucos e fragmentários e duvidosos para preencher todo o vasto vazio que de fato, na razão e na realidade, existe entre o homem e seus animalescos ancestrais, se é que eram seus ancestrais. Na suposição dessa conexão evolucionária (conexão que não estou minimamente interessado em negar), o fato deveras atraente e notável é a comparativa ausência de qualquer desses vestígios registrando essa conexão nesse ponto. A sinceridade de Darwin realmente admitiu isso; e foi assim que passamos a usar um termo como o Elo Perdido. Mas o dogmatismo dos darwinistas tem sido forte demais para o agnosticismo de Darwin; e as pessoas sem o perceber passaram a transformar esse termo inteiramente negativo numa imagem positiva. Falam em pesquisar os hábitos e o hábitat do Elo Perdido, como se estivessem falando de manter um bom relacionamento com o vazio numa narrativa, ou com um furo na argumentação, ou de fazer um passeio com um *non-sequitur*, ou de jantar com um termo médio generalizante.

Portanto, neste esboço do homem em sua relação com certos problemas religiosos e históricos, não desperdiçarei mais espaço nessas especulações sobre a natureza do homem antes de ele tornar-se homem. Pode ser que seu corpo tenha evoluído a partir de animais; mas nada sabemos dessa transição que lance a mínima luz sobre sua alma tal qual ela se mostrou ao longo da história. Infelizmente a mesma escola de escritores persegue o mesmo estilo de raciocínio quando trata da primeira evidência real sobre os primeiros homens reais. Rigorosamente falando, é óbvio que nada sabemos sobre o homem pré-histórico, pelo simples fato de que ele foi pré-histórico. A história do homem pré-histórico é uma evidente contradição em termos. É uma espécie de desrazão permitida apenas aos evolucionistas. Se um líder religioso por acaso houvesse observado que o Dilúvio foi um evento antediluviano, ele possivelmente seria alvo de gracejos acerca de sua lógica. Se um bispo dissesse que Adão foi pré-adâmico, poderíamos achar isso um pouco estranho. Mas espera-se que não notemos essas questiúnculas verbais quando historiadores céticos falam da parte da história que é pré-histórica. A verdade é que eles estão empregando os termos *histórico* e *pré-histórico* sem ter na cabeça nenhum teste ou definição clara. O que eles querem dizer é que há traços de vida humana antes do começo das histórias humanas; e nesse sentido nós pelo menos sabemos que a humanidade existiu antes da história.

A civilização humana é mais antiga que os registros humanos. Essa é a maneira sensata de afirmar nosso relacionamento com essas realidades remotas. A humanidade deixou exemplos de suas outras artes anteriores à arte da escrita; ou pelo menos antes de qualquer escrita que conseguimos ler. Mas não há dúvida de que as artes primitivas eram artes; e é de todos os modos provável que as civilizações primitivas foram civilizações. O homem deixou uma pintura da rena, mas não deixou uma narrativa de como ele a caçava. Portanto, o que dizemos sobre ele é hipótese e não história. Mas a arte que ele praticou era muito artística; seu desenho era muito inteligente, e não há motivo para duvidar de que sua história da caçada seria muito inteligente, só que se existir ela não é inteligível. Resumindo, o período pré-histórico não significa necessariamente o período primitivo no sentido de período bárbaro ou animalesco. Não significa o tempo antes da civilização ou o tempo antes das artes e ofícios. Significa apenas o tempo antes de quaisquer narrativas coerentes que conseguimos ler. Isso faz de fato toda a diferença prática entre lembrança e esquecimento; mas é perfeitamente possível que tenham existido civilizações de todos os tipos, bem como barbáries de todos os tipos, que foram esquecidas. De qualquer modo, tudo indica que muitos desses estágios sociais esquecidos ou semiesquecidos eram muito mais avançados do que vulgarmente hoje se imagina. Mas até mesmo acerca dessas histórias não escritas da humanidade, quando a humanidade com quase toda certeza era humana, nós só podemos fazer conjecturas com o máximo de dúvida e cautela. Infelizmente, dúvida e cautela são as últimas coisas geralmente estimuladas pelo frouxo evolucionismo da cultura atual. Pois essa cultura está saturada de curiosidade; e o que ela não suporta é a agonia do agnosticismo. Foi na era darwiniana que o termo agnosticismo se tornou conhecido pela primeira vez e pela primeira vez se tornou impossível.

É preciso dizer às claras que toda essa ignorância é simplesmente encoberta pela desfaçatez. Fazem-se afirmações com tanta simplicidade e certeza que quase ninguém tem a coragem moral de as ponderar e descobrir que elas não se sustentam. No outro dia um resumo científico sobre o estado de uma tribo pré-histórica começava com estas confiantes palavras: "Eles não usam roupas". É provável que nenhum dentre cem leitores tenha parado para perguntar-se como poderíamos saber se roupas foram outrora usadas por gente de quem nada restou a não ser alguns fragmentos de ossos e pedras. Esperava-se sem dúvida que, assim como se encontrou um machadinho de pedra, deveríamos encontrar um chapéu de pedra. Fica evidente que se antecipou que poderíamos descobrir um indestrutível par de calças da mesma substância da indestrutível rocha. Mas aos olhos de alguém com um temperamento menos confiante parecerá óbvio que as pessoas poderiam usar roupas simples, ou até mesmo roupas muito ornamentais, sem delas deixar mais vestígios do que deixaram de outras coisas. O entrelaçamento de juncos e capim, por exemplo, poderia ter-se sofisticado cada vez mais sem se tornar minimamente mais duradouro. Uma civilização poderia especializar-se em atividades que por acaso eram perecíveis, como tecer e bordar, em vez de atividades que por acaso eram mais permanentes, como a arquitetura e a escultura. São abundantes os exemplos dessas sociedades especializadas. Alguém que no futuro descobrisse as ruínas de nossas máquinas industriais poderia de modo igualmente justo dizer que nós só conhecíamos o ferro e nenhuma outra substância, anunciando a descoberta de que o proprietário e gerente da indústria sem dúvida nenhuma caminhava por aí nu — ou talvez usasse calças e chapéus de ferro.

Aqui não se afirma que esses homens primitivos de fato usavam roupas, como tampouco se afirma que teciam juncos; mas apenas que não temos provas suficientes para saber se o faziam ou não. Mas pode valer a pena olhar para trás por um momento para as pouquíssimas coisas que sabemos que eles fizeram. Se as considerarmos, com certeza não as julgaremos inconsistentes com ideias tais como vestimenta e decoração. Não sabemos se eles se enfeitavam; mas sabemos que enfeitavam outras coisas. Não sabemos se sabiam bordar e, em caso afirmativo, não se poderia esperar que os bordados tivessem sobrevivido. Mas nós sabemos que eles tinham de fato pinturas; e essas pinturas sobreviveram. E com elas sobrevive, como já foi sugerido, o testemunho de algo absoluto e único; que pertence ao homem e a nada mais; que constitui uma diferença de espécie, não uma diferença de grau. Um macaco não desenha mal e o homem desenha bem; o macaco não começa a arte da representação e o homem a leva à perfeição. O macaco em absoluto não pratica a arte; em absoluto não começa uma obra de arte; não começa em absoluto a começá-la. Uma espécie de linha é cruzada antes que o primeiro ligeiro traço possa começar.

Outro famoso autor, voltando ao mesmo assunto, ao comentar sobre os desenho da caverna atribuídos aos homens do neolítico do período da rena, disse que nenhuma das pinturas precisa ter algum propósito religioso; e ele dava a impressão de quase inferir que eles não tinham nenhuma religião. Acho difícil imaginar um fio de raciocínio mais esgarçado do que esse que reconstrói exatamente os estados de espírito mais íntimos da mentalidade pré-histórica a partir do fato de que um homem que rabiscou alguns esboços na rocha, por motivos que desconhecemos, com propósitos que desconhecemos, agindo segundo costumes ou convenções que desconhecemos, talvez possa ter julgado mais fácil desenhar renas do que desenhar religião. É possível que ele tenha desenhado uma rena porque ela não era seu símbolo religioso. É possível que ele tenha desenhado qualquer coisa exceto seu símbolo religioso. É possível que ele tenha desenhado seu verdadeiro símbolo religioso em alguma parte, ou é possível que esse símbolo tenha sido deliberadamente destruído quando foi desenhado. É possível que ele tenha feito ou deixado de fazer um milhão de coisas; mas em todo o caso trata-se de um impressionante salto de lógica inferir desse fato que ele não tinha nenhum símbolo religioso ou nenhuma religião. Nessas circunstâncias esse caso particular incidentalmente ilustra, de forma clara, a insegurança desses palpites. Pois um pouco mais tarde as pessoas descobriram não apenas pinturas, mas também esculturas de animais nas cavernas. Disseram que algumas delas apresentavam danificações causadas por golpes recebidos ou buracos supostamente feitos por flechadas; e conjeturou-se que as imagens danificadas eram vestígios de algum ritual mágico de matança de animais em sua efígie; ao passo que as imagens não danificadas eram explicadas por uma vinculação a outro ritual mágico de invocação da fertilidade sobre os rebanhos. Temos aqui mais uma vez algo ligeiramente cômico envolvendo o hábito científico de ter a solução para dois casos opostos. Se a imagem está danificada, o fato comprova uma superstição; se não está, comprova outra. Temos aqui mais uma vez um salto bastante precipitado para conclusões. Não ocorreu aos especuladores que uma multidão de caçadores presos durante o inverno numa caverna poderia muito bem ter atirado num alvo para divertir-se, como se fosse uma espécie de jogo de salão primitivo. Mas, seja como for, se a atividade era praticada por superstição, o que aconteceu com a tese de que ela nada tinha a ver com religião? A verdade é que todo esse trabalho de adivinhação não tem nada a ver com nada. Não vale a metade do que vale o jogo de salão de desferir flechadas contra a rena esculpida, pois se trata de desferi-las a esmo.

Esses especuladores tendem frequentemente a esquecer, por exemplo, que também os homens do mundo moderno às vezes deixam marcas em cavernas. Quando um bando de turistas é conduzido pelo labirinto da Gruta Maravilhosa ou da Caverna Mágica das Estalactites, nota-se que surgem hieróglifos por onde eles passam; iniciais e inscrições que os eruditos se recusam a atribuir a alguma data remota. Mas virá o tempo em que essas inscrições serão de fato de uma data antiga. E se os catedráticos do futuro forem minimamente iguais aos catedráticos do presente, eles saberão deduzir inúmeras coisas muito nítidas e interessantes desses escritos das cavernas do século XX. Se eu entendo alguma coisa dessa raça, e se eles não se houverem afastado da plena confiança de seus pais, saberão descobrir os fatos mais fascinantes sobre nós a partir das iniciais deixadas na Gruta Mágica por 'Arry e 'Arriet, talvez na forma de dois AA entrelaçados. A partir disso e nada mais eles saberão 1) Que, como as letras foram rudemente cravadas com um canivete cego, o século XX não tinha nenhum instrumento delicado para entalhes e desconhecia a arte da escultura. 2) Que, como as letras são maiúsculas, nossa civilização nunca desenvolveu nenhum sistema de letras minúsculas ou algo parecido com a escrita corrente. 3) Que, como as iniciais de 'Arry e 'Arriet não professam de nenhum modo especial serem símbolos religiosos, nossa civilização não tinha religião alguma. Talvez a última inferência seja a que mais se aproxima da verdade, pois uma civilização que tivesse religião teria um pouco mais de razão.

Afirma-se comumente, repito, que a religião cresceu de modo muito lento e evolucionário; e até mesmo que ela não nasceu de uma única causa, mas de uma combinação que se poderia chamar de coincidência. Falando em geral, os três principais elementos da combinação são, primeiro, o medo do chefe da tribo (que o sr. Wells insiste em chamar, com lamentável intimidade, de o Velho Homem); segundo, o fenômeno dos sonhos; e, terceiro, as associações sacrificiais da colheita e da ressurreição simbolizadas no crescimento do trigo. De passagem eu posso observar que me parece ser uma psicologia muito duvidosa essa que atribui a um espírito vivente e singular três causas mortas e desconexas, se é que eram apenas causas mortas e desconexas. Suponhamos que o sr. Wells, num de seus fascinantes romances sobre o futuro, nos contasse que surgiria entre os homens uma nova e ainda inominada paixão, com a qual os homens sonharão como sonham com seu primeiro amor, pela qual morrerão como morrem pela bandeira e pela pátria-mãe. Suponho que nós ficaríamos um tanto intrigados se ele nos dissesse que esse sentimento singular consistiria na combinação do hábito de fumar cigarros de determinada marca, do aumento do imposto de renda e do prazer que sente um motorista ao ultrapassar o limite de velocidade. Não imaginaríamos isso com facilidade porque não conseguiríamos enxergar nenhuma conexão entre as três causas ou algum sentimento comum que pudesse incluí-las todas. Tampouco poderia alguém imaginar alguma conexão entre o trigo, os sonhos e um velho chefe empunhando uma lança, a menos que já houvesse um sentimento comum que os incluísse a todos. Mas se esse sentimento comum existisse só poderia ser um sentimento religioso; e essas coisas não poderiam ser o início de um sentimento religioso que já existisse. Suponho que o bom senso de quem quer que seja lhe dirá que é muito mais provável que esse tipo de sentimento já existisse de verdade; e que à luz dele sonhos e reis e campos de trigos pudessem parecer místicos então, como podem parecer místicos agora.

Pois a verdade pura e simples é que tudo isso constitui o truque de fazer que certas coisas pareçam distantes e desumanizadas, simplesmente fingindo que não as entendemos. É como dizer que os homens pré-históricos tinham o hábito esquisito e desagradável de abrir a boca a intervalos e enchê-la de substâncias estranhas, como se nunca houvéssemos ouvido falar de comer. É como dizer que os terríveis trogloditas da Idade da Pedra erguiam alternadamente as pernas em rodízio, como se nunca houvéssemos ouvido falar de caminhar. Se isso tivesse a intenção de tocar o nervo místico e despertar-nos para a maravilha que é caminhar e comer, poderia ser uma fantasia legítima. Como aqui a intenção é matar o nervo místico e endurecer-nos para as maravilhas da religião, trata-se de lixo irracional. Finge-se descobrir algo incompreensível nos sentimentos que todos compreendem. Quem *não* considera os sonhos misteriosos e *não* sente que eles se situam no limite do ser? Quem *não* sente a morte e ressurreição das coisas que nascem da terra como algo próximo do segredo do universo? Quem *não* entende que sempre deve haver o sabor de algo sagrado envolvendo a autoridade e a solidariedade que é a alma da tribo? Se existir algum antropólogo que realmente acha essas coisas remotas e impossíveis de entender, desse cientista nada podemos dizer exceto que ele não tem uma inteligência tão grande e esclarecida como a do homem primitivo. Para mim parece evidente que nada que não fosse um sentimento espiritual já ativo poderia ter revestido essas coisas separadas e diversas de santidade. Dizer que a religião veio *da* reverência prestada ao chefe ou do sacrifício da colheita é colocar um carro altamente elaborado na frente de bois de fato primitivos. É como dizer que o impulso de fazer pinturas veio da contemplação das pinturas de renas na caverna. Em outras palavras, é explicar a pintura dizendo que ela surgiu a partir da obra de pintores; ou explicar a arte dizendo que ela surgiu da arte. É até mesmo algo que mais parece dizer que o que chamamos de poesia surgiu como consequência de certos costumes, como o de compor-se oficialmente uma ode para celebrar o advento da primavera, ou de um jovem levantar-se a determinada hora para ouvir a cotovia e depois escrever seu relatório num pedaço de papel. É bem verdade que os jovens muitas vezes se tornam poetas na primavera; e é bem verdade que assim que eles se tornam poetas não há poder mortal capaz de impedi-los de escrever sobre a cotovia. Mas os poemas não existiram antes dos poetas. A poesia não surgiu de formas poéticas. Em outras palavras, não se pode explicar algo como pré-existente apenas tendo como base o fato de ter aparecido pela primeira vez. De modo semelhante, não podemos dizer que a religião surgiu das formas religiosas, pois essa seria apenas outra maneira de dizer que ela apenas surgiu quando já existia. Foi necessário um tipo de mente para ver que havia algo de místico envolvendo os sonhos ou os mortos, como se exigiu um tipo particular de mente para ver que havia algo poético envolvendo a cotovia ou a primavera. Essa mente era, podemos supor, o que chamamos de mente humana, muito semelhante à que existe hoje, pois os místicos ainda meditam sobre a morte e os sonhos assim como os poetas ainda escrevem sobre a primavera e a cotovia. Mas não existe o mais vago indício sugerindo que alguma coisa que não seria a mente humana como a conhecemos sinta de algum modo essas associações místicas. Uma vaca no campo não parece derivar nenhum impulso lírico ou instrução de suas oportunidades ímpares de escutar a cotovia. E de modo semelhante não há motivos para supormos que as ovelhas vivas comecem algum dia a usar as ovelhas mortas como base de um elaborado sistema de culto dos antepassados. É verdade que na primavera a fantasia de um jovem quadrúpede pode voltar-se ligeiramente para pensamentos de amor, mas nenhuma sequência de primavera jamais o levou, mesmo que fosse do modo mais vago, a pensamentos literários. E da mesma forma, embora seja verdade que um cão tem sonhos, ao passo que a maioria dos quadrúpedes não parece ter nem mesmo isso, nós já esperamos por muito tempo para que o cão desenvolvesse seus sonhos transformando-os num elaborado sistema de cerimônias religiosas. Já aguardamos por tanto tempo que deixamos de esperar por isso; e já não alimentamos a ilusão de um dia um cão aplicar seus sonhos à construção de igrejas da mesma forma que não esperamos vê-lo examinando seus sonhos à luz da psicanálise. Resumindo, é óbvio que por uma ou por outra razão essas experiências naturais, e até mesmo esses estímulos naturais, nunca ultrapassam a linha que os separa da expressão criativa como a arte e a religião, em nenhuma criatura, com exceção do homem. Essas criaturas nunca ultrapassam, nunca ultrapassaram e por tudo o que parece agora é muito improvável que um dia venham a fazê-lo. Não é impossível, no sentido de autocontraditório, que venhamos a ver vacas fazendo jejum de capim todas as sextas-feiras ou caindo de joelhos como na antiga lenda sobre a véspera de Natal.[1] Nesse sentido não é impossível que as vacas contemplem a morte até conseguirem elevar aos céus um sublime salmo de lamentação adaptado à melodia da vaca que morreu. Nesse sentido não é impossível que elas venham a expressar suas esperanças de uma carreira sublime numa dança simbólica, em homenagem à vaca que saltou por cima da lua. Pode ser que o cão finalmente venha a acumular uma profusão suficiente de sonhos que o capacite a construir um templo dedicado a Cérbero como a uma espécie de trindade canina. Pode ser que seus sonhos já tenham começado a transformar-se em visões passíveis de expressão verbal, nalguma revelação sobre a Estrela do Cão como sendo o lar espiritual de cães falecidos. Essas coisas são logicamente possíveis, no sentido de que é difícil provar por meio da lógica a negativa universal que chamamos de impossibilidade. Mas todo aquele instinto do provável, que chamamos de bom senso, deve há muito tempo nos ter dito que os animais, segundo todas as aparências, não estão evoluindo nesse sentido; e que, para dizer o mínimo, não é provável que venhamos a ter alguma comprovação de sua passagem da experiência animal para os experimentos humanos. Mas a primavera e a morte e até mesmo os sonhos, considerados meras experiências, são experiências tanto deles como nossas. A única conclusão possível é que essas experiências, consideradas experiências, não geram nada parecido com um senso religioso em mente alguma que não seja igual à nossa. Voltamos ao fato de um certo tipo de mente que já estava viva e só. Era única e sabia criar credos como sabia criar pinturas em cavernas. Os materiais da religião lá ficaram ocultos por séculos sem conta como os materiais de tudo mais; contudo o poder da religião estava na mente. O homem já sabia ver nessas coisas os enigmas e as sugestões e as esperanças que ele ainda vê nelas. Ele não só podia sonhar, mas também sonhar sobre os sonhos. Ele não só podia ver os mortos, mas também a sombra da morte; ele possuía aquela misteriosa mistificação que eternamente acha a morte incrível.

É bem verdade que nós temos até mesmo esses sinais principalmente sobre o homem quando ele aparece de modo inconfundível como homem. Não podemos afirmar isso ou nenhuma outra coisa sobre o suposto animal que originalmente ligou o homem e os brutos. Não podemos ter certeza de que o Pitecantropo jamais praticou a religião porque não podemos ter certeza de que ele jamais existiu. Trata-se apenas de uma visão evocada para preencher o vazio que de fato se abre entre as primeiras criaturas que eram certamente homens e quaisquer outras criaturas que são certamente macacos ou outros animais. Juntam-se uns pouquíssimos e duvidosos fragmentos para sugerir essa criatura indeterminada porque ela é exigida por uma certa filosofia; mas ninguém imagina que esses fragmentos sejam suficientes para estabelecer algo filosófico, nem mesmo para apoiar aquela filosofia. Um pedaço de crânio encontrado em Java não pode estabelecer nada acerca da religião ou de sua ausência. Se um dia porventura existiu esse homem-macaco, ele pode ter exibido tanto ritual religioso quanto um homem exibe, ou tanta simplicidade religiosa quanto um macaco exibe. Ele pode ter sido um mitólogo ou pode ter sido um mito. Poderia ser interessante indagar se essa qualidade mística apareceu numa transição do macaco para o homem, se de fato houvesse algum tipo de transição a ser indagado. Em outras palavras, o elo perdido poderia ser místico ou não se ele não estivesse perdido. Mas, numa comparação com a evidência que temos acerca de seres humanos reais, não temos nenhuma evidência de que o homem-macaco era um ser humano, ou um ser semi-humano, ou até mesmo um ser. Nem os mais arrojados evolucionistas tentam deduzir qualquer visão evolucionária acerca da origem da religião a partir *dele*. Mesmo ao tentar provar que a religião cresceu devagar a partir de rudes fontes irracionais, eles começam sua demonstração com os primeiros homens que eram homens. A própria prova deles só prova que os homens que já eram homens já eram místicos. Eles usavam os rudes elementos irracionais de um modo que apenas homens e místicos sabem usar. Mais uma vez estamos de volta à simples verdade: em alguma época, que veio demasiado cedo para que esses críticos possam rasteá-la, havia ocorrido uma transição que ossos e pedras por sua natureza não podem atestar; e o homem se tornou uma alma vivente.

No tocante à questão da origem da religião, a verdade é que aqueles que estão tentando explicá-la estão tentando esvaziá-la. No subconsciente eles percebem que ela parece menos formidável quando é assim diluída num processo gradual e quase imperceptível. Mas de fato essa perspectiva falsifica inteiramente a realidade da experiência. Eles juntam duas coisas que são de todo diferentes, os esporádicos vestígios de origens evolucionárias e o sólido bloco da humanidade, e tentam mudar pontos de vista até que lhes seja possível vê-los numa linha única condensada. Mas é uma ilusão ótica. Os homens de fato não estão relacionados a macacos ou a elos perdidos em nenhuma cadeia que se pareça com aquela em que estão relacionados a outros homens. Pode ter havido criaturas intermediárias cujos vagos vestígios podem ser encontrados aqui e ali no vasto vazio. Sobre esses seres, se é que um dia existiram, talvez se possa afirmar sem erro que eram criaturas muito diferentes dos homens, ou homens muito diferentes de nós. Mas sobre os homens pré-históricos, assim como sobre os chamados homens das cavernas ou homens das renas, não se pode afirmar nada em nenhum sentido. Os homens pré-históricos desse tipo eram seres exatamente como os homens e homens parecidos conosco num grau extremo. O único problema é que casualmente foram homens sobre quem não sabemos muito, pela simples razão de que eles não deixaram registros ou crônicas; mas tudo o que sabemos deles torna-os tão humanos e comuns como os homens de uma propriedade rural medieval ou de uma cidade grega.

Observando do nosso ponto de vista humano a longa perspectiva da humanidade, nós simplesmente a reconhecemos como humana. Se devêssemos reconhecê-la como animal, teríamos de reconhecê-la como anormal. Se decidíssemos observar pelo outro lado do telescópio, como mais de uma vez eu fiz nestas especulações, se decidíssemos projetar a figura humana para frente e para fora de um mundo humano, só poderíamos dizer que um dos animais havia obviamente enlouquecido. Mas observando a coisa pelo lado certo, ou melhor, de dentro para fora, sabemos que se trata de sensatez; e sabemos que os homens primitivos eram sensatos. Nós aclamamos certa fraternidade maçônica sempre que a detectamos: em selvagens, em estrangeiros ou em personagens da história. Por exemplo, tudo o que podemos inferir da lenda primitiva, e tudo o que sabemos da vida na barbárie, justifica certa ideia moral e até mística cujo símbolo mais comum são as roupas. Pois as roupas são muito literalmente vestimentas, e o homem as veste porque ele é sacerdote. É verdade que até como animal ele neste ponto difere dos animais. A nudez não lhe é natural; não é sua vida, é antes sua morte; até mesmo no sentido vulgar de sua morte causada pelo frio. Mas as roupas são usadas por razões de dignidade, ou decência, ou decoração, em lugares onde não são de modo algum exigidas para o aquecimento. Tem-se às vezes a impressão de que elas são valorizadas como ornamento antes de o serem por sua utilidade. Quase sempre fica a impressão de que elas parecem ter alguma conexão com o decoro. As convenções desse tipo variam muito de acordo com épocas e lugares; e há alguns observadores que não conseguem superar essa reflexão, e para eles parece tratar-se de um argumento suficiente para abandonar todas as convenções à própria sorte. Eles nunca se cansam de repetir, simplesmente maravilhados, que o modo de vestir nas Ilhas Canibais é diferente daquele em Camden Town. Não conseguindo ir além disso, eles se desesperam e abandonam toda a ideia de decência. Poderiam igualmente dizer que, pelo fato de haver chapéus de muitos formatos diferentes, sendo alguns excêntricos, conclui-se que os chapéus não têm importância ou que não existem. Eles provavelmente acrescentariam que não existe isso que se chama de insolação ou calvície progressiva. Em todas as partes os homens perceberam que certas formalidades se faziam necessárias para isolar e proteger certas partes privadas contra o desprezo ou grosseiros mal-entendidos. E a manutenção dessas formalidades, quaisquer que tenham sido, favoreceu a dignidade e o respeito mútuo. O fato de que elas na sua maior parte se referem, de modo mais ou menos remoto, às relações dos sexos ilustra os dois fatos que devem ser colocados logo no início do registro da raça. O primeiro é o fato de que o pecado original é realmente original. Não apenas na teologia, mas também na história, trata-se de algo enraizado nas origens. Independentemente de qualquer outra coisa em que os homens acreditaram, todos eles acreditaram que há algo que afeta a humanidade. Esse senso de pecado tornou impossível ser natural e não vestir roupas, assim como tornou impossível ser natural e não ter leis. Mas acima disso tudo deve-se descobri-lo naquele outro fato, que é pai e mãe de todas as leis uma vez que se funda num pai e numa mãe; aquilo que existe antes de todos os tronos e até mesmo de todos os povos.

Esse fato é a família. Aqui mais uma vez devemos manter as enormes proporções de algo normal ao largo de várias modificações e graus e dúvidas mais ou menos racionais, que são como nuvens envolvendo uma montanha. É possível que aquilo que chamamos de família tenha tido de lutar para livrar-se de várias anarquias e aberrações ou para passar por elas; mas com certeza ela sobreviveu e é também provável que as tenha antecedido. Como veremos nos casos do comunismo e do nomadismo, coisas mais informais podem ter existido, e de fato existiram nas margens da sociedade coisas mais informes que haviam assumido uma forma fixa; mas não há nada que mostre que a formalidade não existiu antes da informalidade. O que é vital é que a forma é mais importante do que a ausência de forma; e que o material chamado humanidade assumiu essa forma. Por exemplo, das regras que giram em torno do sexo, mencionadas há pouco, nenhuma é mais curiosa do que o selvagem costume chamado de *couvade*, que mais se parece com uma lei nascida da confusão. De acordo com ela, o pai é tratado como se fosse a mãe.[2] De qualquer modo, a *couvade* claramente implica o sentido místico do sexo. Mas muitos sustentaram que é de fato um ato simbólico pelo qual o pai aceita a responsabilidade da paternidade. Nesse caso, essa grotesca bizarrice é realmente um ato muito solene, pois se trata do fundamento de tudo o que chamamos de família e de tudo o que conhecemos como sociedade humana. Alguns, tateando por esses escuros primórdios, disseram que a humanidade estava outrora sob um matriarcado; eu suponho que sob um matriarcado ela não se chamaria humanidade, mas sim mulheridade. Mas outros conjeturaram que o que era chamado de matriarcado era apenas uma anarquia moral, em que a mãe sozinha permanecia fixa porque todos os pais eram fujões e irresponsáveis. Veio depois o momento em que o homem decidiu guardar e guiar o que ele havia criado. Assim ele se tornou o cabeça da família, não como um valentão armado de um grande porrete para bater na mulher, mas sim como uma pessoa respeitável que tenta ser responsável. Ora, tudo isso poderia perfeitamente ser verdade e poderia até mesmo ter sido o primeiro ato de família, e ainda seria verdade que o homem pela primeira vez agiu como homem e, portanto, pela primeira vez tornou-se plenamente homem. Mas poderia muito bem ser igualmente verdade que o matriarcado, ou anarquia moral, ou o que quer que chamemos isso, fosse apenas uma dentre cem dissoluções sociais ou retrocessos bárbaros que podem ter acontecido em intervalos em tempos pré-históricos, assim como certamente aconteceram em tempos históricos. Um símbolo como a *couvade*, se é que era de fato um símbolo, talvez tenha comemorado a supressão de uma heresia em vez de o primeiro surgimento de uma religião. Não podemos concluir com nenhuma certeza acerca dessas coisas, exceto em seus grandes resultados na construção da humanidade, mas podemos dizer em que estilo sua maior e melhor parte foi construída. Podemos dizer que a família é a unidade do Estado; que é a célula que origina a formação. Em torno da família juntam-se de fato as coisas sagradas que separam o homem de formigas e abelhas. A decência é a cortina dessa tenda; a liberdade é o muro dessa cidade; a propriedade é apenas a fazenda da família; a honra é apenas a bandeira da família. Nas proporções práticas da história humana, voltamos ao ponto fundamental do pai e da mãe e da criança. Já se disse que, se essa história não pode começar com pressupostos religiosos, ela apesar de tudo deve começar com pressupostos morais ou metafísicos, caso contrário a história do homem não pode fazer nenhum sentido. E esse é um ótimo exemplo daquela necessidade alternativa. Se não somos daqueles que começam pela invocação da divina Trindade, devemos apesar de tudo invocar a Trindade humana, e ver a repetição daquele triângulo característico em todas as partes do mundo. Pois o mais elevado evento da história, para o qual toda a história se volta e conduz, é apenas algo que é ao mesmo tempo a inversão e a renovação daquele triângulo. Ou melhor, é um triângulo sobreposto de modo a atravessar o outro, criando um sagrado pentagrama do qual, num sentido mais forte do que aquele dos mágicos, os demônios têm medo. A velha Trindade era a do pai, a mãe e a criança, e se chama família humana. A nova é de criança, mãe e pai, e tem o nome de Sagrada Família. Não é de modo algum alterada, a não ser pelo fato de estar inteiramente invertida; exatamente como o mundo que é transformado não é nem um pouco diferente, a não ser por estar de cabeça para baixo.

3

A antiguidade da civilização

O homem moderno contemplando as mais antigas origens tem-se parecido com alguém aguardando o raiar do dia numa terra desconhecida; e esperando ver a aurora rompendo por trás de despojadas montanhas e picos solitários. Mas a aurora está rompendo por trás do vulto escuro de grandes cidades há muito tempo construídas e, para nós, perdidas na noite original: cidades colossais como as casas de gigantes, onde até os animais ornamentais esculpidos são mais altos do que as palmeiras; onde o retrato pintado pode ser doze vezes maior que o homem; com túmulos iguais a montanhas quadrangulares feitas pelo homem e apontando para as estrelas; com enormes touros alados e barbudos postados em contemplação junto às portas de templos; sempre, eternamente imóveis, como se um passo deles pudesse sacudir o mundo. A aurora da história revela uma humanidade já civilizada. Talvez revele uma civilização já velha. E, entre outras coisas mais importantes, revela a insensatez da maioria das generalizações acerca do período prévio e desconhecido quando a humanidade era realmente jovem. As duas primeiras sociedades sobre as quais temos alguns registros detalhados e confiáveis são Babilônia e Egito. Acontece que as enormes e esplêndidas conquistas do gênio dos antigos depõem contra dois dos mais comuns e mais grosseiros pressupostos da cultura dos modernos. Se quisermos nos livrar de metade das bobagens acerca de nômades e homens das cavernas e do velho da floresta, precisamos apenas olhar fixamente para os dois sólidos e estupendos fatos chamados Egito e Babilônia.

Obviamente a maioria desses especuladores que está falando acerca de homens primitivos está pensando em selvagens modernos. Provam sua evolução progressiva pela suposição de que boa parte da raça humana não progrediu nem evoluiu, nem sequer de alguma forma mudou. Eu não concordo com a teoria deles sobre a mudança; também não concordo com seu dogma de coisas imutáveis. Posso não acreditar que o homem civilizado tenha progredido de modo tão rápido em tempos recentes; mas não consigo de modo algum entender por que o homem incivilizado deveria ser tão misticamente imortal e imutável. Parece-me que precisamos de um modo de falar e de pensar um pouco mais simples do começo ao fim dessa investigação. Os selvagens modernos não podem parecer-se exatamente com os homens primitivos porque não são primitivos. Os selvagens modernos não são antigos porque são modernos. Algo aconteceu com a raça deles assim como aconteceu com a nossa durante os milênios de nossa existência e resistência sobre a terra. Eles tiveram algumas experiências, e é de se presumir que agiram de acordo com elas, se é que não se beneficiaram com elas, como ocorreu com todos nós. Eles estiveram em algum ambiente e até passaram por algumas mudanças ambientais, e devemos presumir que se adaptaram a isso de uma forma evolucionária apropriada e decente. Isso seria verdade mesmo que as experiências fossem brandas, ou o ambiente medonho; pois existe um efeito no tempo em si quando ele assume a forma moral da monotonia. Mas muitas pessoas inteligentes e bem informadas ficaram com a impressão de que muito provavelmente a experiência dos selvagens foi a experiência de um declínio da civilização. A maioria dos que criticam essa posição não parece ter nenhuma ideia clara de como seria um declínio da civilização. Que Deus os proteja, pois é provável que eles logo venham a descobrir. Eles parecem satisfeitos ao perceberem que os homens das cavernas e os ilhéus canibais têm algumas coisas em comum, por exemplo, alguns determinados implementos. Mas, ao que tudo indica, é óbvio que quaisquer povos que por qualquer razão são reduzidos a um estilo de vida mais rude apresentam algumas coisas em comum. Se perdêssemos todas as armas de fogo, provavelmente recorreríamos a arcos e flechas; mas nem por isso nos pareceríamos necessariamente em tudo com os primeiros homens que fabricaram arcos e flechas. Dizem que os russos durante sua grande retirada ficaram tão desprovidos de armas que lutavam com paus cortados do mato. Mas um catedrático do futuro estaria errado ao supor que o exército russo de 1916 era uma tribo de citas que perambulavam nus e nunca haviam deixado a floresta. É como dizer que um homem na sua segunda infância deve copiar exatamente a primeira. Um bebê é careca como um velho; mas seria cometer um erro se alguém que não conhecesse a infância deduzisse que o bebê tinha uma longa barba branca. Tanto o bebê quanto o velho andam com dificuldade; mas quem espera que o velho cidadão se deite de costas e fique alegremente chutando o ar acaba se frustrando.

É, portanto, absurdo argumentar que os primeiros pioneiros da humanidade devem ter sido idênticos a alguns dos mais recentes e mais estagnados restos dela. Houve quase com certeza algumas coisas, houve provavelmente muitas coisas em que os dois grupos eram amplamente diferentes ou diametralmente opostos. Um exemplo de como funciona essa distinção, um exemplo essencial para nossa argumentação neste ponto, é o da natureza e origem do governo. Já me referi ao sr. H. G. Wells e ao Velho Homem, com quem Wells parece ter muita intimidade. Se considerássemos os fatos concretos das provas pré-históricas para esse retrato do pré-histórico chefe da tribo, só poderíamos desculpá-lo dizendo que seu brilhante e versátil autor simplesmente esqueceu por um momento que ele deveria estar escrevendo História e sonhou que estava compondo uma de suas maravilhosas e imaginativas histórias. Eu pelo menos não consigo imaginar como ele possa saber que o soberano era chamado de o Velho Homem, ou que a etiqueta da corte exigisse que esse título fosse escrito com letras maiúsculas. Sobre o mesmo potentado ele diz: "Ninguém podia tocar a espada dele ou ocupar o seu assento". Para mim é difícil acreditar que alguém tenha desenterrado uma lança pré-histórica com um rótulo pré-histórico dizendo: "Roga-se aos visitantes não tocar", ou um trono completo com a inscrição: "Reservado para o Velho Homem". Mas podemos supor que o escritor, que mal podemos imaginar estar simplesmente criando coisas de sua própria cabeça, estava apenas pressupondo esse paralelo duvidoso entre o homem pré-histórico e o homem descivilizado. Pode ser que em algumas tribos selvagens o chefe seja chamado de o Velho Homem, e ninguém tenha permissão para tocar sua lança ou ocupar seu assento. Pode ser que nesses casos ele esteja envolvido em terrores tradicionais e supersticiosos; e pode ser que nesses casos, até onde eu sei, ele seja despótico e tirano. Mas não há um pingo de evidência de que o governo primitivo fosse despótico e tirano. Pode ter sido, é óbvio, pois pode ter sido qualquer coisa ou até mesmo coisa nenhuma: pode simplesmente nem ter existido. Mas o despotismo em certas tribos sombrias e decaídas do século XX não prova que os primeiros homens fossem governados despoticamente. Não sugere isso; nem sequer um sinal disso. Se há um fato que podemos provar, a partir da história que realmente conhecemos, é o fato de que o despotismo pode ser fruto de uma evolução, muitas vezes uma evolução muito tardia, muitas vezes de fato o fim de uma sociedade que foi altamente democrática. Há despotismos que quase podem ser definidos como democracias cansadas. À medida que se abate um cansaço sobre determinada comunidade, os cidadãos sentem-se menos inclinados àquela eterna vigilância que com razão foi denominada o preço da liberdade;[1] e preferem armar uma única sentinela para vigiar a cidade enquanto eles dormem. Também é verdade que eles às vezes precisam da sentinela para algum repentino e militante ato de súbita reforma; é igualmente verdade que muitas vezes a sentinela aproveitou-se do fato de ser o único homem forte armado para tornar-se um tirano, como fizeram alguns sultões do Oriente. Mas não consigo ver por que um sultão deva surgir na história antes de muitas outras figuras humanas. Pelo contrário, o homem forte armado depende obviamente da superioridade de sua armadura; e armamentos desse tipo só aparecem numa civilização mais complexa. Um homem só, com uma metralhadora, pode matar vinte homens; obviamente é menos provável que ele possa fazê-lo com um pedaço de granito. Quanto à hipocrisia moderna do homem governando pela força e pelo medo, trata-se apenas de uma história infantil sobre um gigante de cem mãos. Vinte homens poderiam imobilizar o mais forte dos homens fortes em qualquer sociedade, antiga ou moderna. Sem dúvida eles poderiam *admirar*, num sentido romântico e poético, o homem que fosse de fato o mais forte; mas isso é uma coisa muito diferente, e é tão puramente natural e até mística quanto a admiração pelo mais puro ou mais sábio. Mas o espírito que suporta as simples crueldades e caprichos de um déspota estabelecido é o espírito de uma sociedade antiga e estabilizada, e provavelmente enrijecida, não o espírito de uma sociedade nova. Como seu nome sugere, o Velho Homem é o soberano de uma humanidade velha.

É muito mais provável que uma sociedade primitiva tenha sido algo parecido com uma democracia pura. Até hoje as comunidades agrícolas comparativamente simples são de longe as democracias mais puras. A democracia é uma coisa que está sempre se esfacelando em virtude da complexidade da civilização. Quem quiser pode afirmar isso dizendo que a democracia é o inimigo da civilização. Mas essa pessoa precisa se lembrar de que alguns dentre nós preferem a democracia à civilização, no sentido de preferir a democracia à complexidade. Seja como for, os camponeses que cultivam pequenos pedaços de sua própria terra em tosca igualdade e se reúnem sob a árvore da aldeia para expressar seu voto direto são realmente os homens que mais se autogovernam. Com certeza é perfeitamente possível que essa simples ideia tenha sido constatada no primeiro estágio de homens até mais simples. De fato a visão despótica é exagerada, mesmo que não consideremos os homens como homens. Até mesmo com base numa suposição evolucionária do tipo mais materialista, não existe realmente motivo para que os homens não tenham exibido pelo menos a mesma camaradagem que se constata entre ratos e gralhas. Algum tipo de liderança eles com certeza tinham, como a que existe entre animais gregários; mas liderança não implica essa subserviência irracional como a que se atribui aos supersticiosos súditos do Velho Homem. Havia sem dúvida alguém que, para usar a expressão de Tennyson, correspondia ao corvo de muitos invernos que conduz o bando crocitante para casa. Mas eu imagino que se aquela ave venerável começasse a agir segundo o estilo de alguns sultões da antiga e decaída Ásia, o bando se tornaria muito crocitante, e o corvo de muitos invernos não veria muitos outros invernos. Pode-se observar a esse respeito que mesmo entre os animais pareceria existir alguma outra coisa que é mais respeitada que a violência animal, mesmo que seja apenas a familiaridade que nos homens é chamada de tradição, ou a experiência que nos homens é chamada de sabedoria. Não sei se os corvos realmente seguem o corvo mais velho, mas se o fazem com certeza não estão seguindo o corvo mais forte. E sei que, no caso humano, se algum ritual faz os selvagens continuar reverenciando alguém chamado de o Velho Homem, então eles pelo menos não têm nossa servil fraqueza sentimental que nos faz reverenciar o Homem Forte.

Pode-se dizer que o governo primitivo, como a arte e a religião e qualquer outra coisa primitiva, é conhecido, ou, melhor, conjeturado, de um modo muito imperfeito; mas o palpite de que esse governo primitivo era popular como uma aldeia dos Bálcãs ou dos Pirineus é no mínimo tão bom quanto o palpite de que ele era caprichoso e secreto como um Divã[2] turco. Tanto a democracia das montanhas quanto o palácio oriental são modernos no sentido de que ainda existem, ou de que são um tipo de evolução da história. Dos dois, porém, o palácio tem muito mais a aparência de acúmulo e corrupção; a aldeia, muito mais a aparência de uma coisa primitiva que realmente não mudou. Mas minhas sugestões neste ponto limitam-se a expressar uma dúvida sadia sobre a suposição atual. Julgo interessante, por exemplo, que as instituições liberais tenham sido rastreadas mesmo pelos modernos até remontar aos bárbaros ou aos estados independentes, quando isso é por acaso conveniente para apoiar alguma raça, ou nação, ou filosofia. Assim, os socialistas professam que seu ideal de propriedade comunitária existiu desde o início dos tempos. Assim, os judeus se orgulham de seus jubileus, ou de suas redistribuições mais justas sob sua lei antiga. Assim, os teutonistas se gabam de rastrear parlamentos e júris e várias coisas populares entre as tribos germânicas do norte. Assim, os celtófilos e aqueles que testificaram as injustiças cometidas na Irlanda pleiteiam a justiça mais equitativa do sistema do clã, da qual os chefes irlandeses deram testemunho perante Strongbow.[3] A força do argumento varia em cada caso; mas, sendo um argumento a favor de cada caso, suspeito de que haja algum argumento para defender a proposição geral de que as instituições populares não eram de forma alguma incomuns em sociedades simples e primitivas. Cada uma dessas escolas isoladas estava fazendo concessão para provar uma tese moderna específica; mas tomadas em conjunto elas sugerem uma verdade mais antiga e geral: a de que nos conselhos pré-históricos havia algo mais além de ferocidade e medo. Cada um desses teóricos isolados tinha sua arma para afiar, mas ele estava disposto a usar um machado de pedra; e ele consegue sugerir que o machado de pedra talvez fosse tão republicano quanto a guilhotina.

Mas a verdade é que o pano sobe com a peça já em andamento. Em certo sentido, é um verdadeiro paradoxo o fato de que houve história antes da história. Mas não é o paradoxo irracional implícito na história pré-histórica, pois se trata de uma história que não conhecemos. Muito provavelmente a pré-história foi extremamente parecida com a história que conhecemos, a não ser por um detalhe: que não a conhecemos.

Assim ela é exatamente o contrário da pretensiosa história pré-histórica, que professa rastrear tudo seguindo uma direção consistente que vai da ameba ao antropoide e do antropoide ao agnóstico. Então não se trata de modo algum da questão de sabermos tudo sobre estranhas criaturas muito diferentes de nós; essas criaturas eram provavelmente gente muito parecida conosco, só que não sabemos de nada sobre elas. Em outras palavras, nossos registros mais antigos remontam apenas a um tempo em que a humanidade desde muito tempo era humana, e até mesmo desde muito tempo civilizada. Os registros mais antigos que temos não apenas mencionam, mas até pressupõem coisas como reis e sacerdotes e príncipes e assembleias do povo; descrevem comunidades que *grosso modo* podem ser reconhecidas como comunidades no sentido que nós atribuímos ao termo. Algumas delas são despóticas; mas não podemos afirmar que sempre foram despóticas. Algumas delas podem ser já decadentes e quase todas são mencionadas como se fossem velhas. Não sabemos o que aconteceu no mundo antes daqueles registros; mas o pouco que sabemos em nada nos surpreenderia se ficássemos sabendo que era tudo muito parecido com o que acontece neste mundo atualmente. Não haveria nada de inconsistente ou desconcertante envolvendo a descoberta de que aquelas épocas desconhecidas foram cheias de repúblicas desmoronando sob monarquias e ressurgindo novamente como repúblicas; impérios expandindo-se e fazendo colônias e perdendo colônias; classes vendendo-se como escravas e depois marchando da escravidão para a liberdade; toda essa procissão de humanidade que pode ser ou não ser um progresso, mas que com a máxima segurança podemos dizer que é uma grande aventura. Mas os primeiros capítulos dessa história fantástica foram arrancados do livro; e nunca os leremos.

O mesmo acontece com a fantasia mais específica acerca da evolução e estabilidade social. Segundo os registros reais disponíveis, barbárie e civilização não foram estágios sucessivos no progresso do mundo. Foram condições que existiram lado a lado, como ainda existem lado a lado. Houve civilizações então como há civilizações agora; há selvagens agora como os havia naquela época. Sugere-se que todos os homens passaram por um estágio nômade; mas é certo que há alguns que nunca saíram desse estágio, e não parece improvável que alguns nunca tenham entrado nele. É provável que desde tempos muito primitivos o estático lavrador do campo e o pastor errante fossem dois tipos distintos de homens; e sua disposição cronológica é apenas um indicativo daquela mania de estágios progressivos que amplamente falsificou a história. Sugere-se que houve um estágio comunista, em que a propriedade privada era desconhecida em toda parte; uma humanidade inteira vivendo com base na negação da propriedade. Mas as evidências dessa negação são elas mesmas negativas. Redistribuições de propriedades, jubileus e leis agrárias ocorrem a vários intervalos e de várias formas. Mas que a humanidade tenha inevitavelmente passado por um estágio comunista parece algo tão duvidoso como a proposição de que a humanidade inevitavelmente voltará para esse estágio. É sobretudo interessante como evidência de que os mais ousados planos para o futuro invocam a autoridade do passado; e de que até um revolucionário procura convencer-se de que ele é também um reacionário. Há um engraçado exemplo paralelo no caso que se chama de feminismo. Apesar de toda conversa pseudocientífica sobre o casamento por captura e sobre o homem das cavernas batendo na mulher das cavernas com um porrete, pode-se notar que, mal o feminismo se tornou uma opinião pública da moda, passou-se a insistir que a civilização humana em seu primeiro estágio havia sido matriarcal. Seja como for, todas essas ideias são pouco mais que suposições, e elas têm um jeito curioso de seguir a sorte de teorias e modismos modernos. De qualquer modo, não são história no sentido de registro. E podemos repetir que, quando se trata de registro, a grande verdade é que barbárie e civilização sempre moraram lado a lado no mundo, com a civilização às vezes se expandindo e absorvendo a primeira e às vezes decaindo numa relativa barbárie, e em quase todos os casos ainda possuindo de modo mais refinado certas ideias e instituições que os bárbaros possuem de modo mais rude, como por exemplo governo ou autoridade social, artes, especialmente artes decorativas, mistérios e tabus de várias espécies, sobretudo envolvendo a questão do sexo, e alguma forma daquela coisa fundamental que é a principal preocupação desta investigação — aquilo que chamamos de religião.

Sendo assim, nessa questão, o Egito e a Babilônia, esses dois monstros primevos, talvez pudessem ser oferecidos como modelos. Eles poderiam até ser chamados de modelos funcionais para mostrar como essas teorias modernas não funcionam. As duas grandes verdades que conhecemos acerca dessas duas grandes culturas casualmente contradizem completamente as duas falácias atuais que acabamos de considerar. A história do Egito poderia ter sido inventada para salientar a lição de que o homem não começa necessariamente com o despotismo por ser bárbaro, mas muitas vezes ele descobre seu caminho para o despotismo por ser civilizado. Ele o descobre porque tem experiência; ou então, o que é quase a mesma coisa, porque está exausto. E a história da Babilônia poderia ter sido inventada para salientar a lição de que o homem não precisa ser nômade ou comunista antes de se tornar camponês ou cidadão; e de que essas culturas não ocorrem sempre em estágios sucessivos, mas muitas vezes em estados contemporâneos. Até mesmo no tocante a essas grandes civilizações com as quais começa nossa história escrita existe naturalmente a tentação de ser demasiado inventivo ou demasiado confiante. Podemos ler as placas de argila da Babilônia[4] num sentido muito diferente daquele em que conjeturamos acerca das rochas com gravuras de Taça e Anel;[5] e nós definitivamente sabemos o que significam os animais nos hieróglifos egípcios, ao passo que nada sabemos sobre os animais da caverna neolítica. Mas até mesmo aqui os admiráveis arqueólogos que decifraram linhas após linha de quilômetros de hieróglifos podem sentir a tentação de ler demais entre as linhas; até mesmo quem é uma verdadeira autoridade na questão da Babilônia pode se esquecer de como é fragmentário seu conhecimento a duras penas conseguido; pode se esquecer de que a Babilônia lhe mostrou meia placa, embora meia placa seja melhor que a ausência absoluta de cuneiformes. Mas algumas verdades, históricas e não pré-históricas, dogmáticas e não evolucionárias, fatos e não fantasias, realmente emergem da Babilônia e do Egito; e estas duas verdades estão entre elas.

O Egito é uma faixa verde ao longo do rio que margeia a desolação rubro-escura do deserto. Segundo um provérbio da antiguidade, o Egito foi criado pela misteriosa abundância e quase sinistra benevolência do Nilo. Quando pela primeira vez ouvimos falar dos egípcios, eles estão vivendo numa sequência de aldeias ribeirinhas, em pequenas comunidades separadas, mas que cooperam entre si, ao longo das margens do Nilo. Onde o rio se dividia no amplo delta, ocorreu, segundo a tradição, o início de um povo ou distrito algo diferente; mas isso não complica necessariamente a verdade principal. Esses povos mais ou menos independentes, embora interdependentes, já eram bastante civilizados. Tinham uma espécie de heráldica; isto é, uma arte decorativa usada para finalidades simbólicas e sociais: cada povo navegava pelo Nilo com sua própria insígnia que representava alguma ave ou animal. A heráldica implica duas coisas de enorme importância para a humanidade normal. A combinação das duas origina aquela característica nobre chamada de cooperação, sobre a qual se apoiam todas as classes camponesas e povos que são livres. A arte da heráldica significa independência; uma imagem escolhida pela imaginação para expressar a individualidade. A ciência da heráldica significa interdependência; um acordo entre diferentes grupos para reconhecer diferentes imagens; uma ciência das imagens. Aqui, portanto, temos exatamente aquele acordo de cooperação entre famílias e grupos livres que constitui o estilo de vida mais normal para a humanidade, estilo que aparece de modo especial sempre que os homens são proprietários de sua terra e nela vivem. Exatamente ao ouvir a menção às imagens de aves e feras, o estudioso de mitologia vai murmurar a palavra "totem" até mesmo durante o sono. Mas, na minha opinião, grande parte do problema se origina desse seu hábito de dizer essas palavras como se estivesse dormindo. Durante todo esse tosco esboço eu fiz uma tentativa necessariamente inadequada de manter-me do lado de dentro e não do lado de fora dessas coisas; de considerá-las onde possível em termos de pensamentos e não simplesmente em termos de terminologia. De quase nada serve falar de totens a menos que tenhamos algum sentimento de como realmente se sentia quem possuía um totem. Concordo que eles tinham totens e nós não temos; será que é porque eles temiam mais os animais ou tinham mais familiaridade com eles? Será que um homem cujo totem era um lobo se sentia como um lobisomem, ou como um homem fugindo de um lobisomem? Ele se sentia como Uncle Remus em relação a Brer Wolf,[6] ou como São Francisco em relação ao irmão lobo, ou como Mowgli em relação a seus irmãos lobos? Um totem era como o leão inglês, ou algo como um buldogue inglês? A adoração do totem era semelhante ao sentimento de afros em relação a Mumbo Jumbo[7], ou de crianças em relação a Jumbo?[8] Nunca li um livro de folclore, por mais erudito que fosse, que lançasse alguma luz sobre essa questão, para mim de longe a mais importante. Vou me limitar a repetir que as primeiras comunidades egípcias tinham um entendimento comum acerca das imagens que representavam seus estados individuais; e que essa substância de comunicação é pré-histórica no sentido de que já está lá no início da história. Mas à medida que a história se desenrola, essa questão da comunicação é claramente a principal questão dessas comunidades ribeirinhas. Com a necessidade de comunicação vem a necessidade de um governo comum e a crescente grandeza do rei e a expansão de sua sombra. A outra força de ligação além do rei, e talvez mais antiga que o rei, é o sacerdócio; e o sacerdócio presumivelmente tem ainda mais relação com esses rituais e sinais com que os homens podem comunicar-se. E aqui no Egito surgiu provavelmente a primeira, e com certeza típica, invenção à qual devemos toda a história, e toda a diferença entre o histórico e o pré-histórico: o escrito arquétipo, a arte da escrita.

As representações populares desses impérios primevos não têm a metade da popularidade que poderiam ter. Paira sobre eles a sombra de uma melancolia exagerada, que supera a normal e até sadia tristeza dos pagãos. Isso faz parte daquele mesmo tipo de pessimismo que gosta de fazer do homem primitivo uma criatura rastejante, cujo corpo é a sujeira e cuja alma é o medo. Isso deriva obviamente do fato de que os homens são movidos por sua religião, especialmente quando ela é irreligião. Para eles tudo o que é primário e elementar deve fazer parte do mal. Mas a curiosa consequência é que, embora tenhamos sofrido dilúvios dos mais loucos experimentos em aventuras primitivas, todos eles deixaram escapar a verdadeira aventura de ser primitivo. Descreveram cenas que são totalmente imaginárias, nas quais os homens da Idade da Pedra são homens de pedra como estátuas ambulantes; nas quais os egípcios e assírios são tão rígidos ou tão coloridos como sua própria arte mais arcaica. Mas nenhum desses criadores de cenas imaginárias tentou imaginar como deve de fato ter sido ver, como novas, todas aquelas coisas que nós vemos como familiares. Eles não viram o homem descobrindo o fogo como um menino que descobre fogos de artifício. Eles não viram o homem brincando com a maravilhosa invenção chamada roda, como um menino brincando de montar uma estação de telégrafo sem fio. Eles nunca infundiram o espírito da juventude em suas descrições da juventude do mundo. Segue-se que, no meio de todas as suas fantasias primitivas e pré-históricas, não há chistes. Não há nem brincadeiras, em conexão com as invenções práticas. E isso fica definido de modo muito nítido no caso particular dos hieróglifos; pois parece haver sérios indícios de que toda a elevada arte humana da escritura e da escrita começou com um chiste.

Há quem lamentará ao saber que tudo parece ter começado com um jogo de palavras. O rei, ou um sacerdote, ou alguma pessoa responsável, desejando enviar um recado para as cabeceiras do rio naquele território inconvenientemente comprido e estreito, teve a ideia de enviá-lo na forma de escrita pictográfica, igual àquela dos peles-vermelhas. Como acontece com a maioria das pessoas que se utilizam da pictografia para divertir-se, ele descobriu que as palavras nem sempre se encaixam. Mas quando a palavra para designar impostos soou como a palavra para designar um porco, ele ousou e escreveu porco criando um trocadilho infame e arriscou. Da mesma forma um hieróglifo moderno poderia representar o termo "parede" desenhando sem nenhum escrúpulo uma *pá* e uma *rede* (pá + rede = parede). Era bom o suficiente para os faraós e deveria ser suficientemente bom para ele. Mas deve ter sido muito divertido escrever e até mesmo ler esses recados, quando escrever e ler eram realmente uma novidade. E se as pessoas precisam escrever histórias de aventura sobre o antigo Egito (e parece que nem preces, nem lágrimas, nem maldições conseguem demovê-las desse hábito), sugiro que cenas como essa realmente nos fariam lembrar de que os antigos egípcios eram seres humanos. Sugiro que alguém descreva a cena do grande monarca sentado entre os sacerdotes, nenhum deles se contendo e soltando estrondosas gargalhadas à medida que os trocadilhos reais iam ficando cada vez mais extravagantes e insustentáveis. Pode haver outra cena quase igualmente divertida envolvendo a interpretação dessa escrita cifrada; os palpites e sugestões e as descobertas teriam toda a emoção de um romance policial. É assim que se devem escrever primitivas histórias de aventura e história primitiva. Pois fosse qual fosse a qualidade da vida religiosa ou moral dos tempos remotos, e provavelmente era muito mais humana do que se convencionou supor, o interesse científico daquela época deve ter sido intenso. As palavras deviam ser mais maravilhosas do que a telegrafia sem fio; e os experimentos com coisas comuns provavelmente eram uma série de choques elétricos. Ainda estamos aguardando que alguém escreva uma história jovial da vida primitiva. Essa ideia constitui de certo modo um parêntese aqui; mas ela está ligada à questão geral do desenvolvimento político, pela instituição que foi extremamente atuante nesses primeiros e mais fascinantes entre todos os contos de fada da ciência.

Admite-se que devemos a maior parte dessa ciência aos sacerdotes. Escritores modernos como o sr. Wells não podem ser acusados de nenhuma fraqueza no que se refere a sua simpatia pela hierarquia pontifical; mas eles concordam no reconhecimento do que o sacerdócio pagão fez pelas artes e ciências. Entre os mais ignorantes dos esclarecidos, era de fato convencional dizer que os sacerdotes haviam obstruído o progresso em todos os tempos; e um político certa vez me disse num debate que eu resistia a reformas modernas exatamente como alguns antigos sacerdotes resistiram à descoberta da roda. Sublinhei, em resposta, que era muito mais provável que os antigos sacerdotes houvessem feito a descoberta das rodas. É extremamente provável que o antigo sacerdote tenha tido muito a ver com a descoberta da arte da escrita. Isso fica bastante óbvio no fato de que a própria palavra hieróglifo está relacionada à palavra hierarquia. A religião desses sacerdotes ao que parece era mais ou menos um confuso politeísmo de um tipo que é mais particularmente descrito alhures. Passou por um período em que cooperou com o rei, outro período em que foi temporariamente destruída pelo rei, que incidentalmente era um príncipe com um teísmo específico pessoal, e um terceiro período em que ela praticamente destruiu o rei e governou em seu lugar. Mas o mundo deve agradecer à religião muitas coisas consideradas comuns e necessárias; e os criadores dessas coisas comuns deveriam realmente estar entre os heróis da humanidade. Se nós estivéssemos em paz com o verdadeiro paganismo, em vez de estarmos em guerra numa reação irracional contra o cristianismo, talvez pudéssemos prestar algum tipo de homenagem pagã a esses criadores anônimos da humanidade. Poderíamos ter estátuas veladas[9] do primeiro homem a descobrir o fogo, ou do primeiro a construir um barco, ou do primeiro a domar um cavalo. E se lhe oferecêssemos guirlandas ou sacrifícios, haveria nisso mais sentido do que em desfigurar nossas cidades com efeminadas estátuas de embolorados políticos ou filantropos. Mas uma das estranhas marcas da força do cristianismo é que, desde que ele surgiu, nenhum pagão conseguiu ser realmente humano em nossa civilização.

Aqui, porém, o ponto principal é que o governo egípcio, fosse pontifical ou real, julgou cada vez mais necessário estabelecer comunicações; e as comunicações foram sempre acompanhadas de certo elemento de coerção. Não se trata necessariamente de uma coisa insustentável dizer que o Estado foi ficando cada vez mais despótico para se tornar mais civilizado. Esse é o argumento a favor da autocracia em todas as épocas; e o interesse está em ver isso ilustrado na época mais primitiva. Mas não é absolutamente verdade que o Estado foi mais despótico na era mais antiga e ficou mais liberal numa época mais tardia; o processo prático da história é exatamente o contrário. Não é verdade que a tribo começou com o supremo terror do Velho Homem com seu assento e lança. É provável, pelo menos no Egito, que o Velho Homem fosse antes um Novo Homem armado para enfrentar novas condições. Sua lança tornou-se cada vez mais comprida, e seu trono, cada vez mais alto, à medida que o Egito foi crescendo e transformando-se numa civilização completa e complexa. Isso é o que eu quero dizer ao afirmar que a história do território egípcio é a história da terra, e ela nega diretamente a suposição vulgar de que o terrorismo só pode aparecer no início e não pode aparecer no fim. Não sabemos exatamente qual foi a primeira condição do amálgama mais ou menos feudal dos primeiros proprietários de terra, camponeses e escravos nas pequenas comunidades às margens do Nilo; mas pode ter sido uma campesinato de um tipo ainda mais popular. O que sabemos é que pequenas comunidades perdem sua liberdade por meio da experiência e da educação; que a soberania absoluta é algo não meramente antigo, mas sim relativamente moderno; e que é no fim do caminho chamado progresso que os homens voltam para o rei.

O Egito exibe, nesse breve registro de seus mais remotos primórdios, o problema fundamental da liberdade e da civilização. É o fato de que os homens na verdade perdem variedade em virtude da complexidade. Não resolvemos esse problema de modo mais apropriado do que eles o fizeram; mas é vulgarizar a dignidade humana do próprio problema sugerir que nem mesmo a tirania tem razão de surgir, salvo nas condições do terror tribal. E exatamente como o exemplo egípcio refuta a falácia acerca do despotismo e da civilização, assim também o exemplo da Babilônia refuta a falácia acerca da civilização e da barbárie. Também da Babilônia só temos as primeiras notícias de quando ela já está civilizada, pela simples razão de que não podemos ouvir falar de coisa alguma até que ela seja educada o bastante para falar. Ela nos fala naquilo que se chama de escrita cuneiforme, aquele estranho e rígido simbolismo triangular que contrasta com o pictórico alfabeto egípcio. Por mais relativamente rígida que seja a arte egípcia, sempre há nela algo diferente do espírito babilônico que era rígido demais para ter alguma arte. Há sempre uma graça delicada nas linhas do lótus e algo de rapidez bem como rigidez no movimento das flechas e dos pássaros. Talvez haja algo da contida mais exata curva do rio, e quando falamos da serpente do Nilo isso nos leva quase a pensar no Nilo como uma serpente. A Babilônia foi uma civilização de diagramas mais do que de desenhos. O sr. W. B. Yeats, que tem uma imaginação histórica à altura de sua imaginação mitológica (e de fato a primeira é impossível sem a segunda), escreveu acertadamente sobre os homens que observaram as estrelas “a partir de sua pedante Babilônia”. A escrita cuneiforme era gravada em placas de argila, matéria com a qual toda a arquitetura foi construída. As placas eram de argila cozida, e talvez o material tivesse dentro de si algo que proibia que o sentido da forma se desenvolvesse em escultura ou relevo. A civilização deles foi estática, mas científica, muito avançada na maquinaria do dia a dia e sob alguns aspectos altamente moderna. Dizem que eles tinham muito do moderno culto do estado de solteirona mais elevado e reconheciam uma classe oficial de trabalhadoras independentes. Talvez haja algo nessa fortaleza de argila capaz de sugerir a atividade utilitária de uma enorme colmeia. Mas, embora fosse enorme, ela era humana. Ali, constatamos muitos dos mesmos problemas sociais observados tanto no Egito antigo quanto na Inglaterra moderna; e quaisquer que sejam seus males, a Babilônia também foi uma das primeiras obras-primas da humanidade. Erguia-se, obviamente, no triângulo formado pelos quase lendários rios Tigre e Eufrates, e a vasta agricultura de seu império, da qual dependiam suas cidades, foi aperfeiçoada com um sistema de canais de irrigação altamente científico. Tinha uma tradição de alta intelectualidade, embora mais filosófica do que artística; e presidiam suas fundações primevas aquelas figuras que passaram a representar a antiga sabedoria que contempla os astros: os professores de Abraão; os caldeus.

Contra essa sólida sociedade, como se fosse contra um vasto e despojado muro de tijolos de argila, lançaram-se sucessivamente os obscuros exércitos dos nômades. Eles vinham do deserto onde se levava uma vida nômade, como ainda acontece hoje em dia. Desnecessário é fixar-se na natureza dessa vida; era muito óbvio e até fácil seguir uma manada ou um rebanho que geralmente encontrava sua pastagem, para viver do leite ou da carne dos animais. Tampouco existe alguma razão para duvidar de que esse hábito de vida pudesse dar praticamente tudo aquilo de que os homens precisavam, exceto uma casa. É possível que muitos desses pastores ou condutores de manadas tenham conversado nos primórdios dos tempos sobre todas as verdades e enigmas do livro de Jó. Entre eles estavam Abraão e seus filhos, que deram ao mundo moderno, como um enigma sem fim, o quase monomaníaco monoteísmo dos judeus. Mas eles eram um povo indômito sem a compreensão de uma organização social complexa; e dentro deles um espírito como o vento os impeliu muitas e muitas vezes a fazer guerra contra esse tipo de organização. A história da Babilônia é em grande parte a história de sua defesa contra as hordas do deserto, que vinham com intervalos de um ou dois séculos e geralmente assim como vinham se retiravam. Alguns dizem que a mescla de invasões de nômades construiu em Nínive o arrogante reino dos assírios, que esculpiram grandes monstros sobre seus templos, touros barbudos com asas como as de querubins, e produziram muitos conquistadores militares que esmagaram o mundo com suas patas colossais. A Assíria foi um interlúdio imperial, mas foi um interlúdio. A principal história de toda aquela região é a guerra entre povos errantes e o Estado, que era realmente estático. É de se presumir que em tempos pré-históricos, e com certeza em tempos históricos, esses povos errantes foram para o ocidente a fim de devastar o que encontrassem pela frente. A última vez que vieram descobriram que a Babilônia havia desaparecido. Mas isso aconteceu em tempos históricos, e o nome de seu líder era Maomé.

A esta altura vale a pena refletir sobre essa história, pois, como foi sugerido, ela contradiz diretamente a impressão ainda em voga de que o nomadismo é um fenômeno meramente pré-histórico e o assentamento social é um fenômeno comparativamente recente. Não existe nada que prove que o povo babilônico em algum momento tenha sido errante; há muito pouco para comprovar que as tribos do deserto em algum momento se assentaram. De fato é provável que essa ideia de um estágio nômade seguido por um estágio estático já tenha sido abandonada pelos estudiosos sinceros e genuínos a quem devemos tanto por suas pesquisas. Não estou discutindo neste livro com estudiosos sinceros e genuínos, mas sim com uma vasta e vaga opinião pública prematuramente difundida que fez entrar na moda uma falsa ideia que abarca toda a história da humanidade. Trata-se da totalmente vaga ideia de que um macaco evoluiu e se transformou num homem e, da mesma forma, um bárbaro evoluiu e se transformou num homem civilizado e, portanto, a cada estágio devemos olhar para a barbárie lá atrás e para a civilização lá na frente. Infelizmente essa ideia fica no ar num duplo sentido. É uma atmosfera em que vivem os homens e não uma tese que eles defendem. Homens nesse estado de espírito encontram mais facilmente oposição em objetos do que em teorias; e bom será se alguém tentado a fazer essa suposição, em alguma reviravolta de conversa ou de escrita, puder por um momento controlar-se fechando os olhos e vendo por um instante, vasto e vagamente apinhado de gente, como um populoso precipício, o maravilhoso muro da Babilônia.

Um fato certamente nos atinge como a sombra desse muro. Nossos vislumbres desses dois impérios primevos mostram que a primeira relação doméstica fora complicada por algo menos humano, mas que era muitas vezes considerado igualmente doméstico. O sombrio gigante chamado Escravidão havia sido evocado como um gênio e estava labutando em obras gigantescas feitas de tijolos e pedras. Aqui novamente não devemos supor que o que era retrógrado era bárbaro. Na questão de alforria, a servidão primitiva parece sob alguns aspectos mais liberal do que a que veio mais tarde; talvez mais liberal do que a servidão do futuro. Garantir comida para a humanidade forçando parte dela a trabalhar foi no fim das contas um expediente muito humano; e é por isso que ele provavelmente será tentado outras vezes. Mas em certo sentido há um significado na antiga escravidão. Ela representa um fato fundamental sobre a antiguidade antes de Cristo. Algo que se deve presumir do início ao fim. É o significado do indivíduo perante o Estado. Isso se verificou na mais democrática cidade-estado da Grécia assim como em qualquer despotismo da Babilônia. Um dos sinais desse espírito é o fato de que toda uma classe de indivíduos podia ser insignificante ou até mesmo invisível. Deve ser normal porque era necessário para aquilo que atualmente chamamos de "serviço social". Alguém disse: "O Homem não é nada, e o Trabalho é tudo", querendo com isso expressar uma jovial banalidade no estilo de Carlyle.[10] Nesse sentido há uma verdade na visão tradicional de vastos pilares e pirâmides erguendo-se sob aqueles céus eternos para sempre, graças ao trabalho de inúmeros e anônimos seres humanos, labutando como formigas e morrendo como moscas, varridos pela obra de suas próprias mãos.

Mas há mais duas razões para começar pelos dois pontos fixos do Egito e da Babilônia. Em primeiro lugar eles aparecem fixos na tradição como exemplos da antiguidade; e a história sem tradição é morta. Além disso, a Babilônia ainda é o refrão de uma parlenda, e o Egito (com sua enorme população de princesas aguardando a reencarnação) ainda é o tópico de muitos romances desnecessários. Mas uma tradição em geral é uma verdade, contanto que seja suficientemente popular, mesmo sendo quase vulgar. E há um significado nesse elemento babilônico e egípcio de parlendas e romances. Até mesmo os jornais, normalmente tão atrasados, já chegaram ao reinado de Tutancâmon. Essa primeira razão está repleta de bom senso das lendas populares; trata-se do simples fato de que sabemos mais sobre essas coisas tradicionais do que sobre outras coisas contemporâneas, e que sempre foi assim. Todos os viajantes, de Heródoto a Lorde Carnarvon, seguem esse roteiro. As especulações científicas de hoje realmente apresentam um mapa completo do mundo antigo, com correntes de emigração racial ou mesclas indicadas por linhas pontilhadas em toda parte, cobrindo espaços que o pouco científico autor de mapas medievais teria se contentado em chamar simplesmente de "Terra Incógnita", quando não preenchesse o convidativo espaço em branco com o desenho de um dragão para indicar a provável recepção dispensada a peregrinos. Mas essas especulações, na melhor das hipóteses, são apenas especulações; e, na pior das hipóteses, as linhas pontilhadas podem ser muito mais fabulosas que o dragão.

Há infelizmente uma falácia aqui, e é muito fácil cair nela, mesmo para os mais inteligentes e talvez especialmente para os que são mais imaginativos. É a falácia da suposição de que, pelo fato de uma ideia ser maior no sentido de mais ampla, ela é por consequência maior no sentido de mais fundamental, fixa e certa. Se um homem mora sozinho numa choupana de palha no meio do Tibete, podemos dizer-lhe que está morando no Império da China; e o Império da China é com certeza esplêndido, espaçoso e impressionante. Ou então podemos dizer-lhe que está morando no Império Britânico, o que o deixará devidamente impressionado. Mas o fato curioso é que em certos estados mentais ele pode ter muito mais certeza acerca do Império da China, que ele não consegue ver, do que acerca de sua choupana de palha, que ele consegue ver. Ele tem na cabeça alguma estranha ilusão mágica pela qual sua argumentação começa pelo império embora sua experiência comece pela choupana. Às vezes ele enlouquece e parece querer provar que uma choupana de palha não pode existir nos domínios do Trono do Dragão; que, para uma civilização como essa da qual ele desfruta, é impossível conter um casebre como o que ele ocupa. Mas sua insanidade resulta da falha intelectual de supor que, pelo fato de a China ser uma grande hipótese que tudo abrange, é por isso mesmo algo mais que uma hipótese. Ora, os modernos estão continuamente argumentando dessa maneira e aplicam essa argumentação a coisas muito menos reais e certas do que o Império da China. Eles parecem se esquecer, por exemplo, de que o homem não tem sequer certeza sobre o sistema solar do mesmo modo que tem certeza da existência de South Downs.[11] O sistema solar é uma dedução, sem dúvida uma dedução verdadeira; mas a questão é que se trata de uma dedução muito vasta e abrangente e, portanto, ele se esquece por inteiro de que é uma dedução e a trata como um princípio fundamental. Ele *poderia* vir a descobrir que todo o cálculo envolvido está errado, e que o sol e as estrelas e as lâmpadas da rua pareceriam exatamente iguais. Mas ele se esqueceu de que é um cálculo e está quase disposto a contradizer o sol caso este não se enquadre no sistema solar. Se isso constitui uma falácia mesmo no caso de fatos muito bem averiguados, tais como o sistema solar e o Império da China, é uma falácia muito mais arrasadora em relação a teorias e outras coisas que não foram absolutamente verificadas. Assim, a história, especialmente a história pré-histórica, tem o hábito horrível de partir de certas generalizações sobre raças. Não vou descrever a desordem e miséria que essa inversão produziu na política moderna. Pelo fato de vagamente se imaginar que determinada raça produziu determinada nação, fala-se da nação como se ela fosse algo mais vago que a raça. Pelo fato de os homens terem inventado um motivo para explicar um resultado, eles quase negam o resultado a fim de justificar o motivo. Primeiro tratam um celta como um axioma, depois tratam um irlandês como uma inferência. E depois se surpreendem porque um grande e estridente guerreiro irlandês se sente zangado por ser tido como uma inferência. Eles não conseguem ver que os irlandeses são irlandeses, quer sejam celtas ou não, quer jamais tenham existido celtas ou não. E, novamente, o que os desorienta é o *tamanho* da teoria: a sensação de que a imaginação é maior do que o fato. Supõe-se que uma grande raça céltica espalhada contenha os irlandeses, e assim, obviamente, os irlandeses, para sua própria subsistência, devem depender disso. A mesma confusão, é óbvio, eliminou os ingleses e os alemães, submergindo-os na raça teutônica; e alguns tentaram provar, a partir da unidade das raças, que essas nações não poderiam estar guerreando entre si. Mas eu apenas apresento de passagem esses exemplos vulgares e banais, como exemplos mais familiares da falácia; a questão que aqui está em jogo não é sua aplicação a essas coisas modernas, mas sim às realidades mais antigas. Mas quanto mais distante e desconhecido era o problema racial, tanto mais fixa era essa curiosa certeza invertida no cientista vitoriano.

Até hoje, um homem que segue essas tradições científicas fica igualmente chocado ao questionar essas coisas que eram apenas as últimas inferências quando eles as transformou em princípios primeiros. Ele tem até mais certeza de ser ariano do que de ser anglo-saxão, exatamente como tem mais certeza de ser anglo-saxão do que de ser inglês. Ele jamais descobriu que é europeu. Mas nunca teve dúvidas de ser indo-europeu. Essas teorias vitorianas têm mudado muito em sua forma e escopo; mas esse hábito de enrijecer uma hipótese transformando-a em teoria, e uma teoria transformando-a num pressuposto, ainda não saiu de moda. As pessoas não conseguem facilmente livrar-se da confusão mental de sentir que os fundamentos da história devem com certeza ser protegidos; que os primeiros passos devem ser seguros; que as maiores generalizações devem necessariamente ser óbvias. Mas, embora a contradição possa lhes parecer um paradoxo, isso é exatamente o contrário da verdade. É a realidade grande que é secreta e invisível; é a realidade pequena que é evidente e enorme.

Todas as raças da face da terra foram submetidas a essas especulações, e é impossível sequer sugerir um resumo desse assunto. Mas, se tomarmos a raça europeia isoladamente, sua história, ou melhor, sua pré-história, passou por muitas revoluções retrospectivas no curto período da minha existência. Costumava-se chamá-la de raça caucasiana; li na infância um relato sobre sua colisão com a raça mongólica, escrito por Bret Harte, que começava com a seguinte indagação: “Ou será que os caucasianos foram eliminados?”. Ao que parece os caucasianos foram eliminados, pois após um período muito breve foram transformados em indo-europeus; às vezes, lamento dizer, eles são orgulhosamente apresentados como indo-germânicos. Parece que o hindu e o alemão têm palavras semelhantes para designar pai e mãe; havia outras semelhanças entre o sânscrito e vários idiomas ocidentais; e com isso pareceu que todas as diferenças de superfície entre um hindu e um alemão de repente sumiram. Geralmente essa pessoa complexa era descrita de forma mais conveniente como ariano, e o ponto de fato importante era que ele marchara para o ocidente deixando as montanhas da Índia onde ainda se podiam encontrar fragmentos de sua língua. Quando li isso na infância, tive a fantasia de que no fim das contas os arianos não precisavam ter marchado para o ocidente deixando para trás seu idioma; eles poderiam simplesmente ter marchado para o oriente levando consigo seu idioma. Se lesse aquilo hoje, eu me contentaria em declarar minha ignorância sobre toda essa questão. Mas de fato tenho muitas dificuldades em ler isso agora, porque isso não está sendo escrito agora. Parece que os arianos também foram eliminados. De qualquer modo, eles não apenas mudaram de nome, mas também de endereço; mudaram seu ponto de partida e seu roteiro de viagem. Uma nova teoria sustenta que nossa raça não chegou a sua pátria atual provindo do leste, mas sim do sul. Alguns dizem que os europeus não vieram da Ásia, mas sim da África. Alguns chegaram a ter a extravagante ideia de que os europeus vieram da Europa; ou, melhor, eles nunca a deixaram.

Existem algumas provas referentes a uma pressão mais ou menos pré-histórica a partir do norte, como aquela que aparentemente levou os gregos a herdarem a cultura de Creta e que tantas vezes levou os gauleses a cruzarem as montanhas para invadir os campos da Itália. Mas eu simplesmente apresento esse exemplo da etnologia europeia para ressaltar que os eruditos a essa altura já deram a volta ao mundo; e que eu, que não sou erudito, não pretendo nem por um instante decidir em pontos sobre os quais esses doutores discordam. Mas posso utilizar meu bom senso e às vezes imaginar que o deles está um pouco enferrujado por falta de uso. O primeiro ato de bom senso é reconhecer a diferença entre uma nuvem e uma montanha. E eu afirmarei que ninguém sabe de nenhuma dessas coisas no sentido de que todos nós sabemos da existência das pirâmides do Egito.

A verdade, podemos repetir, é que aquilo que de fato vemos, em oposição àquilo que podemos razoavelmente adivinhar, nessa primeira fase da história, é escuridão encobrindo a terra e grande escuridão envolvendo os povos, com uma ou duas luzes surgindo aqui e ali sobre porções aleatórias da humanidade. E duas dessas chamas de fato ardem sobre duas das cidades primevas: sobre os elevados terraços da Babilônia e as enormes pirâmides do Nilo. Há realmente outras luzes antigas, ou luzes que podemos supor ser muito antigas, em regiões muito remotas desse vasto ermo noturno. Muito ao longe, a leste, existe a civilização, avançada e muito antiga, da China; há outros vestígios de civilizações no México, na América do Sul e em outras partes, algumas delas aparentemente tão avançadas em civilização a ponto de terem atingido refinadas formas de culto dos demônios. Mas a diferença está no elemento da tradição; a tradição dessas culturas perdidas foi quebrada e, embora a tradição da China ainda viva, não temos certeza de que sabemos alguma coisa sobre ela. Além disso, um homem que tenta medir a antiguidade chinesa deve utilizar padrões de medida da China; e ele sente a estranha sensação de ter entrado num outro mundo com outras leis de tempo e espaço. O tempo é observado como se através de um telescópio invertido, e os séculos assumem o lento e rígido movimento de eternidades. O homem branco que tenta ver as coisas como as vê o homem amarelo tem a sensação de que sua cabeça está voltada para trás e se pergunta desvairado se nela não se está formando um rabicho. De qualquer modo, ele não pode assumir, num sentido científico, aquela estranha perspectiva que conduz até o pagode primevo dos primeiros entre os Filhos do céu.[12] Ele se encontra na condição dos verdadeiros antípodas: o único verdadeiro mundo alternativo para o cristianismo. E ele está de certo modo andando de cabeça para baixo. Falei do antigo criador de mapas e seu dragão; mas que viajor medieval, por maior que fosse seu interesse por monstros, esperaria descobrir um país onde um dragão é um ser benevolente e simpático? Acerca do aspecto mais sério da tradição chinesa, diremos algo relacionado a outro ponto; mas aqui eu só estou falando de tradição e do teste de antiguidade. E só menciono a China como uma antiguidade que não atingimos atravessando uma ponte; e a Babilônia e o Egito como antiguidades que atingimos assim. Heródoto é um ser humano no sentido em que um chinês de cartola numa casa de chá de Londres quase não é um ser humano. Temos a sensação de que já sabemos o que sentiram Davi e Isaías, de uma forma que nunca tivemos muita certeza sobre o que sentiu Li Hung Chang.[13] Os próprios pecados que arrebataram Helena ou Bate-Seba transformaram-se num provérbio da fraqueza, do sentimento e até do perdão dos seres humanos. As próprias virtudes do chinês estão envolvidas em algo que aterroriza. Essa é a diferença causada pela destruição ou preservação de uma herança histórica sem interrupções, como acontece desde o antigo Egito até a Europa moderna. Mas, quando perguntamos o que era o mundo que herdamos e por que particularmente aqueles povos parecem fazer parte dele, somos conduzidos ao fato central da história civilizada.

Esse fato central foi o Mediterrâneo, que mais que um corpo de água era um mundo; mas era um mundo que tinha alguma semelhança com aquelas águas, uma vez que gradativamente foi se transformando no ponto de unificação onde correntes culturais muito estranhas e divergentes se encontravam. O Nilo e o Tibre correm ambos para o Mediterrâneo; da mesma forma os egípcios e os etruscos são tributários da civilização mediterrânea. A fascinação do grande mar realmente se espalhou atingindo pontos muito distantes no interior, e a unidade foi sentida entre os árabes isolados em desertos e entre gauleses além das montanhas do norte. Mas a construção gradual de uma cultura comum abrangendo todas as costas desse mar interno é o principal interesse da antiguidade. Como veremos, às vezes era um interesse negativo e às vezes um interesse positivo. Naquele *orbis terrarum* ou círculo de terras encontravam-se os extremos do mal e da piedade, havia raças contrastantes e religiões ainda mais contrastantes. Aquele foi o cenário de uma luta interminável entre a Ásia e a

Europa desde a fuga dos navios persas em Salamina até a fuga dos navios turcos em Lepanto. Aquele foi o cenário, como será sugerido especificamente a seguir, de uma suprema luta espiritual entre os dois tipos de paganismo que se confrontaram nas cidades latinas e fenícias, no fórum romano e no mercado púnico. Foi o mundo da guerra e da paz, o mundo do bem e do mal, o mundo de tudo aquilo que mais interessa; com todo o respeito devido aos astecas e aos mongóis do Extremo Oriente, eles não tiveram a importância que teve, e ainda tem, a civilização mediterrânea. Entre esta civilização e o Extremo Oriente houve, é claro, cultos interessantes e conquistas de vários tipos, que tiveram maior ou menor contato com ela, e na proporção desse contato eles se tornaram inteligíveis também para nós. Os persas vieram montados em cavalos e invadiram a Babilônia para destruí-la; e nós temos informações através de uma história grega de como esses bárbaros aprenderam a usar o arco e a dizer a verdade. O grande grego Alexandre marchou com seus macedônios para o oriente e trouxe de volta estranhos pássaros coloridos como as nuvens ao amanhecer e estranhas flores e joias de jardins e tesouros de anônimos reis. O Islã foi para o leste daquele mundo e o tornou parcialmente imaginável para nós; precisamente pelo fato de o Islã ter nascido naquele círculo de terras que orlavam nosso próprio antigo e ancestral mar. Na Idade Média o império dos mongóis ganhou em majestade sem perder seu mistério; os tártaros conquistaram a China, e os chineses aparentemente lhes deram pouca importância. Todas essas coisas são muito interessantes em si mesmas. Todavia, é impossível mudar o centro de gravidade para espaços do interior na Ásia afastando-se daquele mar interior da Europa. Tudo considerado, se não houvesse mais nada no mundo exceto o que foi considerado e feito e escrito e construído nas terras em volta do Mediterrâneo, isso ainda seria na sua totalidade o que de mais vital e precioso nós temos no mundo em que vivemos. Quando a cultura se espalhou para o noroeste, produziu muitas coisas maravilhosas, a mais maravilhosa das quais sem dúvida somos nós mesmos. Quando do noroeste ela se espalhou para novas colônias e países, ainda era a mesma cultura na medida em que simplesmente ainda estava viva. Mas ao redor daquele mar pequeno como um lago estavam tudo em si, à parte de todas as extensões, todos os ecos e comentários; a República e a Igreja; a Bíblia e heroicos poemas épicos; o Islã e Israel e as memórias de impérios perdidos; Aristóteles e a medida de todas as coisas. É pelo fato de que a primeira luz sobre *este* mundo é realmente luz, a luz do dia na qual todos estamos ainda caminhando atualmente, e não simplesmente a visitação dúbia de estranhas estrelas, que comecei aqui chamando atenção para o fato de que a primeira luz cai sobre as elevadas cidades do Mediterrâneo oriental.

Mas, embora a Babilônia e o Egito tenham uma espécie de primeiro direito constituído pelo próprio fato de serem enigmas fascinantes, familiares e tradicionais tanto para nós como para nossos pais, não devemos imaginar que essas foram as únicas civilizações no mar do sul; ou que toda a civilização era meramente suméria ou semita ou copta, muito menos asiática ou africana. A verdadeira pesquisa exalta cada vez mais a antiga civilização da Europa, especialmente aquilo que podemos vagamente chamar de os gregos. Devemos entender isso no sentido de que houve gregos antes dos gregos, assim como em muitos de seus mitos houve deuses antes dos deuses. A ilha de Creta foi o centro da civilização ora chamada de minoica, numa referência a Minos que aparecia nas lendas antigas e cujo labirinto foi de fato descoberto pela arqueologia moderna. Essa elaborada sociedade europeia, com seus portos, seus sistemas de drenagem e seus mecanismos domésticos, parece ter desaparecido antes de alguma das invasões de seus vizinhos do norte, os quais criaram ou herdaram a Grécia que conhecemos da história. Mas aquele período anterior não passou antes de dar ao mundo dádivas tão grandes que o mundo desde aquela época vem tentando em vão retribuir, mesmo que seja apenas por meio de plágio.

Nalgum lugar ao longo da costa jônica, defronte a Creta e às ilhas, havia uma espécie de cidade, provavelmente do tipo que deveríamos chamar de aldeia ou povoado com um muro. Chamava-se Ílion, mas passou a se chamar Troia, e esse nome jamais desaparecerá da face da terra. Um poeta, que pode ter sido um mendigo ou menestrel, que talvez nem soubesse ler ou escrever e que foi descrito pela tradição como cego, compôs um poema sobre gregos partindo para a guerra contra essa cidade a fim de recuperar a mulher mais bela do mundo. O fato de a mais bela mulher do mundo viver numa pequena cidade soa como uma lenda; o fato de o mais belo poema do mundo ter sido escrito por alguém que não sabia nada que fosse além dessas pequenas cidades é um dado histórico. Diz-se que o poema surgiu no fim do período; que a cultura primitiva o produziu em sua decadência; nesse caso gostaríamos de ter visto essa cultura em seu esplendor. Mas de qualquer modo a verdade é que esse que é nosso primeiro poema também poderia ser nosso último poema. Ele poderia muito bem ser o último bem como a primeira palavra pronunciada pelo homem acerca de sua sorte mortal, vista exclusivamente por uma visão mortal. Se o mundo se paganizar e perecer, o último homem vivo deveria citar a Ilíada e morrer.

Mas nessa única grande revelação humana da antiguidade há outro elemento de grande importância histórica, que na minha opinião não recebeu seu devido tratamento na história. O poeta concebeu o poema de tal forma que suas simpatias, ao que parece, e as do seu leitor com certeza, estão do lado do vencido e não do vencedor. E esse é um sentimento que cresce na tradição poética mesmo quando sua própria origem poética se perde na distância. Aquiles tinha algum *status* como uma espécie de semideus nos tempos pagãos; mas ele desaparece por inteiro em épocas subsequentes. Mas Heitor fica maior à medida que o tempo passa; e é seu nome que se torna o nome de um dos cavaleiros da Távola Redonda, e é sua espada que a lenda põe nas mãos de Rolando, deposta ao lado dele com a arma do derrotado Heitor na derradeira ruína e esplendor de sua própria derrota. O nome antecipa todas as derrotas pelas quais nossa raça e religião deveriam passar; essa sobrevivência a mil derrotas, esse é seu triunfo.

O conto do fim de Troia não deverá ter fim, pois foi elevado aos céus para sempre em ecos vivos, tão imortais quanto nosso desespero e nossa esperança. Troia de pé era uma coisa pequena que poderia ter permanecido lá durante muitos séculos no anonimato. Mas Troia caindo, essa foi apanhada em chamas e elevada num imortal instante de aniquilação; e, por ter sido destruída pelo fogo, o fogo nunca será destruído. E o que aconteceu com a cidade também acontece com seu herói; desenhada em traços arcaicos daquele crepúsculo primevo encontra-se a primeira figura do Cavaleiro. Há uma coincidência profética em seu título. Já falamos da palavra cavalheirismo e de como ela parece misturar o cavaleiro com o cavalo. Isso é quase antecipado, séculos antes, no trovão do hexâmetro homérico e naquela saltitante palavra com que a Ilíada termina.[14] É exatamente para essa unidade que não conseguimos achar outra palavra que não seja o santo centauro do cavalheirismo. Mas há outros motivos para apresentar nestes vislumbres da antiguidade a chama sobre a cidade sagrada. A santidade dessa cidade propagou-se pelas costas e ilhas do Mediterrâneo do norte; o povoado cercado de altos muros pelo qual heróis pereceram. Da pequenez da cidade veio a grandeza do cidadão. A Grécia com suas centenas de estátuas não produziu nada que fosse mais majestoso que uma estátua ambulante; o ideal do homem que é senhor de si. A Grécia das centenas de estátuas foi uma única lenda e literatura; e todo aquele labirinto de nações cercadas por muros repercutindo o lamento de Troia.

Uma lenda posterior, uma reflexão tardia embora não acidental, disse que cidadãos extraviados de Troia fundaram uma república no litoral italiano. É verdade em espírito que a virtude republicana tinha essa raiz. Um mistério de honra, que não nasceu da Babilônia nem do orgulho egípcio, brilhou como o escudo de Heitor, desafiando a Ásia e a África; até que a luz de um novo dia foi liberada, com o avanço das águias e a chegada do nome: o nome surgiu como um trovão quando o mundo acordou para Roma.

4

Deus e a religião comparada

Certa vez fiz um passeio por sobre as ruínas das fundações romanas de uma antiga cidade britânica acompanhado por um professor, que disse algo que me parece satirizar grande número de outros professores. É possível que o professor tenha percebido o chiste, embora mantivesse imperturbável seriedade, e talvez tenha notado tratar-se de um chiste contra grande parte do que se chama de religião comparada. Apontei para uma escultura da cabeça do sol com seu costumeiro halo de raios, mas com uma diferença: a face no disco, em vez de ser juvenil como a de Apolo, era barbada como a de Netuno ou Júpiter. "É", disse o professor com certa delicada exatidão, "supõe-se que ela representa o deus local chamado Sul. As melhores autoridades identificam Sul com Minerva; mas esta cabeça foi preservada para mostrar que a identificação não é completa."

Isso é o que chamamos de eufemismo enfático. O mundo moderno está mais maluco do que qualquer sátira que dele se faça. Muito tempo atrás o sr. Bellock fez seu senhor burlesco dizer que a pesquisa moderna havia provado que um busto de Ariadne era um busto de Sileno.[1] Mas isso não supera a verdadeira aparência de Minerva ser a da Mulher Barbada do sr. Barnum.[2] Só que os dois casos são muito parecidos com muitas identificações feitas pelas "melhores autoridades" em religião comparada. E, quando crenças católicas são identificadas com vários mitos malucos, eu não rio, nem xingo, nem me mostro mal-educado; limito-me a dizer com decoro que a identificação não é completa.

Nos dias da minha juventude, "religião da humanidade" era um termo aplicado ao comtismo, a teoria de certos racionalistas que adoravam a humanidade corporativa como um Ser Supremo. Até mesmo nos dias da minha juventude eu observei que havia algo ligeiramente esquisito em desprezarem e descartarem a Trindade por ser uma contradição mística e até maníaca, para depois pedirem que adorássemos uma divindade que é uma centena de milhões de pessoas num único Deus, sem confundir as pessoas ou dividir a substância.

Mas há outra entidade, mais ou menos definível e muito mais imaginável do que esse monstruoso ídolo de muitas cabeças da humanidade. E ele tem um direito muito maior de ser chamado, num sentido razoável, de religião da humanidade. O homem não é de fato o ídolo, mas em quase toda parte ele é um idólatra. E essas inúmeras idolatrias da humanidade contêm algo sob muitos aspectos mais humano e compassivo do que as abstrações metafísicas modernas. Se um deus asiático tem três cabeças e sete braços, ele pelo menos contém a ideia de uma encarnação material que faz um poder desconhecido aproximar-se mais de nós em vez de afastar-se. Mas se nossos amigos Brown, Jones e Robinson, durante um passeio ao ar livre, fossem transformados e amalgamados num ídolo asiático diante de nossos olhos, eles certamente pareceriam estar mais distantes. Se os braços de Brown e as pernas de Robinson saíssem do mesmo corpo complexo, eles seriam vistos acenando uma espécie de triste adeus. Se as cabeças dos três cavalheiros aparecessem sorrindo sobre um único pescoço, nós hesitaríamos, não sabendo sequer com que nome nos dirigir ao nosso novo e ligeiramente anormal amigo. No ídolo oriental de muitas cabeças e muitas mãos há certo sentido de mistérios que pelo menos parcialmente vão ficando inteligíveis; um sentido de forças amorfas da natureza assumindo alguma forma obscura porém material; mas, embora isso possa ser verdade em relação ao deus multiforme, não é verdade em relação ao homem multiforme. Os seres humanos tornam-se menos humanos quando estão menos separados; poderíamos dizer, menos humanos quando estão menos sozinhos. Os seres humanos tornam-se menos inteligíveis à medida que ficam menos isolados; poderíamos dizer rigorosamente falando que, quanto mais próximos de nós eles estiverem, tanto mais longe estarão de nós. Um hinário ético dessa espécie de humanitarismo da religião foi cuidadosamente coligido e expurgado com base no princípio de preservar tudo o que era humano e eliminar tudo o que era divino. Uma das consequências disso foi que um hino apareceu na forma corrigida de "Mais perto homem de ti".[3] Isso sempre me sugeriu o que acontece com aqueles passageiros que viajam de pé no metrô no momento de uma colisão. Mas é estranho e maravilhoso ver como a alma dos homens pode parecer distante, quando seu corpo fica assim tão próximo de nós.

A unidade humana de que trato aqui não se confunde com a monotonia e o agrupamento causado pela indústria moderna, situações que são mais um congestionamento do que uma comunhão. É uma tendência que grupos e até mesmo indivíduos humanos agindo livremente demonstraram em todos os lugares, por ser um instinto que pode verdadeiramente ser chamado de humano. Como todas as realidades humanas sadias, ela mudou muito dentro dos limites de seu caráter geral, pois isso é característica de tudo o que pertence àquele antigo território de liberdade situado na frente e em volta da cidade industrial servil. O sistema industrial de fato se vangloria de que seus produtos são todos de um mesmo padrão; de que os cidadãos da Jamaica ou do Japão podem romper o mesmo lacre e beber o mesmo *whisky* ruim; de que um cidadão no Polo Norte e outro no Polo Sul poderiam reconhecer a mesma etiqueta otimista identificando o mesmo duvidoso salmão enlatado. Mas o vinho, essa dádiva dos deuses aos homens, pode variar a cada vale e cada vinícola, pode transformar-se em cem vinhos sem que nenhum deles nos lembre o *whisky*; e os queijos podem mudar de um país para outro sem esquecermos a diferença entre queijo e giz. Portanto, quando falo dessa coisa, falo de algo que sem dúvida inclui diferenças muito grandes; apesar disso, quero aqui sustentar que se trata de uma coisa só. Quero sustentar que a maior parte da irritação moderna deriva da não percepção de que é de fato uma coisa só. Quero propor a tese segundo a qual, antes de todas essas conversas sobre religião comparada e sobre os diferentes fundadores de religiões do mundo, o primeiro ponto essencial é reconhecer essa coisa como um todo, como uma coisa quase inata e normal para toda a grande comunidade que denominamos humanidade. Essa coisa é o paganismo; e eu me proponho mostrar nestas páginas que ele é único rival concreto da Igreja de Cristo.

A religião comparada é de fato muito comparativa. Quer dizer, é a tal ponto uma questão de grau, distância e diferença que apenas comparativamente ela é bem-sucedida quando tenta comparar. Quando a examinamos de perto, descobrimos que ela compara coisas que são realmente incomparáveis. Estamos habituados a ver uma tabela ou um catálogo das grandes religiões do mundo em colunas paralelas, e um dia imaginamos que elas são realmente paralelas. Estamos habituados a ver os nomes dos fundadores das grandes religiões todos enfileirados: Cristo, Maomé, Buda, Confúcio. Mas na verdade isso é apenas um truque, mais uma dessas ilusões óticas pelas quais quaisquer objetos podem ser dispostos em certa relação adotando-se certo ponto de vista. Aquelas religiões e aqueles fundadores religiosos, ou melhor, aqueles itens que decidimos juntar num mesmo bloco como religiões e fundadores religiosos, não exibem na verdade nenhum caráter comum. Essa ilusão é produzida em parte pelo fato de o islamismo vir na lista imediatamente depois do cristianismo; e o islamismo realmente veio depois do cristianismo e foi em grande parte uma imitação deste. Mas as outras religiões orientais, ou aquilo a que chamamos de religiões, não apenas não se parecem com a Igreja, como também não se parecem entre si. Quando chegamos ao confucionismo, no fim da lista, estamos num mundo de pensamento completamente diferente. Comparar as religiões cristã e confucionista é como comparar um teísta com um senhor feudal inglês, ou como perguntar se alguém acredita na imortalidade ou se é cem por cento americano. O confucionismo talvez seja uma civilização, mas não é uma religião.

Na verdade a Igreja é única demais para se poder provar que é única. Pois a prova mais popular e mais fácil se faz por meio de um paralelo, e neste caso não há paralelo. Não é fácil, portanto, expor a falácia com a qual se cria uma classificação falsa para encobrir algo único. E como em parte alguma encontramos exatamente o mesmo fato, assim em parte alguma temos exatamente a mesma falácia. Mas, dentro de minhas possibilidades, tomarei o que mais se aproxima desse fenômeno social solitário a fim de mostrar como nesse processo ele é encoberto e assimilado. Imagino que a maioria de nós concordaria que há algo incomum e único envolvendo a posição dos judeus. Não há nada que seja exatamente no mesmo sentido uma nação internacional; uma cultura antiga espalhada por diferentes países, mas ainda distinta e indestrutível. Ora esse procedimento equivale a uma tentativa de fazer uma lista de nações nômades a fim de suavizar o estranho isolamento dos judeus. Seria bastante fácil fazer isso pelo mesmo processo de colocar em primeiro lugar uma aproximação possível e depois acrescentar coisas totalmente diferentes incluídas só para compor a lista. Assim, na nova lista de nações nômades os judeus seriam seguidos pelos ciganos, que de fato são pelo menos nômades se não são realmente nacionais. Depois o catedrático da nova ciência da nomadística comparada poderia passar facilmente para algo diferente, mesmo que muito diferente. Ele poderia comentar a aventura errante dos ingleses que espalharam suas colônias além de muitos mares e chamá-los de nômades. É bem verdade que muitos ingleses parecem sentir-se estranhamente inquietos na Inglaterra. É bem verdade que nem todos eles deixaram seu país para o bem dele. No momento em que mencionamos o império errante dos ingleses, devemos acrescentar o estranho império exilado dos irlandeses.

Na verdade trata-se de um fato curioso a registrar em nossa literatura imperial: a ubiquidade e o desassossego são uma prova do empreendimento e triunfo dos ingleses, mas são também uma prova do fracasso e da futilidade dos irlandeses. Depois o professor de nomadismo olharia pensativo a seu redor e se lembraria de que recentemente muito se falou de garçons alemães, barbeiros alemães, burocratas alemães, naturalizando-se na Inglaterra, nos Estados Unidos e em repúblicas da América do Sul. Os alemães seriam registrados como a quinta raça nômade; as palavras *Wanderlust* [desejo de viajar] e *Folk-wandering* [povo errante] passariam a ser muito úteis nesse caso. De fato houve historiadores que explicaram as cruzadas sugerindo que os alemães foram apanhados circulando (como diz a polícia) em terras que por acaso ficavam nos arredores da Palestina. Depois o catedrático, sentindo que agora se aproximava do fim, daria um salto desesperado: evocaria o fato de que o exército francês conquistou praticamente todas as capitais da Europa, de que marchou cruzando inúmeras terras conquistadas sob Carlos Magno ou Napoleão; e *isso* seria desejo de viajar e *essa* seria a marca de uma raça nômade. E assim ele teria sua lista de seis nações nômades bem compacta e completa, e teria a sensação de que os judeus já não constituíam uma espécie de exceção misteriosa e até mística. Mas gente dotada de maior bom senso provavelmente perceberia que o catedrático havia apenas estendido o sentido de nomadismo; e que ele o estendera até o termo não fazer mais nenhum sentido. É bem verdade que os soldados franceses fizeram algumas das mais belas marchas em toda a história militar. Mas é igualmente verdade, e é muito mais evidente, que se o agricultor francês não constituiu uma realidade enraizada então não existe no mundo isso que se chama de realidade enraizada. Em outras palavras, se ele é nômade, não há no mundo quem não o seja.

Ora, esse é o tipo de truque que se tentou usar no caso da religião comparada: colocar todos os fundadores de religiões numa fileira, cada um em seu respectivo lugar. Procura-se classificar

Jesus como outros classificaram os judeus, inventando-se uma nova classe para esse fim e preenchendo os outros espaços em branco com opções e cópias de qualidade inferior. Não quero dizer que essas outras coisas não sejam muitas vezes grandes realidades dentro de seu verdadeiro caráter e em sua classe. Confucionismo e budismo são grandes realidades, mas não é verdade que sejam igrejas; exatamente como os franceses e os ingleses são grandes povos, mas chamá-los de nômades é absurdo. Há alguns pontos de semelhança entre o cristianismo e sua imitação no Islã; além disso, há alguns pontos de semelhança entre os judeus e os ciganos. Mas depois disso as listas são confeccionadas utilizando-se tudo o que estiver ao alcance das mãos; tudo o que se pode incluir no mesmo catálogo sem ser da mesma categoria.

Neste esboço de história religiosa, com todo o devido respeito para com gente muito mais erudita que eu, proponho questionar e desconsiderar esse moderno método de classificação, que para mim sem dúvida falsificou os fatos da história. Vou apresentar uma classificação alternativa da religião ou religiões, que a meu ver cobriria todos os fatos e, o que aqui é igualmente muito importante, todas as fantasias. Em vez de dividir a religião segundo critérios geográficos e, por assim dizer, verticais, em cristã, muçulmana, bramânica e budista, e assim por diante, eu a dividiria do ponto de vista psicológico e, nalgum sentido, horizontal, considerando camadas de elementos e influências espirituais que ocasionalmente poderiam existir no mesmo país ou até no mesmo homem. Deixando a Igreja à parte por agora, eu estaria disposto a dividir a religião natural da massa da humanidade sob títulos como os seguintes: Deus; os Deuses; os Demônios; os Filósofos. Acredito que uma classificação assim ajudaria a identificar experiências espirituais com muito mais sucesso do que a prática convencional de comparar religiões; e acredito que desse modo muitas figuras famosas assumirão naturalmente seu lugar, figuras que de outro modo são simplesmente forçadas a ocupar seu lugar.

Uma vez que vou utilizar esses títulos ou termos outras vezes em narrativas e alusões, será conveniente definir a esta altura o que eles representam para mim. Começarei neste capítulo pelo primeiro, o mais simples e o mais sublime.

Na avaliação dos elementos da humanidade pagã, devemos começar com uma tentativa de descrever o indescritível. Muitos superam a dificuldade de descrevê-lo usando o expediente de negá-lo, ou pelo menos ignorá-lo; mas a questão toda é que se trata de algo que nunca foi completamente eliminado mesmo quando foi ignorado. Obcecados por sua monomania evolucionária, eles julgam que todas as criaturas grandes se desenvolvem a partir de uma semente ou de algo menor de si mesmas. Parecem esquecer-se de que todas as sementes vêm de uma árvore, ou de algo maior do que elas. Sendo assim, há motivos muito bons para imaginar que a religião não veio originariamente de algum detalhe que se perdeu por ser demasiado pequeno para rastrear. É muito mais provável que tenha sido uma ideia que foi abandonada por ser demasiado grande para administrar. Há razões muito boas para supormos que muita gente começou com a simples mas esmagadora ideia de um Deus que governa tudo; depois acabou caindo em coisas como a demonolatria, quase numa espécie de dissipação secreta. Admite-se que até mesmo o teste das crenças dos selvagens, tão apreciado pelos estudiosos do folclore, muitas vezes sustenta essa visão. Alguns dos selvagens mais rudes, primitivos em todos os sentidos em que os antropólogos usam esse termo, os aborígenes australianos, por exemplo, mostram ter um monoteísmo puro com elevado tom moral. Um missionário estava pregando para uma tribo muito rude de politeístas, que lhe tinham contado suas histórias de politeísmo, e lhes falava por sua vez da existência de um único bom Deus que é espírito e julga os homens segundo critérios espirituais. E de repente houve um burburinho animado entre aqueles passivos bárbaros, como se alguém estivesse revelando um segredo, e eles gritavam uns para os outros: “Atahocan! Ele está falando de Atahocan!”.

Provavelmente era sinal de boas maneiras e até mesmo de decência entre aqueles politeístas não falar de Atahocan. Talvez o nome não se preste tanto quanto algumas de nossas denominações para a exortação religiosa direta e solene; mas muitas outras forças sociais estão sempre encobrindo e confundindo essas ideias tão simples. Talvez o antigo deus representasse uma antiga moralidade vista como incômoda em momentos mais expansivos; talvez a comunicação com demônios estivesse na moda entre as melhores pessoas, como acontece na moda moderna do espiritualismo. De qualquer modo, há inúmeros exemplos desse tipo. Todos eles atestam a inconfundível psicologia de algo pressuposto, que se distingue de algo de que se fala. Há um exemplo impressionante numa história transcrita palavra por palavra da narrativa de um pele-vermelha da Califórnia; ela começa com um sincero entusiasmo lendário e literário: "O sol é o pai e o regente dos céus. Ele é o grande chefe. A lua é sua esposa, e as estrelas são seus filhos"; e assim por diante numa história muito engenhosa e complicada, no meio da qual há um breve parêntese dizendo que o sol e a lua devem fazer alguma coisa porque "assim foi estabelecido pelo Grande Espírito que vive acima da morada de todos". Exatamente essa é a atitude da maior parte dos pagãos para com Deus. Ele é algo pressuposto e esquecido, acidentalmente lembrado; hábito que talvez não seja peculiar dos pagãos. Às vezes a divindade mais alta é relembrada nos graus morais mais elevados e numa espécie de mistério. Mas já se disse que o selvagem é loquaz acerca de sua mitologia e taciturno acerca de sua religião. Os selvagens australianos, de fato, exibem uma confusão tal que os antigos poderiam ter julgado verdadeiramente digna dos antípodas. O selvagem que, só para ser sociável, não vê problema algum em despejar uma bobagem dessas como o sol e a lua serem a duas metades de um bebê partido em dois, ou em enveredar pela conversa fiada sobre uma colossal vaca cósmica ordenhada para fazer chuva, fecha-se depois em cavernas secretas vedadas a mulheres e homens brancos, templos de terríveis iniciações onde ao som estrondoso de seu artefato musical, o *bull-roarer*, e em meio ao gotejar do sangue sacrificial, o sacerdote sussurra os segredos supremos, conhecidos apenas pelos iniciados: que a honestidade é a melhor política, que um pouco de delicadeza não faz mal a ninguém, que todos os homens são irmãos e que existe um único Deus, o Pai todo-poderoso, criador de todas as coisas visíveis e invisíveis.

Em outras palavras, temos aqui a curiosidade da história religiosa segundo a qual o selvagem parece estar exibindo todos os seus aspectos mais repulsivos e impossíveis e escondendo os aspectos mais sensatos e dignos de crédito. Mas a explicação é que esses aspectos não fazem parte de sua crença; ou pelo menos não fazem parte da mesma espécie de crença. Os mitos são apenas histórias fantásticas, tão fantásticas quanto o céu, as trombas d'água ou a chuva tropical. Os mistérios são histórias verdadeiras e são tratados em segredo para serem levados a sério. De fato é simplesmente fácil demais esquecer que há emoção no teísmo. Um romance em que muitos personagens separados se revelam o mesmo personagem com certeza seria um romance emocionante. É o que acontece com a ideia de o sol, as árvores e o rio serem disfarces de um único deus e não de muitos. Infelizmente nós também achamos que é simples e muito fácil ignorar Atahocan. Mas quer o deixemos desaparecer num truísmo, quer o preservemos como uma emoção guardada em segredo, está claro que ele sempre será ou um antigo truísmo ou uma antiga emoção. Nada mostra que ele é um produto melhorado da simples mitologia, e tudo mostra que a precedeu. Ele é adorado pelas tribos mais simples sem traço algum de fantasmas ou de oferendas para os mortos, ou quaisquer das complicações em que Herbert Spencer e Grant Allen procuraram a origem das mais simples de todas as ideias. Por mais coisas que houvesse, nunca houve nada disso equivalente à evolução da ideia de Deus. A ideia foi escondida, foi evitada, foi quase esquecida, foi até racionalizada; mas ela nunca evoluiu.

Não são poucos os indícios dessa mudança em outros lugares. Ela está implícita, por exemplo, no fato de que até o politeísmo muitas vezes parece uma combinação de vários monoteísmos. Um deus recebe apenas um assento mais baixo no monte Olimpo, depois de haver possuído o céu e a terra e todas as estrelas no tempo em que viveu em seu pequeno vale. Como muitas pequenas nações que se fundem dentro de um grande império, ele perde a universalidade local e se submete à limitação universal. O próprio nome de Pan sugere que ele se tornou um deus da floresta depois de haver sido um deus do mundo. O próprio nome de Júpiter é quase uma tradução pagã das palavras "Pai nosso, que estais no céu". O que acontece com o Grande Pai simbolizado pelo céu acontece também com a Grande Mãe que ainda chamamos de Mãe Terra. Deméter, Ceres e Cibele muitas vezes parecem estar quase à altura de assumir a responsabilidade da divindade, de modo que os homens não deveriam precisar de outros deuses. Parece bastante provável que muita gente não tenha tido outros deuses além desses, adorados como os criadores de tudo.

Em algumas das regiões mais extensas e populosas do mundo, como na China, pareceria que a ideia mais simples do Grande Pai nunca se teria complicado muito com cultos rivais, embora em algum sentido ela possa ter deixado de ser um culto independente. As melhores autoridades parecem pensar que, embora o confucionismo seja em certo sentido agnosticismo, ele não contradiz de modo direto o teísmo antigo, precisamente por ter-se tornado um teísmo um tanto vago. É um teísmo em que Deus é chamado de Céu, como no caso de pessoas polidas tentadas a dizer um palavrão na sala de visitas. Mas Céu é uma palavra que ainda se faz ouvir, mesmo que seja ouvida muito ao longe. Temos todos a impressão de uma verdade simples que se afastou, até ficar remota sem deixar de ser verdadeira. E essa frase por si só nos traria de volta à mesma ideia até mesmo na mitologia pagã do Ocidente. Com certeza alguma coisa existe, como essa ideia do afastamento de algum poder superior em todos aqueles mitos misteriosos e imaginativos sobre a separação da terra e do céu. Em cem maneiras diferentes nos dizem que o céu e a terra foram outrora amantes, ou eram uma coisa só, quando algo arrogante, muitas vezes uma criança desobediente, os separou violentamente; e o mundo foi construído sobre um abismo; sobre uma divisão e uma separação. Uma das versões mais grosseiras foi passada pela civilização grega no mito de Urano e Saturno. Uma das versões mais encantadoras foi a de alguns selvagens negros, dizendo que um pequeno pé de pimenta foi ficando cada vez mais alto e levantou todo o céu como se fora uma tampa; uma bela visão do romper do dia para alguns de nossos pintores que amam aquele amanhecer tropical. Sobre mitos, e sobre as explicações altamente míticas que os modernos dão aos mitos, diremos algo em outra seção; pois não consigo deixar de pensar que a maior parte da mitologia está num outro plano mais superficial. Mas nessa visão primeva da cisão de um mundo único em dois há com certeza algo mais em relação às ideias supremas. Quanto ao que significa essa cisão, o homem aprende muito mais sobre ela deitando-se de costas num campo aberto e simplesmente contemplando o céu do que lendo todas as bibliotecas até mesmo do mais erudito e precioso folclore. Ele aprenderá o que significa dizer que o céu deveria estar mais perto de nós do que está, que talvez outrora estivesse mais perto do que está, que não se trata de algo simplesmente alheio e abismal, mas sim de algo em certo modo separado de nós e dizendo adeus. Em sua mente se insinuará a curiosa sugestão de que no fim das contas talvez o criador de mitos não fosse simplesmente um lunático ou o idiota da aldeia achando que poderia cortar as nuvens como um bolo, mas tinha dentro de si algo mais do que se costuma atribuir a um troglodita; que é simplesmente possível que o poeta Thomas Hood não estivesse falando como um troglodita ao declarar que, com o passar do tempo, a copa das árvores só lhe dizia que ele estava mais longe do céu do que quando ele era criança. Mas de qualquer modo a lenda de Urano, o Senhor do céu destronado por Saturno, o Espírito do Tempo, significaria algo para o autor daquele poema. E significaria, entre outras coisas, esse banimento da primeira paternidade. Existe a ideia de Deus na própria noção de que houve deuses antes dos deuses. Há uma ideia de uma simplicidade maior em todas as alusões a essa ordem mais antiga. A sugestão é sustentada pelo processo de propagação que vemos nos tempos históricos. Deuses e semideuses e heróis se multiplicam como sardinhas diante de nossos olhos e por si mesmos sugerem que a família pode ter tido um único fundador; a mitologia fica cada vez mais complicada, e a própria complicação sugere que no começo tudo era mais simples. Por isso, até mesmo com base na evidência externa, a evidência científica, há uma razão muito boa para sugerir que o homem começou com o monoteísmo que depois se desenvolveu e degenerou em politeísmo. Mas estou preocupado com a verdade interna mais do que com a verdade externa; e, como já disse, a verdade interna é quase indescritível. Temos de falar de algo cujo ponto principal é que as pessoas não falaram disso; temos de traduzir não apenas de uma língua ou fala estranha, mas de um silêncio estranho.

Suponho a presença de uma imensa implicação por trás de todo o politeísmo e paganismo. Suponho que temos apenas um indício disso aqui e ali nesses credos selvagens ou origens gregas. Não é exatamente o que queremos dizer ao falar da presença de Deus; em certo sentido poderíamos com mais propriedade chamar isso de ausência de Deus. Mas ausência não significa não existência; e o fato de alguém beber à saúde de amigos ausentes não significa a ausência total de amizade na vida dessa pessoa. É um vazio, mas não uma negação; é algo tão positivo como uma cadeira vazia. Seria um exagero dizer que os pagãos enxergavam acima do Olimpo um trono vazio. Mais perto da verdade seria tomar a gigantesca imagem do Antigo Testamento, em que o profeta viu Deus pelas costas; era como se uma presença imensurável houvesse dado as costas ao mundo. Todavia, mais uma vez deixaríamos de apreender o sentido, se supuséssemos que se trata de algo tão consciente e vívido como o monoteísmo de Moisés e seu povo. Não quero dizer que os povos pagãos fossem minimamente subjugados por essa ideia pelo simples fato de ela ser avassaladora. Pelo contrário, ela era tão grande que eles a tomavam com leveza, como nós carregamos o peso do céu. Fixando algum detalhe como um pássaro ou uma nuvem, podemos ignorar seu tremendo fundo azul; podemos esquecer o céu; e precisamente pelo fato de ele cair sobre nós com uma força aniquiladora, nós o sentimos como se não fosse nada. Algo dessa espécie só pode ser uma impressão e uma impressão bastante sutil; mas para mim trata-se de uma impressão, muito forte criada pela literatura e religião pagãs. Repito que no nosso sentido sacramental há, naturalmente, a ausência da presença de Deus. Mas existe num sentido verdadeiramente real a presença da ausência de Deus. Sentimos isso na insondável tristeza da poesia pagã; pois duvido de que jamais tenha existido em todo o conjunto maravilhoso de homens da antiguidade alguém que fosse tão feliz como foi feliz São Francisco. Sentimos isso na lenda da Idade de Ouro e novamente na vaga implicação de que os próprios deuses em última análise estão relacionados a alguma outra coisa, mesmo quando aquele Deus Desconhecido se perdeu transformando-se em Destino. Sentimos isso acima de tudo naqueles momentos imortais em que a literatura pagã parece voltar a uma antiguidade mais inocente e fala com uma voz mais direta, de forma que nenhuma palavra é digna dessa presença da ausência divina exceto nosso próprio monossílabo monoteísta. Nada podemos dizer a não ser "Deus" numa frase como a de Sócrates despedindo-se dos juízes: "Eu vou para a morte, e vocês vão continuar vivendo; e só Deus sabe qual de nós segue o melhor caminho". Não podemos usar nenhuma outra palavra para os melhores momentos de Marco Aurélio: "Eles podem dizer querida cidade de Cécrope, e vós não podeis dizer querida cidade de Deus?". Não podemos usar nenhuma outra palavra naquele poderoso verso em que Virgílio falou a todos os que sofrem num verdadeiro grito de um cristão antes de Cristo: "Ó vós que suportastes as coisas mais terríveis, também a isso Deus porá um fim".

Resumindo, sente-se que existe algo acima dos deuses; mas por estar mais alto isso também está mais distante. Nem Virgílio poderia ter decifrado o enigma e o paradoxo dessa outra divindade, que é mais alta e também mais próxima. Para os pagãos o que era realmente divino estava muito distante, tão distante que eles o afastaram cada vez mais da mente. Isso tinha cada vez menos a ver com a mera mitologia de que falaremos adiante. Todavia, mesmo nisso havia uma espécie de aceitação tácita de sua intangível pureza, quando consideramos a natureza como é a maior parte da mitologia. Como os judeus não a degradavam com imagens, assim os gregos não a degradavam sequer pela imaginação. Quando os deuses eram cada vez mais lembrados apenas por suas travessuras e orgias, essa atitude foi até certo ponto um movimento de reverência. Era um ato de piedade esquecer-se de Deus. Em outras palavras, existe algo em todo esse espírito da época sugerindo que os homens haviam aceitado um nível inferior e ainda tinham alguma consciência de que era um nível inferior. É difícil encontrar palavras para essas coisas; mas uma palavra realmente exata está a nossa disposição. Esses homens tinham certa consciência da Queda, se é que não tinham consciência de nada mais. A mesma coisa se aplica a toda a comunidade pagã. Os que caíram podem se lembrar da queda, mesmo tendo esquecido de qual altura. Certo vazio ou ruptura assim tantalizante está por trás da memória de todo sentimento pagão. Existe algo como a capacidade momentânea de lembrar que esquecemos. E os mais ignorantes membros da humanidade sabem, pela própria aparência da terra, que eles se esqueceram do céu. Mas é sempre verdade que até para esses homens havia momentos, como as memórias da infância, em que eles se ouviam falando com uma linguagem mais simples; havia momentos em que os romanos, como Virgílio no verso citado anteriormente, abriam caminho com o golpe de espada de uma canção para sair do emaranhado das mitologias; a heterogênea multidão de deuses e deusas afundou de repente e perdeu-se de vista e o Pai-Céu viu-se no firmamento sozinho.

Esse último exemplo é muito relevante para o passo seguinte no processo. Uma luz branca como a de uma manhã perdida ainda envolve a figura de Júpiter, de Pan e do Apolo mais velho; e pode muito bem ser, como já observamos, que cada um deles tenha sido outrora uma divindade tão solitária quanto Javé ou Alá. Perderam essa universalidade solitária por um processo que aqui é muito necessário observar: um processo de fusão muito semelhante àquilo que depois foi chamado de sincretismo. Todo o mundo pagão se propôs a construir um Panteão. Aceitaram um número cada vez maior de deuses, deuses não apenas dos gregos, mas também dos bárbaros; deuses não apenas da Europa, mas também da Ásia e da África. Quanto mais melhor, embora alguns de Ásia e da África não fossem muito bons. Aceitaram também que eles ocupassem o mesmo trono de seus deuses; às vezes os identificaram com os seus. Talvez isso tenha sido considerado um enriquecimento da vida religiosa; mas significou a perda final de tudo o que agora chamamos de religião. Significou que antiga luz da simplicidade, que tinha uma única fonte como o sol, no fim desapareceu num deslumbramento de luzes e cores conflitantes. Deus realmente foi sacrificado aos deuses; num sentido muito literal da irreverente frase, eles foram numerosos demais para ele.

O politeísmo, portanto, foi realmente uma espécie de agrupamento, no sentido de que os pagãos consentiram que fossem reunidas num fundo comum todas as suas religiões pagãs. E esse ponto é muito importante em muitas controvérsias antigas e modernas. Considera-se que é uma atitude liberal e esclarecida dizer que o deus do estrangeiro pode ser tão bom quanto o nosso; e sem dúvida os pagãos se consideravam muito liberais e esclarecidos quando concordaram em acrescentar a seus deuses da cidade ou do lar algum desvairado e fantástico Dioniso vindo das montanhas, ou algum desgrenhado e rústico Pan saído do mato. Mas o que exatamente se perde com essas ideias mais amplas é a mais ampla de todas as ideias. É a ideia da paternidade que faz o mundo inteiro ser um só. E o inverso é também verdadeiro. Sem dúvida aqueles homens mais antiquados da antiguidade que se agarravam a suas estátuas solitárias e a seus singulares nomes sagrados eram vistos como superticiosos e atrasados selvagens mergulhadores na noite. Mas esses selvagens supersticiosos estavam preservando algo que é muito mais parecido com uma força cósmica, como a concebe a filosofia ou até mesmo a ciência. Esse paradoxo pelo qual o rude reacionário era uma espécie de progressista profético traz uma consequência que tem muito a ver com a questão principal. Num sentido puramente histórico, e não considerando nenhuma outra controvérsia na mesma conexão, ele lança luz, uma luz singular e contínua, que brilha desde o começo sobre um povo pequeno e solitário. Nesse paradoxo, como em alguns enigmas de religião cuja resposta ficou lacrada por séculos, está a missão e o significado dos judeus.

É verdade nesse sentido, humanamente falando, que o mundo deve Deus aos judeus. Deve essa verdade a muita coisa que nos judeus é censurada, talvez a muita coisa que nos judeus é censurável. Já observamos a posição nômade dos judeus entre outros povos pastoris na orla do império da Babilônia, e algo daquele seu estranho roteiro errático resplandeceu cruzando o escuro território da antiguidade extrema, quando eles passaram da sede de Abraão e dos príncipes pastores para o Egito e depois para as colinas da Palestina e as defenderam contra os filisteus de Creta e caíram prisioneiros na Babilônia; e mais uma vez voltaram para sua cidade nas montanhas graças à política sionista dos conquistadores persas; e assim continuaram aquele impressionante romance de desassossego do qual ainda não vimos o fim. Mas através de todas as suas peregrinações, e especialmente através de suas primeiras peregrinações, eles de fato carregaram o destino do mundo naquele tabernáculo de madeira, que talvez contivesse um símbolo incaracterístico e com certeza um deus invisível. Podemos dizer que uma de suas características era a falta de caracterização. Por mais que possamos preferir aquela liberdade criativa que foi declarada pela cultura cristã e eclipsou até as artes da antiguidade, não devemos menosprezar a importância determinante do período de proibição de imagens por parte dos hebreus. Foi um exemplo típico de uma dessas limitações que de fato preservaram e perpetuaram o alargamento, como um muro construído em volta de um amplo espaço aberto. O Deus que não podia ter uma estátua permaneceu espírito. Tampouco sua estátua teria a convincente dignidade e graça das estátuas gregas de então ou das estátuas cristãs que vieram depois. Deus vivia numa terra de monstros. Teremos oportunidade de considerar mais profundamente o que eram aqueles monstros: Moloque, Dago e a terrível deusa Tanite. Se a divindade de Israel houvesse um dia tido uma imagem, teria sido uma imagem fálica. Simplesmente dando a Deus um corpo, eles teriam introduzido todos os piores elementos da mitologia; toda a poligamia do politeísmo; a visão do harém no céu. Esse ponto acerca da recusa da arte é o primeiro exemplo das limitações que muitas vezes são criticadas desfavoravelmente, só porque os próprios críticos são limitados. Mas podemos encontrar um argumento até mais forte na outra crítica feita pelos mesmos críticos. Diz-se muitas vezes com um sorriso de escárnio que o Deus de Israel era apenas um Deus das Batalhas, "um mero bárbaro Senhor dos Exércitos" apresentado em concorrência direta contra os outros deuses apenas como seu inimigo invejoso. É bom para o mundo que ele tenha sido um Deus das Batalhas. É bom para nós que ele tenha sido para todo o resto apenas um rival e um inimigo. No curso normal das coisas, teria sido demasiado fácil para eles conseguir o desolado desastre de concebê-lo como um amigo. Teria sido demasiado fácil para eles vê-lo estendendo as mãos num gesto de amor e reconciliação, abraçando Baal e beijando a face pintada de Astarte, banqueteando-se na companhia dos deuses; o último deus a vender sua coroa de estrelas pelo soma[4] do panteão indiano ou pelo néctar do Olimpo ou pelo hidromel do Vahala. Teria sido bastante fácil para seus adoradores seguir o curso esclarecido do sincretismo e a fusão de todas as tradições pagãs. É óbvio de fato que seus seguidores sempre estavam escorregando por essa ladeira fácil; e foi necessária a energia quase demoníaca de certos demagogos inspirados, que testemunharam a unidade divina com palavras que ainda são como ventos de inspiração e ruína. Quanto maior for o nosso entendimento das antigas condições que contribuíram para a cultura final da fé, tanto maior será nossa real e até realista reverência pela grandeza dos Profetas de Israel. Aconteceu que, enquanto o mundo inteiro se derretia nessa massa de mitologia confusa, essa Divindade que é chamada de tribal e estreita, precisamente porque era o que é chamado de tribal e estreito, preservou a religião primária de toda a humanidade. Era tribal o suficiente para ser universal. Era tão estreita como o universo.

Numa palavra, houve um deus popular pagão chamado Júpiter-Amon. Jamais houve um deus chamado Javé-Amon. Jamais houve um deus chamado Javé-Júpiter. Se tivesse havido, certamente teria havido outro chamado Javé-Moloque. Muito antes de os amalgamadores liberais e esclarecidos chegarem até Júpiter, a imagem do Senhor dos Exércitos teria sido deformada, não sugerindo de modo algum o monoteístico criador e dominador, e se teria transformado num ídolo muito pior que qualquer fetiche selvagem; pois poderia ter sido tão civilizado como os deuses de Tiro e Cartago. No capítulo seguinte consideraremos mais a fundo o que significou essa civilização, observando como o poder de demônios quase destruiu a Europa e até mesmo a saúde pagã do paganismo. Mas o destino do mundo teria sido distorcido de modo ainda mais fatal se o monoteísmo houvesse falhado na tradição mosaica. Espero mostrar numa seção subsequente que não deixo de sentir simpatia por toda aquela sanidade no mundo pagão que produziu seus contos de fada e romances fantásticos no campo da religião. Mas também espero mostrar que essas coisas a longo prazo estavam fadadas ao fracasso; e o mundo se teria perdido se não tivesse sido capaz de voltar para aquela grande simplicidade de uma autoridade única em todas as coisas. O fato de preservarmos algo da simplicidade primeva, o fato de poetas e filósofos ainda poderem realmente de algum modo formular uma Oração Universal, o fato de vivermos num mundo amplo e sereno sob um céu que paternalmente se estende sobre todos os povos da terra, o fato de a filosofia e a filantropia serem truísmos numa religião de homens razoáveis, tudo isso na maior sinceridade o devemos, neste mundo, a um povo nômade retraído e inquieto, que legou à humanidade a suprema e serena bênção de um Deus ciumento.

A posse única não estava disponível ou acessível ao mundo pagão, porque também era a posse de um povo ciumento. Os judeus eram impopulares, em parte devido à mesquinhez já observada no mundo romano, em parte talvez porque já houvessem adquirido o hábito de simplesmente dar alguma coisa em troca de outra coisa em vez de trabalhar para produzi-la com as próprias mãos. Isso também se devia em parte ao politeísmo, que se tornara uma espécie de selva onde o solitário monoteísmo poderia se perder, mas é estranho quando percebemos como ele estava completamente perdido. Deixando de lado questões mais controversas, na tradição de Israel havia coisas que pertencem a toda a humanidade agora, e poderiam ter pertencido a toda a humanidade então. Eles tinham uma das colossais pedras angulares do mundo: o livro de Jó. Ele obviamente faz frente à Ilíada e às tragédias gregas; e antes mesmo destas obras significou um primeiro encontro fugaz de poesia e filosofia no alvorecer da humanidade. É uma visão solene e edificante observar aqueles dois eternos tolos, o otimista e o pessimista, destruídos na aurora dos tempos. E a filosofia realmente aperfeiçoa a trágica ironia pagã, precisamente por ser mais monoteísta e, portanto, mais mística. De fato o livro de Jó assumidamente só responde ao mistério com mistério. Jó é confortado com enigmas; mas é confortado. Aqui temos de fato um modelo, no sentido de uma profecia, de coisas que falam com autoridade. Pois quando aquele que duvida só consegue dizer: "Eu não entendo", é verdade que aquele que sabe só pode replicar ou repetir: "Você não entende". E naquela censura sempre surge uma repentina esperança no coração: a sensação de algo que valeria a pena entender. Mas esse poderoso poema monoteísta permaneceu despercebido por todo o mundo da antiguidade, atravancado com poesia politeísta. Um sinal de como os judeus se mantinham à parte e guardavam suas tradições firmes e não compartilhadas é o fato de eles terem preservado algo como o livro de Jó à margem de todo o mundo intelectual da antiguidade. É como se os egípcios houvessem modestamente escondido a Grande Pirâmide. Mas havia outras razões para um mal-entendido e um impasse, típicas de toda a fase final do paganismo. Afinal, a tradição de Israel só se apoderara de metade da verdade, mesmo que usemos o paradoxo popular e a chamemos de metade maior. Tentarei delinear no capítulo seguinte esse amor pela localidade e personalidade que perpassava a mitologia; aqui só se faz necessário dizer que havia nisso uma verdade que não podia ser ignorada, embora fosse uma verdade mais leve e menos essencial. O sofrimento de Jó tinha de ser somado à tristeza de Heitor; enquanto aquele representava o sofrimento do universo, este representava o sofrimento da cidade; pois Heitor só podia erguer-se apontando para o céu como o pilar da sagrada Troia. Quando Deus fala de dentro do redemoinho, ele pode também falar no deserto. Mas o monoteísmo do nômade não era suficiente para toda aquela variada civilização de campos e cercas e fortalezas, templos e cidades cingidas por muros; e a mudança dessas coisas também estava por vir, quando as duas realidades pudessem combinar-se numa religião mais definida e doméstica. Aqui e ali em toda aquela multidão pagã era possível encontrar um filósofo cujos pensamentos se baseavam num teísmo puro; mas ele nunca tinha, ou imaginava ter, o poder de mudar os costumes de toda uma população. E não é fácil encontrar mesmo nessas filosofias uma definição verdadeira dessa profunda questão do vínculo entre politeísmo e teísmo. Talvez o mais perto que possamos chegar de percutir a nota certa, ou de dar um nome à coisa, está em algo muito distante de toda aquela civilização e mais longe ainda de Roma que do isolamento de Israel. Está num dito que ouvi certa vez de alguma tradição hindu: os deuses e os homens são apenas os sonhos de Brama, e eles perecerão quando Brama despertar. Existe de fato nessa imagem algo da alma da Ásia que é menos sadio que a alma da cristandade. Deveríamos chamá-lo desespero, mesmo que eles o chamassem paz. Esse sinal de niilismo pode ser ponderado adiante numa comparação mais completa entre a Ásia e a Europa. Aqui basta dizer que há mais desilusão nessa ideia do despertar divino do que a que para nós está implícita na passagem da mitologia para a religião. Mas o símbolo é muito sutil e exato sob um aspecto: o de não sugerir a desproporção e nem mesmo a ruptura entre as próprias ideias de mitologia e religião; o abismo entre as duas categorias. O fato de não haver nenhuma comparação entre Deus e os deuses significa realmente o colapso da religião comparada. Da mesma forma, não há comparação alguma entre um homem e os homens que perambulavam nos sonhos dele. No próximo capítulo tentarei de algum modo indicar o crepúsculo desse sonho em que os deuses perambulavam como homens. Mas se alguém imagina que o contraste entre o monoteísmo e o politeísmo é apenas uma questão de algumas pessoas terem um só deus e outras terem alguns a mais, para aproximar-se mais da verdade essa pessoa deveria mergulhar na paquidérmica extravagância da cosmologia brâmane a fim de poder sentir um frêmito perpassando o véu das coisas, os criadores de muitas mãos, os animais entronizados e aureolados e toda aquela rede do emaranhado das estrelas e dos dominadores da noite, quando os terríveis olhos de Brama se abrem como o amanhecer sobre a morte de tudo.

5

O homem e as mitologias

Aquilo que aqui chamamos de Deuses poderia quase da mesma forma ser chamado de Devaneios. Compará-los aos sonhos não significa que os sonhos não possam realizar-se. Compará-los a histórias de viajantes não é dizer que não possam ser histórias verdadeiras ou pelo menos honestas. Na verdade são aquele tipo de histórias que o viajante conta para si mesmo. Todo esse assunto mitológico pertence à parte poética dos homens. Parece estranhamente esquecido hoje em dia o fato de que um mito é fruto da imaginação e, portanto, uma obra de arte. Requer-se um poeta para criá-lo. Requer-se um poeta para criticá-lo. Há no mundo mais poetas que não poetas, como se comprova pela origem popular dessas lendas. Mas por alguma razão que nunca vi explicada, apenas a minoria não poética tem permissão de escrever estudos críticos desses poemas populares. Nós não submetemos um soneto a um matemático ou uma canção a um especialista em cálculos; mas acalentamos a ideia igualmente fantástica de que o folclore pode ser tratado como uma ciência. Se essas coisas não forem apreciadas do ponto de vista artístico, elas simplesmente não serão apreciadas. Quando o catedrático ouve o polinésio lhe dizer que outrora não existia nada exceto uma grande serpente emplumada, se o erudito não se sentir emocionado e meio tentado a desejar que isso fosse verdade, ele absolutamente não é um juiz dessas coisas. Quando lhe asseguram, com base na melhor autoridade dos peles-vermelhas, que um herói primitivo carregou o sol e a lua e as estrelas dentro de uma caixa, se ele não bater palmas e espernear como faria uma criança diante de uma fantasia tão encantadora, ele não sabe nada sobre o assunto. Esse teste não é absurdo; crianças primitivas e bárbaras riem e esperneiam como outras crianças; e nós devemos ter certa simplicidade para retratar a infância do mundo. Quando Hiawatha[1] soube por meio de sua babá que um guerreiro atirou sua avó lá para a lua, ele começou a rir como qualquer criança inglesa a quem se contasse que uma vaca pulou por cima da lua. A criança percebe o chiste tão bem como a maioria dos homens, e melhor que alguns cientistas. Mas o teste supremo até mesmo do fantástico é o da propriedade do inapropriado. E o teste deve parecer meramente arbitrário porque é meramente artístico. Se algum estudioso me disser que o infante Hiawatha se riu apenas por respeito ao costume tribal de sacrificar os anciãos à administração da economia doméstica, eu lhe digo que não foi por isso. Se algum pesquisador me disser que a vaca pulou por cima da lua só porque um novilho foi sacrificado a Diana, eu lhe respondo que não foi por isso. Aconteceu porque obviamente para uma vaca pular por cima da lua é fazer a coisa certa. A mitologia é uma arte perdida, uma das poucas artes que estão realmente perdidas; mas é uma arte. A lua em forma de chifre e o novilho chifrudo constituem um padrão harmonioso, quase discreto. E atirar sua avó para os céus não é comportamento correto; mas é perfeitamente de bom gosto.

Assim os cientistas raramente entendem, ao contrário dos artistas, que um ramo do belo é o feio. Eles raramente aceitam a legítima liberdade do grotesco. E descartam um mito selvagem como sendo simplesmente grosseiro e tosco, uma prova da degradação, porque não tem toda a beleza do arauto Mercúrio recém-pousado numa colina que beija o céu; quando o mito na verdade tem a beleza da Falsa Tartaruga ou do Chapeleiro Maluco do País das Maravilhas. A prova máxima de que alguém é prosaico é o fato de ele sempre insistir que a poesia deve ser poética. Às vezes o humor é o próprio assunto bem como o estilo da fábula. Os aborígenes australianos, considerados os selvagens mais rudes, têm uma história sobre uma rã gigante que havia engolido o mar e todas as águas do mundo; e ela só seria forçada a derramá-las se fosse obrigada a rir. Todos os animais com seus trejeitos passaram diante dela e, como a rainha Vitória, ela não achava nada engraçado. A rã no fim desabou diante de uma enguia que delicadamente se ergueu equilibrando-se na ponta da cauda, sem dúvida com uma dignidade desesperada. Uma quantidade infinita de literatura fantástica poderia ser criada a partir dessa fábula. Há filosofia naquela visão do mundo seco diante do beatífico dilúvio de riso; há imaginação no gigantesco monstro em erupção feito um vulcão aquoso; há muito divertimento na imaginação de sua cara esbugalhada à medida que o pelicano ou o pinguim iam passando. De qualquer modo a rã se riu; mas o estudioso do folclore permanece grave.

Além disso, mesmo quando as fábulas são inferiores como arte, elas não podem ser julgadas apropriadamente pela ciência, e são ainda menos apropriadamente julgadas como ciência. Alguns mitos são muito rudes e estranhos como os primeiros desenhos de uma criança; mas a criança está tentando desenhar. Apesar disso é um erro tratar seus desenhos como se fossem ou como se pretendessem ser um diagrama. O estudioso não pode formular uma afirmação científica sobre o selvagem, porque o selvagem não está fazendo uma afirmação científica sobre o mundo. O que ele está dizendo é algo muito diferente: é aquilo que se poderia chamar de fofoca dos deuses. Podemos dizer, se preferirmos, que é algo em que se crê antes que haja tempo para examiná-lo. Estaria mais de acordo com a verdade dizer que é aceito antes que haja tempo para crer nele.

Confesso que duvido de toda a teoria da disseminação de mitos ou (como geralmente acontece) de um único mito. É verdade que algo em nossa natureza e condição torna similares muitas histórias; mas cada uma delas pode ser original. Um indivíduo não toma emprestada uma história de outro indivíduo, embora ele possa contá-la pelo mesmo motivo do outro. Seria fácil aplicar toda argumentação sobre lendas à literatura e transformá-la numa vulgar obsessão de plágio. Eu me encarregaria de rastrear uma ideia como a do Ramo de Ouro em cada um dos romances modernos com a mesma facilidade com que a rastrearia nos mitos comunitários da antiguidade. Eu me encarregaria de descobrir algo semelhante a um ramalhete de flores aparecendo ora aqui ora ali desde o ramalhete de Becky Sharpe[2] até o buquê de rosas enviado pela Princesa da Ruritânia.[3] Mas, embora essas flores possam brotar do mesmo solo, não se trata da mesma flor murcha que passa de mão em mão. Essas flores são sempre viçosas.

A verdadeira origem de todos os mitos tem sido descoberta com demasiada frequência. Há excesso de explicações para a mitologia, como há muitos criptogramas em Shakespeare. Tudo é fálico; tudo é totêmico; tudo é época de semeadura e de colheita; tudo são fantasmas e oferendas aos mortos; tudo é o ramo de ouro do sacrifício; tudo é o sol e a lua. Todos os investigadores de folclore que sabiam algo que ia além de sua obsessão, todos os homens com uma leitura mais ampla e uma cultura crítica como Andrew Lang praticamente confessaram que a confusão dessas coisas deixava seu cérebro rodopiando. Todavia, todo o problema é causado por quem tenta analisar essas histórias de um ponto vista externo, como se fossem objetos científicos. É preciso analisá-las apenas de um ponto de vista interno e perguntar-se como deveria começar uma história. Ela pode começar com qualquer coisa e tomar qualquer direção. Pode começar com um pássaro sem que esse pássaro seja um totem; pode começar com o sol sem que esse sol seja um mito solar. Dizem que há apenas dez enredos no mundo; e neles sem dúvida haveria elementos comuns recorrentes. Faça dez mil crianças falarem ao mesmo tempo contando lorotas sobre o que elas fizeram no mato, e não será difícil encontrar paralelos sugerindo o culto do sol ou o culto de animais. Algumas das histórias podem ser bonitas, algumas tolas e algumas talvez indecentes; mas elas só podem ser julgadas como histórias. Em um dialeto moderno, elas só podem ser julgadas do ponto de vista estético. É estranho que a estética, ou o mero sentimento, que agora tem a permissão para usurpar espaços a que ela não tem nenhum direito, para demolir a razão com o pragmatismo e a moral com a anarquia, não tenha permissão para emitir um julgamento puramente estético sobre aquilo que obviamente é apenas uma questão estética. Podemos ser fantasiosos acerca de tudo, excetuadas as lendas.

Ora, o primeiro fato é que as pessoas mais simples têm as ideias mais sutis. Todos deveriam saber disso, pois todo o mundo foi criança. Por mais ignorante que seja, uma criança sabe mais do que consegue dizer e percebe não apenas atmosferas, mas também matizes. E nessa questão há vários belos matizes. Não pode entender isso quem não tenha provado o que só se pode chamar de ânsia do artista de encontrar algum sentido e alguma história nas coisas bonitas que ele vê; sua fome de segredos e sua raiva diante de qualquer torre ou árvore que foge sem contar sua história. Ele sente que nada é perfeito se não for pessoal. Sem isso a cega beleza inconsciente do mundo permanece em seu jardim como uma estátua sem cabeça. Basta ser um poeta menor para ter lutado com a torre ou com a árvore até ela falar como um titã ou como uma dríade. Muitas vezes se diz que a mitologia pagã foi uma personificação dos poderes da natureza. A frase é verdadeira num sentido, mas deixa muito a desejar, porque implica que as forças são abstrações e a personificação é artificial. Os mitos não são alegorias. As forças naturais nesse caso não são abstrações. Não é como se houvesse um Deus da Gravitação. Pode existir um gênio das quedas d'água, mas não do simples cair, muito menos da simples água. A personificação não está relacionada a algo impessoal. O ponto principal é que a personalidade aperfeiçoa a água com significado. Papai Noel não é uma alegoria da neve e do azevinho; ele não é simplesmente a substância chamada neve que depois recebe artificialmente uma forma humana, como o boneco de neve. É algo que confere um novo significado ao mundo branco e às plantas sempre-verdes; de modo que a própria neve parece quente em vez de fria. O teste, portanto, é puramente imaginativo. Mas imaginativo não significa imaginário. Não resulta que seja tudo aquilo que os modernos chamam de subjetivo, e com isso eles querem dizer falso. Todos os verdadeiros artistas, consciente ou inconscientemente, sentem que estão tocando verdades transcendentais; que suas imagens são sombras de coisas vistas através de um véu. Em outras palavras, o místico natural de fato sabe que existe algo *ali*; algo por trás das nuvens ou dentro das árvores; mas ele acredita que a maneira de encontrá-lo está na busca da beleza; que a imaginação é uma espécie de encantamento que pode evocá-lo.

Acontece que não compreendemos esse processo em nós mesmos, muito menos em nossos semelhantes mais remotos. E o perigo de essas coisas serem classificadas é que elas podem parecer compreendidas. Uma obra de folclore realmente bela, como *The Golden Bough* [O ramo dourado], dará a muitos leitores a ideia, por exemplo, de que essa ou aquela história de um coração de gigante ou de um mago num cofre ou numa caverna apenas "significa" alguma superstição estúpida e estática chamada de "a alma exterior". Mas nós não sabemos o que essas coisas significam, simplesmente porque não sabemos o que nós mesmos significamos quando somos tocados por elas. Suponha-se que alguém numa história diga: "Arranque esta flor, e uma princesa morrerá num castelo do outro lado do mar". Nós não sabemos por que alguma coisa se agita no subconsciente, ou por que aquilo que é impossível parece quase inevitável. Suponha-se que leiamos: "E na hora em que rei apagou a vela seus navios foram a pique na distante costa das Hébridas". Nós não sabemos por que a imaginação aceitou a imagem antes que a razão pudesse rejeitá-la; ou por que essas correspondências parecem de fato corresponder a alguma coisa na alma. Coisas muito profundas em nossa natureza, alguma vaga sensação de que grandes coisas dependem de coisas pequenas, alguma sombria sugestão de que as coisas mais próximas de nós se estendem muito além de nosso poder, algum sentimento sacramental da magia presente nas substâncias materiais, e muitas outras emoções que se desfizeram estão presentes numa ideia como essa da alma exterior. O poder mesmo nos mitos dos selvagens é como o poder das metáforas dos poetas. A alma de uma dessas metáforas com muita frequência é enfaticamente uma alma exterior. Os melhores críticos observaram que nos melhores poetas o símile muitas vezes é um quadro totalmente separado do texto. É tão irrelevante quanto o remoto castelo é irrelevante para a flor, ou a costa das Hébridas é irrelevante para a vela. Shelley compara a cotovia a uma donzela num torreão, a uma rosa engastada numa densa folhagem, a uma série de coisas que parecem mais ou menos diferentes da cotovia no céu como qualquer outra coisa que possamos imaginar. Suponho que a mais poderosa composição de pura magia na literatura inglesa é a tão citada passagem da ode *Nightingale* [O rouxinol] de Keats acerca dos caixilhos da janela se abrindo sobre a perigosa espuma do mar. E ninguém nota que essa imagem parece surgir do nada; que ela aparece de modo abrupto após algumas observações igualmente irrelevantes sobre Rute; e que ela não tem absolutamente nada a ver com a temática do poema. Se há um lugar no mundo onde não se poderia em sã consciência esperar ver um rouxinol, esse lugar é um parapeito de janela junto ao mar. Mas é apenas no mesmo sentido de que ninguém esperaria encontrar o coração de um gigante num cofre no fundo do oceano. Ora, seria muito perigoso classificar as metáforas dos poetas. Quando Shelley diz que a nuvem subirá "como uma criança saindo do ventre, como um fantasma saindo de um túmulo", seria possível chamar a primeira comparação de um caso grosseiro do primitivo mito do nascimento, e a segunda de um caso de sobrevivência do culto dos espíritos que se transformou no culto dos ancestrais. Mas essa é a forma errada de lidar com uma nuvem; e ela pode deixar os eruditos na condição de Polônio, mais do que disposto a achar a nuvem parecida com uma doninha, ou muito parecida com uma baleia.[4]

Dessa psicologia de devaneios decorrem dois fatos que sempre se deve ter em mente em todo seu processo de desenvolvimento em mitologias e até mesmo em religiões. Primeiro, essas impressões imaginativas são muitas vezes rigorosamente locais. Assim, longe de serem abstrações que se transformaram em alegorias, elas frequentemente são imagens quase concentradas em ídolos. O poeta sente o mistério de uma floresta específica; não a ciência do reflorestamento ou da secretaria de matas e florestas. Ele adora o pico de determinada montanha, não a ideia abstrata da altitude. Assim, descobrimos que o deus não é simplesmente o deus da água, mas com frequência o deus de um rio especial; ele pode ser o mar porque o mar é uma unidade como um riacho; é o rio que corre ao redor do mundo. No fim sem dúvida muitas divindades se expandem em vários elementos; mas eles são algo mais que onipresentes. Apolo não mora simplesmente em toda parte onde brilha o sol; sua casa fica no rochedo de Delfos. Diana é grande o suficiente para estar ao mesmo tempo em três lugares: na terra, no céu e no inferno; maior, porém, é a Diana dos efésios.[5] Esse sentimento localizado assume sua forma mais baixa no mero fetiche ou talismã, do tipo que os milionários exibem em seus automóveis. Mas também pode cristalizar-se em algo semelhante a uma religião elevada e séria, na qual se vinculam as obrigações elevadas e sérias; em deuses da cidade ou até mesmo deuses do lar.

A segunda consequência é esta: nesses cultos pagãos existem todos os matizes de sinceridade — e insinceridade. Em que sentido exatamente um ateniense de fato pensava que tinha de oferecer sacrifícios a Palas Atena? Que pesquisador tem realmente certeza da resposta? Em que sentido o dr. Johnson de fato pensava que tinha de tocar todos os postes da rua ou tinha de recolher cascas de laranja?[6] Em que sentido uma criança de fato pensa que ela deve caminhar pela rua sempre pisando pedra sim, pedra não? Duas coisas pelo menos são bastante claras. Primeiro, em épocas mais simples e menos autocríticas, essas formas podiam tornar-se mais ou menos sólidas sem realmente tornar-se mais sérias. Devaneios podiam ser representados em plena luz do dia, com mais liberdade de expressão artística; mas talvez ainda preservando algo do passo leve do sonâmbulo. Envolva-se o dr. Johnson num manto antigo, ponha-se em sua cabeça (com sua devida permissão) uma guirlanda, e ele caminhará solenemente sob aqueles antigos céus do amanhecer, tocando uma série de postes sagrados onde estão esculpidas as cabeças de estranhos deuses terminais, fincados nos limites da terra e da vida do homem. Liberte-se a criança dos mármores e mosaicos de algum templo clássico, para colocá-la sobre um chão marchetado de quadrados pretos e brancos, e ela de bom grado transformará essa realização de seu ocioso e desgovernado devaneio no espaço claro para uma grave e graciosa dança. Mas os postes e os paralelepípedos são pouco mais e pouco menos reais do que o são dentro dos limites modernos. Eles não são realmente muito mais sérios por serem levados a sério. Eles têm o tipo de sinceridade que sempre tiveram: a sinceridade da arte como um símbolo que expressa espiritualidades muito reais sob a superfície da vida. Mas eles são sinceros apenas no mesmo sentido da arte; são insinceros no mesmo sentido que a moralidade. A coleção de cascas de laranja do excêntrico pode transformar-se em laranjas num festival mediterrâneo ou em maçãs douradas num mito da mesma região. Mas essas coisas nunca estão exatamente no mesmo plano da diferença entre dar a laranja a um mendigo cego e cuidadosamente colocar a casca da laranja em determinado ponto para que o cego nela pise, caia e quebre o pescoço. Entre essas duas coisas há uma diferença de espécie e não de grau. A criança não acha errado pisar nas pedras da calçada como acha errado pisar no rabo do cachorro. E temos toda a certeza de que qualquer que tenha sido a brincadeira, ou sentimento, ou fantasia que levava Johnson a tocar os postes de madeira, ele nunca tocava madeira com o mesmo sentimento com o qual estendeu as mãos para a madeira daquele terrível madeiro, que significou a morte de Deus e a vida do homem.

Como já se observou, isso não quer dizer que não houvesse nenhuma realidade ou nem mesmo algum sentimento religioso nesse modelo. Na prática a Igreja Católica assumiu com estrondoso sucesso toda a atividade popular de dar ao povo lendas locais e cerimônias mais leves. Na medida em que essa espécie de paganismo era inocente e estava em contato com a natureza, não havia motivo para que ele não fosse patrocinado por santos patronos bem como por deuses pagãos. E de qualquer modo há graus de seriedade no fingimento mais natural. Há enorme diferença entre imaginar que existem fadas na floresta, o que apenas significa imaginar que certas florestas são apropriadas para fadas, e realmente nos assustarmos a ponto de caminhar uma hora para não passar por uma casa que acreditamos ser assombrada. Por trás de todas essas coisas está o fato de a beleza e o terror serem coisas verdadeiramente reais e relacionadas a um mundo espiritual real; e o simples fato de tocá-las, mesmo duvidando ou fantasiando, significa despertar realidades profundas da alma. Todos nós entendemos isso, e os pagãos também o entenderam. O ponto principal é que o paganismo não inflamou realmente a alma, a não ser com essas dúvidas e fantasias; com a consequência de que nós hoje em dia pouco podemos ter além de dúvidas e fantasias acerca do paganismo. Os melhores críticos concordam que todos os maiores poetas, na pagã Hélade por exemplo, tiveram uma atitude para com seus deuses que é muito esquisita e intrigante para alguém da era cristã. Parece haver um conflito confessado entre o deus e o homem; mas todos parecem estar em dúvida sobre quem é o herói e quem é o vilão. Essa dúvida não se aplica simplesmente a um cético como Eurípides em *As bacantes*; aplica-se a um conservador moderado como Sófocles em *Antígona*; ou até mesmo a um conservador comum e reacionário como Aristófanes em *As rãs*. Às vezes tem-se a impressão de que os gregos acreditavam acima de tudo na reverência, só que eles não tinham ninguém para reverenciar. Mas o ponto principal do enigma é este: toda essa vagueza e variação surgem do fato de que a coisa toda começou como fantasia e devaneio; e não há regras de arquitetura para castelos no ar.

Essa é a poderosa e ramificada árvore chamada mitologia que se expande ao redor do mundo inteiro, cujos galhos distantes sob céus separados carregam feito pássaros coloridos os dispendiosos ídolos da Ásia e os negros fetiches da África e os feéricos reis e princesas dos contos do folclore da floresta, e escondidos entre videiras e oliveiras os lares[7] dos latinos, e transportada sobre as nuvens do Olimpo a alegre supremacia dos deuses da Grécia. Esses são os mitos, e quem não compreende os mitos não compreende os homens. Mas quem melhor compreender os mitos perceberá mais plenamente que eles não são e nunca foram uma religião, no sentido em que o cristianismo e até mesmo o islamismo são religiões. Eles satisfazem algumas das necessidades de uma religião, principalmente a necessidade de fazer certas coisas em certas datas, a necessidade das ideias gêmeas de festividade e formalidade. Mas, embora deem ao homem um calendário, não lhe dão um credo. Não houve alguém que se levantasse e dissesse: "Eu creio em Júpiter e em Juno e Netuno" etc., como quem se levanta e diz: "Eu creio em Deus, Pai todo-poderoso" e o restante do Credo dos Apóstolos. Muitos acreditaram em alguns mitos e não em outros, ou mais em alguns e menos em outros, ou então em qualquer um deles, mas apenas num sentido poético muito vago. Não houve um momento em que todos os mitos foram coligidos numa ordem ortodoxa que os homens haveriam de defender lutando e enfrentando torturas. Muito menos houve quem jamais dissesse naquele estilo: "Eu creio em Odin e em Thor e em Freya", pois fora do Olimpo até mesmo a ordem olímpica se torna confusa e caótica. A mim me parece que Thor não foi de modo algum um deus, mas um herói. Nada parecido com uma religião retrataria um deus como alguém tateando feito um pigmeu numa grande caverna, que depois se constatou ser a luva de um gigante. Essa é a gloriosa ignorância chamada aventura. Thor pode ter sido um grande aventureiro; mas chamá-lo deus é como tentar comparar Javé com o João do Pé de Feijão. Odin, ao que parece, foi um verdadeiro chefe bárbaro, talvez da Idade das Trevas depois do cristianismo. O politeísmo desaparece em seus extremos transformando-se em contos fantásticos ou memórias bárbaras; não é algo semelhante ao monoteísmo tal qual o monoteísmo é visto por monoteístas sérios. De novo, ele satisfaz a necessidade de clamar apelando para algum nome solene ou alguma memória nobre em momentos que em si mesmos são nobres, como por exemplo o nascimento de um filho ou a salvação da cidade. Mas o nome era usado dessa maneira por muitos para quem ele era apenas um nome. Finalmente, o politeísmo de fato satisfez, ou melhor, satisfez em parte, algo que na humanidade é realmente muito profundo: a ideia de oferecer alguma coisa como a porção devida aos poderes desconhecidos; de derramar vinho sobre o chão, de atirar um anel ao mar; numa palavra, a ideia do sacrifício. É a sábia e dignificante ideia de não levar vantagem até o fim; de colocar alguma coisa no outro prato da balança como contrapeso de nossa dúbia soberba; de pagar dízimos à natureza pela nossa terra. Essa profunda verdade do perigo da insolência, ou de termos pés demasiado grandes para nossas botas, está presente em todas as tragédias gregas e as engrandece. Mas ela corre lado a lado com o quase críptico agnosticismo sobre a verdadeira natureza dos deuses a quem propiciar. Onde o gesto da oferenda é mais admirável, como entre os grandes gregos, constata-se na verdade muito mais a ideia de que mais lucrará o homem por perder seu boi do que o deus por recebê-lo. Diz-se que, em suas formas mais grosseiras, muitas vezes há ações que de modo grotesco sugerem que o deus realmente come o que lhe é oferecido em sacrifício. Mas esse fato é desmentido pelo erro que apresentei em primeiro lugar nesta nota sobre mitologia. É um caso de não entendimento da psicologia dos devaneios. Uma criança que finge que há um duende no oco de uma árvore fará uma coisa tosca e material, como deixar para ele um pedaço de bolo. Um poeta talvez fizesse algo mais nobre e elegante, como levar ao deus frutas e flores. Mas o grau de *seriedade* dos dois gestos pode ser o mesmo, ou pode variar em praticamente qualquer grau. A fantasia tosca não é um credo, da mesma forma que a fantasia ideal também não é. Com certeza um pagão não descrê da mesma forma que um ateu, como também não crê da mesma forma que um cristão. Ele sente a presença de poderes sobre os quais adivinha e inventa. São Paulo disse que os gregos tinham um altar dedicado a um deus desconhecido. Mas na verdade todos os deuses deles eram deuses desconhecidos. E a verdadeira ruptura na história aconteceu quando São Paulo lhes declarou quem eles haviam adorado sem sabê-lo.

A substância de todo esse paganismo pode ser resumida da seguinte forma: é uma tentativa de alcançar uma realidade divina unicamente por meio da imaginação; em seu próprio território a razão de modo algum restringe esse esforço. É vital para uma visão global da história que a razão seja algo separado da religião mesmo na mais racional dessas civilizações. Só depois, numa avaliação retrospectiva, quando os cultos já são decadentes ou têm uma atitude defensiva, encontramos alguns neoplatônicos ou alguns neobrâmanes tentando racionalizá-los, e mesmo então só por meio tentativas de considerá-los alegorias. Mas na realidade os rios da mitologia e da filosofia correm paralelos e não se misturam até encontrar-se no mar da cristandade. Secularistas simples ainda falam que a Igreja introduziu uma espécie de cisma entre a razão a religião. A verdade é que a Igreja foi de fato a primeira entidade que tentou combinar razão e religião. Nunca houvera antes essa união de sacerdotes e filósofos. A mitologia, então, procurava a Deus por meio da imaginação; ou buscava a verdade por meio da beleza, no sentido de que a beleza inclui muito da mais grotesca feiura. Mas a imaginação tem suas próprias leis e, portanto, seus próprios triunfos, que nem teólogos nem cientistas conseguem entender. Ela permaneceu fiel àquele instinto imaginativo através de mil extravagâncias, através de todas as toscas pantomimas cósmicas de um porco comendo a lua ou de o mundo sendo extraído de uma vaca, através de todas as estonteantes convoluções e malformações místicas da arte asiática, através de toda a nua e crua rigidez dos retratos egípcios e assírios, através de todos os espelhos rachados da arte disparatada que parecia deformar o mundo e deslocar o céu, ela permaneceu fiel a alguma coisa sobre a qual não se pode discutir; alguma coisa que possibilita que algum artista de alguma escola pare de repente diante uma deformidade particular e diga: "Meu sonho se realizou". Por isso nós de fato sentimos que os mitos pagãos ou primitivos são infinitamente sugestivos, desde que sejamos sábios o bastante para não indagar o que eles sugerem. Por isso todos nós sentimos o que significa o roubo do fogo do céu por parte de Prometeu, até que algum pedante pessimista ou progressista venha a nos explicar o que ele significa. Por isso todos nós sabemos qual é o significado de João e o Pé de Feijão, até que nos venham dizê-lo. Nesse sentido é verdade que são os ignorantes que aceitam mitos, mas apenas porque são os ignorantes que apreciam poemas. A imaginação tem suas próprias leis e triunfos; e um tremendo poder começou a vestir suas imagens, imagens mentais ou de barro, imagens de bambu das Ilhas dos Mares do Sul ou de mármore das montanhas da Hélade. Mas sempre houve no triunfo um problema, que nestas páginas tentei analisar em vão; mas talvez na conclusão eu pudesse apresentá-lo assim.

O ponto fulcral é que o homem achava natural cultuar; até mesmo natural cultuar coisas não naturais. A postura do ídolo poderia ser rígida e estranha; mas o gesto do adorador era generoso e belo. Ele não apenas se sentia mais livre quando se curvava; ele de fato se sentia mais alto quando se curvava. Dali em diante qualquer coisa que retirasse esse gesto de adoração acabaria atrofiando-o ou mutilando-o para sempre. Dali em diante ser meramente secular seria servidão e inibição. Se não pode orar, o homem se sente amordaçado; se não pode ajoelhar-se, ele se sente posto a ferros. Sentimos, portanto, ao longo de todo o paganismo, um curioso sentimento duplo de confiança e desconfiança. Quando o homem faz um gesto de saudação e de sacrifício, quando derrama a libação ou ergue a espada, ele sabe que está fazendo um gesto dignificante e viril. Ele sabe que está fazendo uma das coisas para as quais o homem foi criado. Seu experimento imaginativo, portanto, se justifica. Mas precisamente por ter começado com a imaginação, nele persiste até o fim algo de zombeteiro, especialmente no objetivo do experimento. Essa zombaria, nos momentos mais intensos do intelecto, transforma-se na quase intolerável ironia da tragédia grega. Parece haver uma desproporção entre o sacerdote e o altar, ou entre o altar e deus. O sacerdote parece mais solene e quase mais sagrado do que o deus. Toda a ordem do templo é sólida, sensata e satisfaz em certas partes nossa natureza; exceto na sua parte exatamente central, que parece estranhamente mutável e duvidosa, como uma chama oscilante. É o primeiro pensamento em torno do qual se construiu o todo; e o primeiro pensamento ainda é uma fantasia e quase uma frivolidade. Naquele estranho ponto de encontro o homem parece mais escultural do que a estátua. Ele mesmo pode permanecer para sempre naquela atitude nobre e natural da estátua do Rapaz em Oração.[8] Mas qualquer nome que se escreva no pedestal, seja Zeus ou Amon ou Apolo, o deus que ele adora é Proteu.

Pode-se dizer que o Rapaz em Oração mais expressa do que satisfaz uma necessidade. É por uma ação normal e necessária que suas mãos se erguem; mas é igualmente uma parábola o fato de elas estarem vazias. Sobre a natureza dessa necessidade haverá mais a comentar; mas neste ponto pode-se dizer que talvez, no fim das contas, esse verdadeiro instinto, de que a oração e o sacrifício são liberdade e expansão, remonta àquele vasto e meio esquecido conceito de paternidade universal, que já vimos em toda parte desaparecendo do céu do amanhecer. Isso é verdade; e no entanto não é toda a verdade. Ainda persiste um instinto indestrutível, no poeta que é representado pelo pagão, de que ele não está inteiramente errado em focalizar seu Deus. É algo que está na alma da poesia quando não está na da piedade. E o maior dos poetas, quando definiu o poeta, não disse que ele nos deu o universo, ou o absoluto, ou o infinito; mas, em sua linguagem mais ampla, uma habitação local e um nome. Nenhum poeta é simplesmente um panteísta; os que são considerados mais panteístas, como Shelley, começam com alguma imagem local e particular como faziam os pagãos. No fim das contas, Shelley escreveu sobre a cotovia por se tratar de uma cotovia. Não se poderia lançar uma tradução imperial ou internacional de seu poema para ser usada na América do Sul, onde a cotovia se transformasse numa avestruz. Desse modo, a imaginação mitológica move-se, por assim dizer, em círculos, pairando no alto ou para encontrar um lugar ou para voltar para ele. Numa palavra, a mitologia é *busca*; é algo que combina um desejo recorrente com uma dúvida recorrente, misturando uma sinceridade ávida ao extremo na ideia de achar um lugar, com uma leviandade extremamente sombria e profunda e misteriosa em relação a todos os lugares encontrados. Até esse ponto a solitária imaginação pôde levar, e mais tarde devemos dirigir nossa atenção para a solitária razão. Nunca, em ponto algum ao longo dessa estrada, as duas viajaram juntas.

É ali que todas essas coisas diferiram da religião ou da realidade em que essas diferentes dimensões se juntaram formando uma espécie de sólido. Diferiram dessa realidade não naquilo que elas pareciam, mas naquilo que eram. Um quadro pode parecer uma paisagem; pode parecer em cada detalhe exatamente uma paisagem. O único detalhe em que difere é que ele não é uma paisagem. A diferença é apenas aquela que separa um retrato da rainha Elizabeth da rainha Elizabeth. Somente nesse mundo mítico e místico o retrato pôde existir antes da pessoa; e o retrato era por isso mais vago e duvidoso. Mas qualquer pessoa que tenha sentido a atmosfera desses mitos e dela tenha se alimentado saberá o que quero dizer quando afirmo que em certo sentido eles não professam realmente ser realidades. Os pagãos tiveram sonhos com realidades; e eles teriam sido os primeiros a admitir, com suas próprias palavras, que alguns sonhos entraram pela porta de marfim e outros pela porta de chifre. Os sonhos de fato tendem a ser muito vívidos quando tocam essas coisas delicadas ou mágicas que realmente podem fazer um dormente acordar com a sensação de que seu coração se partiu durante o sono. Eles tendem sempre a girar em volta de certos temas emocionantes de encontros e despedidas, de uma vida que termina em morte ou de uma morte que é o começo da vida. Deméter perambula por um mundo aflito a procura de uma criança roubada; Ísis em vão estende os braços sobre a terra para recolher os membros de Osíris; e há lamentações sobre as colinas por Átis e nos bosque por Adônis. Mistura-se a todas essas lamentações a profunda e mística sensação de que a morte pode ser uma libertação e um apaziguamento; de que uma morte assim nos dá um sangue divino para um rio renovador e de que todo o bem se encontra na reconstituição do dilacerado corpo divino. Podemos na verdade chamar essas coisas de prefigurações, desde que não nos esqueçamos de que prefigurações são sombras. E a metáfora de uma sombra incidental atinge com muita exatidão a verdade que é vital aqui. Pois uma sombra é uma forma; algo que reproduz a forma, mas não a textura. Essas coisas eram algo *como* a coisa real; e dizer que "eram como" é dizer que eram diferentes. Dizer que algo é como um cachorro é outra maneira de dizer que não é um cachorro; e é nesse sentido de identidade que um mito não é um homem. Ninguém realmente pensava em Ísis como um ser humano; ninguém realmente pensava em Deméter como uma personagem histórica; ninguém pensava em Adônis como o fundador de uma Igreja. Não havia nenhuma ideia de que algum deles houvesse mudado o mundo; mas antes havia a ideia de que sua recorrente morte e vida continham o triste e belo bordão da imutabilidade do mundo. Nenhum deles foi uma revolução, exceto no sentido da revolução do sol e da lua. Todo o significado deles se perde se não virmos que eles significam as sombras que somos nós e as sombras que nós perseguimos. Em certos aspectos sacrificais e comunitários eles naturalmente sugerem que espécie de deus poderia satisfazer aos homens; mas não afirmam que estão satisfeitos. Quem afirmar que eles o fazem não sabe avaliar poesia.

Aqueles que falam em cristos pagãos têm menos simpatia pelo paganismo do que pelo cristianismo. Aqueles que chamam esses cultos de "religiões" e os "comparam" com a convicção e o desafio da Igreja têm muito menos apreço do que temos nós por aquilo que tornou o paganismo humano, ou pela razão de a literatura clássica ser ainda algo que paira no ar como uma canção. É total falta de delicadeza para com os famintos provar que a fome é igual à comida. É falta de boa compreensão para com os jovens argumentar que a esperança destrói a necessidade de felicidade. E é absolutamente irreal argumentar que essas imagens na mente, admiradas por inteiro na sua forma abstrata, estavam no mesmo mundo dos homens vivos, de uma sociedade viva, e eram adoradas por serem concretas. Poderíamos da mesma forma então dizer que um menino brincando de ladrão é igual a um homem em seu primeiro dia na trincheira; ou que as primeiras fantasias de um menino sobre "a não impossível namorada" são iguais ao sacramento do matrimônio. Elas são diferentes na base profunda exatamente como são iguais na superfície; poderíamos quase dizer que elas não são iguais mesmo quando são iguais. Apenas são diferentes porque uma é real e a outra não. Não quero dizer simplesmente que eu mesmo acredito que uma coisa é verdadeira e a outra não. Quero dizer que uma nunca tencionou ser verdadeira no mesmo sentido da outra. Tentei sugerir vagamente aqui o sentido em que ela tencionava ser verdadeira, mas sem dúvida é algo muito sutil e quase indescritível. É tão sutil que os estudiosos que professam apresentá-la como rival de nossa religião não conseguem captar todo o significado e alcance de sua própria investigação. Nós sabemos das coisas melhor que os intelectuais, mesmo aqueles dentre nós que não são intelectuais, sabemos o que havia naquele grito que foi emitido sobre o morto Adônis e sabemos por que a Grande Mãe fez uma filha casar-se com a morte. Nós entramos mais profundamente nos Mistérios Eleusinos e passamos a um grau mais alto, no qual um portão dentro de um portão guardava a visão de Orfeu. Nós conhecemos o sentido de todos os mitos. Conhecemos o último segredo revelado ao perfeito iniciado. E não é a voz de um sacerdote ou um profeta dizendo: "Essas coisas existem". É a voz de um sonhador e um idealista gritando: "Por que essas coisas não são possíveis?".

6

Os demônios e os filósofos

Detive-me com certa demora nessa espécie imaginativa de paganismo, que encheu o mundo de templos e em todas as partes gerou festividades populares. Pois a história central da civilização, no meu modo de ver, consiste em mais dois estágios antes do estágio final da cristandade. O primeiro foi a luta entre o paganismo e algo menos digno do que ele; e o segundo, o processo pelo qual o paganismo em si foi perdendo a dignidade. Nesse politeísmo muito variado e frequentemente vago havia a fraqueza do pecado original. Pintavam-se deuses pagãos jogando homens como dados; e de fato eles são dados viciados. Sobretudo no que se refere a sexo os homens nascem desequilibrados; poderíamos quase dizer que nascem loucos. Raramente atingem a sanidade antes de atingirem a santidade. Essa desproporção arrastou as fantasias aladas para baixo; e encheu o final do paganismo com a simples sujeira e o lixo de deuses reproduzindo-se em massa. Mas o primeiro ponto a perceber é que essa espécie de paganismo sofreu uma colisão inicial com outra espécie de paganismo; e que a consequência dessa luta essencialmente espiritual na realidade determinou a história do mundo. Para entendermos isso devemos fazer uma revisão da outra espécie de paganismo. Podemos analisá-la de forma muito mais breve; de fato, em certo sentido muito real, quanto menos se falar sobre ela, melhor será. Se a primeira espécie de mitologia foi chamada de devaneio, bem poderíamos chamar a segunda de pesadelo.

A superstição ocorre em todas as épocas, e especialmente em épocas racionalistas. Lembro-me de defender a tradição cristã contra toda uma mesa de jantar cheia de distintos agnósticos; e antes do fim de nossa conversação todos eles, um por um, haviam tirado do bolso ou exibido pendendo da corrente do relógio algum amuleto ou talismã do qual admitiam nunca se separar. Eu era a única pessoa presente que havia esquecido de munir-se de um fetiche. A superstição ocorre numa época racionalista porque ela se apoia em algo que, se não for a mesma coisa que o racionalismo, não está desvinculado do ceticismo. Está no mínimo intimamente ligado ao agnosticismo. Ela se apoia em algo que é realmente um sentimento muito humano e inteligível, como as invocações locais do *númen* no paganismo popular. Contudo, trata-se de um sentimento agnóstico, pois ele se apoia em duas impressões: primeiro, que nós de fato não conhecemos as leis do universo; e segundo, que elas podem ser muito diferentes de tudo aquilo a que chamamos de razão. Pessoas que pensam assim percebem a verdade concreta segundo a qual coisas enormes muitas vezes dependem de coisas minúsculas. Quando elas ouvem um sussurro, vindo da tradição ou de qualquer outra fonte, dizendo que determinada coisa minúscula é a chave ou pista, algo profundo e não de todo absurdo da natureza humana lhes diz que isso não é improvável. Essa impressão existe nas duas formas de paganismo consideradas a seguir. Mas, quando passamos à segunda forma, descobrimos que ela está transformada e repleta de outro espírito mais terrível.

Tratando da realidade mais leve chamada mitologia, falei pouco sobre o aspecto mais discutido do caso: até que ponto essa invocação dos espíritos do mar ou dos elementos pode de fato convocar espíritos das vastas profundezas; ou melhor (conforme a maneira de falar do pândego shakespeariano), resta saber se os espíritos vêm quando são chamados. Eu creio estar certo quando penso que esse problema, por mais prático que pareça, não teve uma função dominante na atividade poética da mitologia. Mas acho ainda mais óbvio, pelas provas que temos, que coisas dessa espécie às vezes apareceram, mesmo que sejam apenas aparições. Mas, quando chegamos ao mundo da superstição, num sentido mais sutil, há um matiz de diferença; um matiz mais profundo e mais sombrio. Sem dúvida a superstição mais popular é tão frívola quanto qualquer mitologia popular. Os homens não acreditam que Deus desferiria um raio contra eles por passarem debaixo de uma escada; muitas vezes eles acham graça ao praticar o exercício nada pesado de contorná-la. Não há nisso mais do que eu já sugeri: uma espécie de agnosticismo rarefeito acerca das possibilidades de um mundo tão estranho. Mas há outro tipo de superstição que definitivamente busca resultados; é o que se poderia chamar de superstição realista. E com isso a questão de saber se os espíritos de fato respondem ou aparecem torna-se muito mais séria. Como já disse, parece-me bastante certo que às vezes eles o fazem; mas a esse respeito há uma distinção que tem sido o começo de muito mal no mundo.

Seja porque a Queda realmente aproximou os homens de vizinhos menos desejáveis no mundo espiritual, seja simplesmente porque a disposição dos homens mais impacientes ou gananciosos acha mais fácil imaginar o mal, creio que a magia negra da bruxaria tem sido mais prática e muito menos poética do que a magia-branca da mitologia. Imagino que o jardim da bruxa tem sido mais bem cuidado do que a floresta da ninfa. Imagino que o campo do mal tem sido mais frutífero do que o do bem. Para começar, algum impulso, talvez uma espécie de impulso desesperado, conduziu os homens para os poderes mais sombrios ao lidarem com problemas práticos. Havia uma espécie de sentimento secreto e perverso de que os poderes mais sombrios resolveriam o problema; de que eles não brincavam em serviço. E de fato aquela frase popular expressa com exatidão esse ponto. Os deuses da mera mitologia envolviam-se com muitas brincadeiras absurdas: no sentido alegre e hilário em que falamos da brincadeira de Jabberwocky ou do País onde moram os Jumblies.[1] Mas o homem que consultava um demônio sentia-se como se sentiu muita gente ao consultar um detetive, especialmente um detetive particular: era um trabalho sujo, mas o trabalho precisava ser feito. Um homem não entrava numa floresta para encontrar-se com uma ninfa; ele ia mais exatamente com a esperança de encontrar uma ninfa. Era uma aventura em vez de um encontro marcado. Mas o demônio realmente cumpria seus compromissos e em certo sentido cumpria suas promessas, mesmo que o homem depois quisesse, como Macbeth, que ele as quebrasse.

Dos relatos que nos foram transmitidos sobre muitas raças rudes ou selvagens, deduzimos que o culto aos demônios muitas vezes surgiu depois do culto a divindades, e até mesmo depois do culto a uma única e suprema divindade. Pode-se suspeitar que em quase todos esses lugares a divindade mais alta é sentida como excessivamente distante para apelos em certas questões corriqueiras, e os homens invocam os espíritos porque estes são, num sentido literal, espíritos familiares. Mas, com a ideia de empregar os espíritos que fazem as coisas acontecerem, surge uma nova ideia mais digna dos demônios: de fato ela pode ser descrita como a de tornar-se mais digno dos demônios; a de tornar-se adequado para sua sociedade melindrosa e exigente. A superstição do tipo mais leve brinca com a ideia de que alguma bagatela, algum pequeno gesto como jogar sal, pode tocar a mola escondida que aciona o misterioso maquinismo do mundo. E no fim das contas existe algo na ideia desse *Abre-te, Sésamo*. Mas com o apelo aos espíritos mais baixos surge a horrível ideia de que o gesto precisa ser não apenas muito pequeno, mas também muito baixo; que deve ser um procedimento condenável de uma espécie totalmente feia e indigna. Mais cedo ou mais tarde alguém se dispõe deliberadamente a praticar a coisa mais nojenta que consegue imaginar. Tem-se a sensação de que o mal extremo extorquirá uma espécie de atenção ou resposta dos poderes do mal sob a superfície do mundo. Esse é o significado da maioria dos casos de canibalismo do mundo. Pois na maioria desses casos o canibalismo não é um hábito primitivo e nem mesmo bestial. É artificial e até mesmo artístico; uma espécie de arte pela arte. Os homens não o praticam porque não o acham horrível; mas, pelo contrário, porque de fato o acham horrível. Eles desejam, no sentido mais literal, nutrir-se de horrores. É por isso que muitas vezes se descobre que raças rudes como os nativos australianos não são canibais; ao passo que raças muito mais refinadas e inteligentes, como os maoris da Nova Zelândia, ocasionalmente são. Eles são refinados e inteligentes o bastante para entregar-se às vezes a um satanismo consciente. Mas se pudéssemos entender a mentalidade deles, ou mesmo entender de fato sua língua, provavelmente descobriríamos que eles não estavam agindo como ignorantes, isto é, como canibais inocentes. Eles não praticam o canibalismo porque não acham que isso seja errado, mas precisamente porque acham que é errado. Estão agindo como um decadente de Paris numa missa negra. Mas a missa negra precisa esconder-se em subterrâneos longe da missa real. Em outras palavras, os demônios realmente vêm se escondendo desde a vinda de Cristo sobre a terra. O canibalismo dos bárbaros mais elevados se esconde da civilização do homem branco. Mas antes da cristandade, e especialmente fora da Europa, não foi sempre assim. No mundo antigo os demônios muitas vezes andavam por aí como dragões. Com certeza eles podiam ser publicamente entronizados como deuses. Suas enormes imagens podiam ser expostas em templos públicos no centro de populosas cidades. E por todo o mundo podem-se encontrar vestígios desse chocante fato concreto, tão curiosamente ignorado pelos modernos habituados a falar de todo esse mal como primitivo e inicial na evolução, de modo que na prática algumas das mais elevadas civilizações do mundo foram lugares onde os chifres de Satanás foram exaltados, não apenas sob as estrelas, mas até mesmo à luz do sol.

Tomemos, por exemplo, os astecas e os índios americanos dos antigos impérios do México e Peru, que eram no mínimo tão avançados quanto o Egito e a China e só menos ativos do que aquela civilização central que é a nossa. Mas os críticos daquela civilização central (que sempre é a civilização deles mesmos) têm o curioso hábito de não apenas cumprir seu legítimo dever na condenação dos crimes alheios, mas de também sair de seu caminho para idealizar as vítimas. Eles sempre partem do princípio de que antes do advento da Europa a única coisa que existia era o Éden. E Swinburne, naquele inflamado coro de nações em "Canções antes do nascer do sol", usou uma expressão sobre a Espanha em suas conquistas sul-americanas que sempre me impressionou por ser muito estranha. Ele disse algo sobre "suas falhas e filhos por terras sem pecado dispersos", e sobre como eles "tornaram execrável o nome do homem e três vezes execrável o nome de Deus". Pode ser razoável que ele diga que os espanhóis eram pecadores, mas por que diabos deveria dizer que os sul-americanos eram sem pecado? Por que deveria ele supor que o continente era habitado exclusivamente por anjos ou perfeitos santos do céu? Seria uma afirmação muito forte em referência à mais respeitável vizinhança; mas, quando pensamos no que de fato sabemos daquela sociedade, a observação é bastante estranha. Sabemos que os sacerdotes sem pecado desse povo sem pecado adoravam deuses sem pecado, que aceitavam como néctar e ambrosia de seu ensolarado paraíso nada menos que o contínuo sacrifício de seres humanos acompanhado de horríveis tormentos. Também podemos observar na mitologia dessa civilização americana o elemento da inversão ou violência contra o instinto mencionada por Dante, que por toda a parte caminha para trás nas religiões não naturais dos demônios. Isso pode ser observado não apenas na ética, mas também na estética. O ídolo sul-americano era o mais feio possível, assim como uma estátua grega era a mais bela possível. Eles procuravam o segredo do poder retroagindo contra sua própria natureza e a natureza das coisas. Havia sempre uma espécie de ânsia por finalmente esculpir, em ouro ou granito, ou na escura madeira vermelha da floresta, uma face ante a qual o céu se quebrasse transformando-se num espelho rachado.

De qualquer forma está claro que a civilização pintada e dourada da América tropical se entregava sistematicamente ao sacrifício de seres humanos. De forma alguma está claro, pelo que sei, que os esquimós alguma vez se entregaram a esse tipo de sacrifício. Eles não eram suficientemente civilizados. Estavam por demais enclausurados pelo branco inverno e a infinita escuridão. A gélida penúria reprimia-lhes a paixão e congelava-lhes a tendência jovial da alma. Era em dias mais claros e à mais ampla luz do dia que a nobre paixão era inconfundivelmente vista em fúria. Foi em terras mais ricas e mais instruídas que a corrente jovial fluiu sobre os altares, para ser bebida pelos grandes deuses usando máscaras esbugalhadas e sorridentes ao serem evocados em terror e tormento com nomes longos e cacofônicos que soam como risadas do inferno. Fazia-se necessário um clima mais quente e um refinamento mais científico para produzir essas florações; para guiar na direção do sol as grandes folhas e flamantes flores que deram seu ouro, seu carmesim e sua púrpura àquele jardim, que Swinburne compara às Hespérides. Pelo menos não pairava dúvida sobre o dragão.

Não vou levantar, neste ponto, a controvérsia especial sobre a Espanha e o México; mas posso observar de passagem que ela parece exatamente a questão que em certo sentido deve ser levantada mais adiante sobre Roma e Cartago. Nos dois casos constata-se o estranho hábito entre os ingleses de sempre se posicionarem contra os europeus e de representarem a civilização rival, nas palavras de Swinburne, como sem pecado; quando os pecados dela obviamente clamavam, ou melhor, gritavam aos céus. Pois Cartago também foi uma alta civilização, de fato uma civilização muito mais civilizada. E Cartago também fundou sua civilização sobre uma religião do medo, enviando aos céus de todos os cantos a fumaça de sacrifícios humanos. Ora, está muito certo censurar nossa própria raça ou religião por não estarem à altura de nossos padrões e ideais. Mas é absurdo fingir que elas atingiram um nível mais baixo que outras raças e religiões que professaram ideais e padrões diametralmente opostos. Há um sentido muito real em que o cristão é pior que os pagãos, o espanhol pior que os peles-vermelhas, ou até mesmo o romano potencialmente pior que o cartaginês. Mas existe apenas um sentido em que ele é pior; e isso se dá quando ele não é positivamente pior. O cristão só é pior porque sua obrigação é ser melhor.

Essa imaginação invertida produz coisas de que é melhor não falar. Algumas delas de fato poderiam quase ser identificadas sem ser conhecidas, pois são típicas da maldade extrema que parece inocente aos olhos dos inocentes. Elas são tão desumanas que não podem nem sequer ser indecentes. Mas, sem insistir muito nesses pontos mais negros, pode-se observar algo que não é irrelevante: certos antagonismos anti-humanos parecem recorrer nessa tradição de magia negra. Poder-se-ia suspeitar, por exemplo, que flui através dela em toda a parte um ódio místico pela ideia da infância. Os cidadãos entenderiam melhor a fúria popular contra as bruxas se alguém lhes lembrasse que a maldade mais comumente atribuída a elas era a de impedir o nascimento de bebês. Os profetas hebreus constantemente protestavam contra a raça hebraica por reincidir numa idolatria que implicava essa guerra contra a infância; e é bastante provável que essa abominável apostasia do Deus de Israel tenha em certas ocasiões aparecido em Israel desde aquele tempo na forma do que se chama de assassínio ritual; obviamente não praticado por nenhum representante da religião do judaísmo, mas por indivíduos satanistas irresponsáveis que incidentalmente eram judeus. Essa sensação de que forças do mal ameaçam especialmente crianças aparece mais uma vez na enorme popularidade do Menino Mártir da Idade Média. Chaucer apenas apresentou mais uma versão de uma lenda inglesa tipicamente nacional quando concebeu a mais perversa de todas as bruxas como uma mulher repugnante espreitando por trás de sua alta grade e escutando, como o murmúrio de um regato no fundo da rua de pedras, o cantar do pequeno santo Hugo.

De qualquer maneira a parte dessas especulações que diz respeito a essa história concentrou-se especialmente ao redor do ponto oriental extremo do Mediterrâneo, onde os nômades gradativamente se haviam transformado em comerciantes e haviam começado a negociar com o mundo inteiro. De fato, no sentido de negócios, viagens e expansão colonial, aquela região já detinha domínio semelhante a um império do mundo inteiro. A cor da púrpura, emblema de sua rica pompa e luxo, havia impregnado as mercadorias que eram vendidas em pontos longínquos entre os penhascos da Cornualha e os barcos que penetravam o silêncio dos mares tropicais em meio a todo o mistério da África. Pode-se realmente dizer que o mapa foi tingido de cor púrpura. Já se constatava um sucesso mundial quando os príncipes de Tiro mal se preocuparam em notar que uma de suas princesas se dignara desposar o chefe de alguma tribo chamada Judá; quando os mercadores de seus postos avançados na África apenas alteravam a expressão de seus barbudos e semíticos lábios com um ligeiro sorriso ante a menção de uma aldeia chamada Roma. E de fato duas coisas não poderiam ter parecido mais distantes uma da outra, não apenas no espaço mas no espírito, do que o monoteísmo da tribo da Palestina e as próprias virtudes da pequena república da Itália. Havia apenas uma coisa entre as duas realidades; e essa coisa que as dividia as uniu. Muito diversos e incompatíveis eram os objetos que podiam ser amados pelos cônsules de Roma e os profetas de Israel; mas eles estavam de acordo naquilo que odiavam. É muito fácil nos dois casos representar esse ódio como algo meramente odioso. É bastante fácil criar uma imagem simplesmente dura e desumana seja de Elias delirando acima da matança do monte Carmelo, seja de Catão trovejando contra a anistia da África. Esses homens tinham suas limitações e paixões locais; mas essa crítica contra eles carece de imaginação e por isso é irreal. Ela omite alguma coisa, algo imenso e intermediário, voltado para o leste e o oeste e evocando essa paixão nos seus inimigos orientais e ocidentais; e esse algo é o primeiro assunto deste capítulo.

A civilização centralizada em Tiro e Sidom era acima de tudo prática. Ela pouco deixou na forma de arte e nada na forma de poesia. Mas se orgulhava de ser muito eficiente; e em sua filosofia e religião seguia aquela estranha e às vezes secreta linha de pensamento que já observamos naqueles que buscam efeitos imediatos. Nessa mentalidade sempre se constata a ideia de que há um atalho para o segredo de todo sucesso; algo que poderia chocar o mundo por essa espécie de impudente eficácia. Eles acreditavam, para usar a frase moderna apropriada, nas pessoas que entregavam as mercadorias. Em suas negociações com seu deus Moloque, sempre cuidavam de entregar as mercadorias. Era uma transação interessante, sobre a qual falaremos outras vezes no restante da narrativa; aqui basta dizer que a transação implicava a teoria que já sugeri acerca de certa atitude para com as crianças. Foi isso que evocou contra ela em fúria simultânea o servo do único Deus da Palestina e os guardiões de toda a família dos deuses de Roma. Foi isso que desafiou duas coisas naturalmente tão divididas por todos os tipos de distanciamento e desunião, cuja união estava destinada a salvar o mundo.

Chamei a quarta e última divisão dos elementos espirituais em que eu dividiria a humanidade pagã pelo nome de Os Filósofos. Confesso que na minha visão esse nome cobriria muitas coisas que geralmente seriam classificadas de outro modo; e que aquilo que aqui é chamado de filosofia é muitas vezes chamado de religião. Creio, porém, que minha própria descrição será considerada muito mais realista e, mesmo assim, respeitosa. Mas precisamos primeiro tomar a filosofia na sua forma mais clara e pura para podermos identificar seu esquema normal; e isso se deve encontrar no mundo dos esquemas mais puros e claros, aquela cultura mediterrânea da qual nos últimos dois capítulos analisamos as mitologias e idolatrias.

O politeísmo, ou esse aspecto do paganismo, nunca foi para o pagão o que o catolicismo é para o católico. Nunca foi uma visão do universo que satisfizesse todos os aspectos da vida: uma completa e complexa verdade com algo a dizer sobre todas as coisas. Foi apenas a satisfação de um aspecto da alma do homem, mesmo que o chamemos de aspecto religioso; e considero mais de acordo com a verdade chamá-lo de aspecto imaginativo. Mas esse aspecto ele satisfez; no fim o satisfez à saciedade. Todo aquele mundo era um tecido de contos e cultos entrelaçados, e nele entrava e dele saía, como já vimos, aquele fio negro entre as cores menos censuráveis: o paganismo mais sombrio que era na verdade demonismo. Mas todos nós sabemos que isso não significava que todos os pagãos pensassem em nada a não ser em seus deuses. Precisamente porque a mitologia satisfazia apenas um estado de espírito, eles se voltavam em outros estados de espírito para algo totalmente diferente. Mas é muito importante entender que era totalmente diferente. Era diferente demais a ponto de ser inconsistente. Era de natureza tão estranha que não colidia. Enquanto uma multidão de cidadãos acorria num feriado público para a festa de Adônis ou para os jogos em honra de Apolo, este ou aquele cidadão preferia ficar em casa e elaborar uma pequena teoria sobre a natureza das coisas. Às vezes seu passatempo chegava até a assumir a forma de meditação sobre a natureza de Deus; ou até nesse sentido sobre a natureza dos deuses. Mas pouquíssimas vezes ele pensava em opor sua natureza dos deuses aos deuses da natureza.

É necessário insistir nessa abstração no caso do primeiro estudioso de abstrações. Ele não era tão antagonista quanto distraído. Seu passatempo poderia ser o universo; mas no início foi um passatempo tão privado como a numismática ou o jogo de damas. E até mesmo quando sua sabedoria passou a ser um domínio público, e quase uma instituição política, muito raramente estava no mesmo nível das instituições religiosas e populares. Aristóteles, com seu colossal bom senso, talvez tenha sido o maior dos filósofos; com certeza o mais prático de todos os filósofos. Mas Aristóteles não exporia o Absoluto lado a lado com o Apolo de Delfos, como uma religião similar ou rival, assim como Arquimedes não teria pensado em expor a alavanca como uma espécie de ídolo capaz de substituir o paládio da cidade. Se fosse assim, poderíamos também imaginar Euclides construindo um altar ao triângulo isósceles, ou oferecendo sacrifícios ao quadrado da hipotenusa. Um meditava sobre metafísica enquanto o outro meditava sobre matemática: pelo amor à verdade, ou pela curiosidade, ou por pura diversão. Mas esse tipo de diversão nunca pareceu interferir muito em outras diversões; a diversão da dança ou do canto para celebrar alguma aventura ignóbil de Zeus transformado em touro ou cisne. Talvez seja a prova de certa superficialidade e até mesmo da inconsistência do politeísmo popular o fato de os homens poderem ser filósofos e até céticos sem perturbá-lo. Esses pensadores podiam abalar as fundações do mundo sem alterar o perfil daquela nuvem colorida que pairava lá no alto.

De fato os pensadores abalaram as fundações do mundo; até mesmo quando um curioso acordo parecia impedi-los de abalar as fundações da cidade. Os dois grandes filósofos da antiguidade realmente nos parecem defensores de ideias sensatas e até sagradas; suas máximas muitas vezes são as respostas a perguntas céticas respondidas de forma excessivamente completa para serem sempre registradas. Aristóteles aniquilou uma centena de anarquistas e rabugentos adoradores da natureza com sua afirmação de que o homem é um animal político. Platão em certo sentido antecipou o realismo católico, que foi atacado pelo nominalismo herético, insistindo no fato igualmente fundamental de que as ideias são realidades; de que as ideias existem exatamente como os homens existem. Platão, porém, às vezes parecia quase imaginar que as ideias existem mais do que os homens; ou que os homens praticamente não precisam ser levados em conta quando conflitam com as ideias. Ele tinha algo do sentimento social que chamamos de "fabiano" em seu ideal de adaptar o cidadão à cidade, como uma cabeça imaginária se adapta a um chapéu ideal; e grande e glorioso como ele continua sendo, Platão foi o pai dos novidadeiros. Aristóteles antecipou de forma mais plena a sensatez sacramental da natureza que devia combinar o corpo e a alma das coisas, pois analisou a natureza dos homens bem como a natureza dos costumes, e prestou atenção aos olhos bem como à luz. Mas, embora esses grandes homens fossem nesse sentido construtivos e conservadores, eles pertenciam a um mundo onde o pensamento era livre a ponto de ser extravagante. Muitos outros grandes intelectos de fato os seguiram, alguns exaltando uma visão abstrata de virtude, outros seguindo de modo mais racional a necessidade da busca da felicidade humana. Os primeiros tinham o nome de estoicos; e o nome deles transformou-se num provérbio indicando o que é de fato um dos principais ideais da humanidade: o de fortalecer a própria mente até ela atingir uma textura capaz de resistir à calamidade e a dor. Mas admite-se que muitos filósofos degeneraram naquilo que chamamos de sofistas. Tornaram-se uma espécie de céticos profissionais que andavam pelas ruas fazendo perguntas inquietantes e eram regiamente remunerados para incomodar as pessoas normais. Talvez uma semelhança acidental com esses impostores e suas perguntas tenha sido responsável pela impopularidade do grande Sócrates, cuja morte poderia parecer contradizer a sugestão da trégua permanente entre os filósofos e os deuses. Mas Sócrates não morreu como um monoteísta que denunciava o politeísmo; certamente não como um profeta que denunciava ídolos. Está claro para qualquer um que leia nas entrelinhas que havia alguma noção, certa ou errada, de uma influência puramente pessoal afetando a moral e talvez a política. O acordo geral continuava, talvez porque os gregos julgassem seus mitos uma brincadeira, talvez porque julgassem uma brincadeira suas teorias. Nunca houve uma colisão em que de fato uma coisa destruísse a outra; com certeza elas não funcionavam juntas; no máximo o filósofo era rival do sacerdote. Mas ambos pareciam ter aceitado uma espécie de separação de funções e permaneciam partes do mesmo sistema social. Outra tradição importante provém de Pitágoras, que é importante porque se situa mais perto dos místicos orientais que por sua vez devem ser considerados à parte. Ele ensinava uma espécie de misticismo da matemática, dizendo que os números são a realidade suprema; mas também parece ter ensinado a transmigração das almas como os brâmanes; e parece ter legado a seus seguidores certos truques tradicionais envolvendo uma dieta vegetariana e a ingestão de água, coisas muito comuns entre os sábios orientais, especialmente aqueles que aparecem em tradicionais salas de visita, como aqueles do fim do Império Romano. Mas, ao passarmos para os sábios orientais, e para a atmosfera algo diferente do leste, podemos abordar uma verdade bastante importante por outro caminho.

Um dos grandes filósofos disse que seria bom se os filósofos fossem reis, ou os reis, filósofos. Ele falava como se fosse algo bom demais para ser verdade; mas, na realidade, isso muitas vezes aconteceu de fato. Certo tipo de filósofo, talvez excessivamente ignorado na história, pode realmente ser chamado de filósofo do rei. Em primeiro lugar, deixando de lado a realeza concreta, houve ocasiões em que foi possível para um sábio, embora não sendo o que nós chamamos de fundador religioso, desempenhar o papel semelhante ao de um fundador político. E o grande exemplo disso, um dos maiores do mundo, nos levará exatamente com esse pensamento através de milhares de quilômetros pelos vastos espaços da Ásia para aquele mundo de ideias e instituições muito maravilhoso e sob alguns aspectos muito sábio, que nós descartamos sem lhe dar o valor devido quando falamos da China. Os homens serviram muitos deuses muito estranhos e entregaram-se com lealdade a muitos ideais e até ídolos. A China é uma sociedade que realmente escolheu crer no intelecto. Ela levou o intelecto a sério, e é possível que se trate de um caso único no mundo. Desde uma época muito inicial ela enfrentou o dilema do rei e do filósofo escolhendo um filósofo para aconselhar o rei. Criou uma instituição pública a partir de um cidadão privado, que nada tinha a fazer no mundo exceto ser um intelectual. Havia e há naturalmente muitas outras coisas do mesmo padrão. Essa instituição cria todos os tipos de escalões e privilégios por meio de exames públicos; nada tem do que chamamos de aristocracia; é uma democracia dominada por uma intelectualidade. Mas o ponto principal aqui é que a instituição tinha filósofos para aconselhar reis; e um desses filósofos deve ter sido um grande filósofo e grande estadista.

Confúcio não foi um fundador religioso, nem mesmo um professor de religião; talvez nem sequer um homem religioso. Não era ateu; pelo que parece, era o que chamamos de agnóstico. Mas o ponto realmente vital é que é de todo irrelevante até mesmo falar sobre sua religião. É referir-se à teologia como a coisa mais relevante na história sobre como Rowland Hill estabeleceu o sistema postal ou como Baden Powell organizou os escoteiros. Confúcio não viveu para trazer uma mensagem do céu para a humanidade, mas para organizar a China; e ele deve ter feito isso muitíssimo bem. Decorre daí que ele tratou muito de costumes morais; mas ele os uniu formalmente aos bons modos. A peculiaridade de seu esquema, e de seu país, em contraste com sua grande contrapartida que é o sistema do cristianismo, é que confúcio insistiu na perpetuação de uma vida exterior com todas as suas formalidades, para que a continuidade externa pudesse preservar a paz interna. Qualquer um que sabe como o hábito tem muito a ver com a saúde, da mente bem como do corpo, perceberá a verdade dessa ideia. Mas também perceberá que o culto aos ancestrais e a reverência ao Sagrado Imperador eram hábitos e não credos. É uma injustiça para com o grande Confúcio dizer que ele foi um fundador religioso. É até injusto para com ele dizer que não foi um fundador religioso. É tão injusto como fazer um esforço extraordinário para afirmar que Jeremy Bentham não foi um mártir cristão.

Mas há uma classe de casos interessantíssimos em que os filósofos eram reis, e não apenas amigos dos reis. A combinação não é acidental. Ela está muito relacionada com a questão um tanto evasiva da função do filósofo. Contém em si algumas indicações de por que a filosofia e a mitologia raramente chegaram a um rompimento explícito. Não foi apenas porque houvesse algo um pouco frívolo envolvendo a mitologia. Foi também porque havia algo um pouco arrogante envolvendo o filósofo. Ele desprezava os mitos, mas também desprezava a multidão; ele achava que os dois se mereciam. O filósofo pagão quase nunca era um homem do povo, pelo menos em espírito; quase nunca era um democrata e com frequência era um áspero crítico da democracia. Vivia envolto num ar de descaso aristocrático e humanitário; e seu papel não era desempenhado facilmente por homens que ocupassem essa posição. Era fácil e natural para um príncipe ou uma pessoa importante desempenhar o papel de alguém com uma atitude filosófica como Hamlet ou como Teseu em *Sonho de uma noite de verão*. E desde épocas muito primitivas nós nos encontramos na presença desses intelectuais principescos. De fato, encontramos um deles no trono primevo que governava o antigo Egito.

O interesse mais intenso do incidente de Akenaton, geralmente chamado de o faraó Herege, reside no fato de ele ter sido o único exemplo, pelo menos antes da era cristã, de um desses filósofos reais que se propuseram combater a mitologia popular em nome de uma filosofia privada. A maioria deles assumiu a atitude de Marco Aurélio, que sob muitos aspectos é o modelo desse tipo de monarca e sábio. Marco Aurélio tem sido censurado por tolerar o anfiteatro pagão ou os martírios cristãos. Mas isso estava de acordo com sua maneira de ser; pois esse tipo de homem realmente considerava a religião popular exatamente no mesmo nível dos circos populares. Dele disse o professor Phillimore com profundidade: “Um grande homem bom — e ele sabia disso”. O faraó Herege tinha uma filosofia mais séria e talvez mais humilde. Pois há um corolário ligado à ideia de ser orgulhoso demais para lutar: é que os humildes têm de travar a maior parte da luta. Seja como for, o príncipe egípcio era simples o bastante para levar sua filosofia a sério, e foi o único dentre os príncipes intelectuais a conseguir uma espécie de golpe de Estado, derrubando os altos deuses do Egito com um único gesto imperial e erguendo para todos os homens, como um fulgurante espelho da verdade monoteísta, o disco do sol universal. Ele teve outras ideias interessantes, dessas que muitas vezes se constatam em idealistas desse tipo. No sentido em que falamos do Pequeno da Inglaterra[2], ele foi um Pequeno do Egito. No campo da arte foi realista porque foi idealista; pois o realismo é mais impossível que qualquer outro ideal. Mas no fim das contas cai sobre ele algo como a sombra de Marco Aurélio; perseguido pela sombra do professor Phillimore. O problema desse tipo nobre de príncipe é que em parte alguma ele fugiu por inteiro de ser um pouco pedante. O pedantismo é um cheiro tão forte que se fixa por entre as especiarias desaparecidas até em uma múmia egípcia. O problema do faraó Herege, como o de muitos outros hereges, foi que ele provavelmente nunca parou para perguntar-se se havia *alguma coisa* nas crenças e histórias populares de gente menos instruída do que ele. E, como já foi sugerido, havia alguma coisa nelas. Havia fome humana real em todo aquele elemento de traço distintivo e de localidade, naquela procissão de deidades semelhantes a enormes animais de estimação, naquela vigília incansável em certos pontos mal-assombrados, em todo aquele caminho confuso da mitologia. A natureza pode não ter o nome de Ísis; Ísis pode não estar realmente procurando Osíris. Mas é verdade que a natureza está realmente procurando alguma coisa; a natureza está sempre procurando o sobrenatural. Algo muito mais definido iria satisfazer aquela necessidade; mas um nobre monarca com o disco do sol não a satisfez. O experimento real fracassou em meio a uma estrondosa reação de superstições populares, em que os sacerdotes foram erguidos nos ombros do povo e ascenderam ao trono dos reis.

O próximo grande exemplo que vou tomar do sábio principesco é o de Gautama, o grande senhor Buda. Eu sei que ele geralmente é classificado apenas entre os filósofos; mas estou cada vez mais convencido, por toda a informação que chega às minhas mãos, de que esta é a verdadeira interpretação de sua imensa importância. Ele foi de longe o maior e melhor desses intelectuais nascidos na régia púrpura. Sua reação talvez tenha sido a mais nobre e mais sincera de todas as ações que resultaram da combinação de pensadores e de tronos. Pois sua reação foi a renúncia. Marco Aurélio contentou-se em dizer, com refinada ironia, que até num palácio a vida poderia ser bem vivida. Mais inflamado, o rei egípcio concluiu que ela poderia ser vivida até melhor depois de uma revolução no palácio. Mas o grande Gautama foi o único deles que provou que podia realmente prescindir do seu palácio. Um recorreu à tolerância e o outro à revolução. Mas no fim das contas existe algo mais absoluto na abdicação. A abdicação talvez seja o único ato realmente absoluto de um monarca absolutista. O príncipe indiano, criado no luxo e na pompa orientais, deliberadamente deixou sua casa e viveu a vida de mendigo. Isso é magnífico, mas não é guerra; ou seja, não é necessariamente uma cruzada no sentido cristão. Isso não decide a questão de saber se a vida de um mendigo foi a vida de um santo ou a vida de um filósofo. Não decide se esse grande homem deve de fato entrar na tina de Diógenes ou na caverna de São Jerônimo. Acontece que os que estão mais habituados ao estudo de Buda, e certamente os que escrevem com mais clareza e inteligência sobre ele, da minha parte me convencem de que ele foi simplesmente um filósofo que fundou uma bem-sucedida escola de filosofia e foi transformado numa espécie de *divus* ou ser sagrado simplesmente devido à atmosfera mais misteriosa e não científica dessas tradições da Ásia. De modo que é preciso dizer a esta altura uma palavra acerca daquela invisível mas nítida fronteira que cruzamos na passagem do Mediterrâneo para o mistério do Oriente.

Talvez não exista nenhuma outra coisa de que extraímos menos verdade do que os truísmos; em especial quando eles são realmente verdadeiros. Temos todos o hábito de dizer certas coisas sobre a Ásia que são bastante verdadeiras, mas que não nos servem para quase nada porque não entendemos sua verdade; como, por exemplo, que a Ásia é antiga, ou que está voltada para o passado, ou que não é progressista. Ora, é verdade que a cristandade é mais progressista, num sentido que tem muito pouco a ver com a noção bastante provinciana de uma ansiedade infinita de melhoria política. A cristandade de fato acredita, porque o cristianismo acredita, que o homem acaba chegando a algum ponto, neste ou no outro mundo, ou de várias maneiras segundo várias doutrinas. O desejo do mundo de algum modo pode ser satisfeito como se satisfazem os desejos, seja com uma vida nova, seja com um antigo amor ou alguma forma de possessão e realização positiva. Quanto ao resto, todos sabemos que há um ritmo e não um simples progresso nas coisas, que as coisas sobem e descem; com o acréscimo de que conosco o ritmo é bastante livre e imprevisível. Para a maior parte da Ásia o ritmo se fixou numa recorrência. Já não é simplesmente uma espécie de mundo bastante confuso; é uma roda. O que aconteceu com todos aqueles povos altamente inteligentes e altamente civilizados é que foram apanhados numa espécie de rotação cósmica, cujo centro vazio não é realmente nada. Nesse sentido a pior parte da existência é que ela pode simplesmente continuar do jeito que é para sempre. É isso que realmente significa dizer que a Ásia é antiga, ou não progressista, ou que olha para o passado. É por isso que vemos até mesmo suas espadas curvas como arcos que saltaram daquela roda que cega; que vemos seus ornamentos serpentinos retornando em toda a parte, como uma serpente que nunca é morta. Isso tem muito pouco a ver com o verniz político do progresso; todos os asiáticos poderiam botar uma cartola na cabeça, mas se ainda tivessem esse espírito no coração eles apenas pensariam que a cartola desapareceria e retornaria como fazem os planetas; não que correr atrás de uma cartola pudesse levá-los ao céu ou até mesmo para casa.

Mas, quando o gênio de Buda se ergueu para lidar com a questão, esse tipo de sentimento cósmico já era comum em quase tudo no Oriente. Havia de fato a floresta de mitologia excepcionalmente extravagante e quase sufocante. Contudo, é possível ter mais simpatia pela fecundidade popular do folclore do que por uma parte do pessimismo superior que poderia tê--lo sufocado. Deve-se sempre lembrar, todavia, depois de feitas todas as devidas concessões, que grande parte das imagens espontâneas orientais são de fato sinais de idolatria: a adoração direta e local de um ídolo. Isso provavelmente não é verdadeiro em relação ao antigo sistema bramânico, pelo menos do ponto de vista dos brâmanes. Mas essa frase por si só nos fará lembrar uma realidade de importância muito maior. Essa grande realidade é o sistema de castas da Índia. Talvez ele tenha tido algumas das vantagens práticas do sistema de guildas da Europa medieval. Mas essa realidade contrasta não apenas com essa democracia cristã, mas com todos os tipos extremos de aristocracia cristã, pelo fato de que realmente concebe a superioridade social como superioridade espiritual. Isso não apenas a separa fundamentalmente da fraternidade da cristandade, mas a isola como uma poderosa montanha de orgulho com vários patamares surgindo entre os níveis relativamente igualitários tanto do Islã quanto da China. Mas a fixidez dessa formação através de milhares de anos é mais uma ilustração daquele espírito de repetição que marcou o tempo desde tempos imemoriais. Ora acontece que podemos também presumir a prevalência de outra ideia que associamos aos budistas segundo a interpretação dos teosofistas. De fato, alguns dos budistas mais rigorosos repudiam essa ideia e com muito mais desprezo repudiam os teosofistas. Mas faça essa ideia parte do budismo, ou apenas do berço do budismo, ou simplesmente de uma tradição ou de uma caricatura de budismo, é uma ideia inteiramente apropriada a esse princípio da recorrência. Refiro-me naturalmente à ideia da reencarnação.

Mas a reencarnação não é realmente uma ideia mística. Não é realmente uma ideia transcendental e, nesse sentido, nem mesmo uma ideia religiosa. O misticismo concebe algo que transcende a experiência; a religião procura vislumbres de um bem melhor ou de um mal pior do que a experiência pode oferecer. A reencarnação só precisa expandir experiências no sentido de repeti-las. Não é mais transcendental para um homem lembrar o que ele fez na Babilônia antes de nascer do que lembrar o que fez em Brixton antes de sofrer uma pancada na cabeça. Suas vidas sucessivas não *precisam* ser mais que vidas humanas, com todas as limitações que agravam a vida humana. Isso não tem nenhuma relação com ver a Deus ou sequer com evocar o demônio. Em outras palavras, a reencarnação como tal não escapa necessariamente da roda do destino; em algum sentido é a roda do destino. E quer se trate de algo que Buda fundou, ou de algo que ele encontrou, ou de algo que Buda encontrou e a que renunciou, trata-se com certeza de algo que tem o caráter geral daquela atmosfera asiática em que ele desempenhou seu papel. E o papel que ele desempenhou foi o de um filósofo intelectual, com uma teoria particular sobre a atitude intelectual correta em relação ao caso.

Posso entender que um budista poderia se ressentir da visão de que o budismo é simplesmente uma filosofia, se por filosofia entendermos um mero jogo intelectual como o dos sofistas gregos, jogando mundos para o alto para depois apanhá-los como se fossem bolas. Talvez uma colocação mais exata seria a de que Buda foi um homem que criou uma disciplina metafísica, que poderia ser chamada de disciplina psicológica. Ele propôs um modo de fugir de toda essa dor recorrente; e isso consistia simplesmente em livrar-se da ilusão que se chama desejo. Tratava-se com certeza *não* de que deveríamos conseguir o que mais queremos restringindo nossa impaciência em relação a uma parte do desejo, ou de que deveríamos consegui-lo de modo melhor ou num mundo melhor. Tratava-se com certeza de que deveríamos deixar de querer. Uma vez que um homem entendesse que de fato não há realidade, que tudo, inclusive sua alma, está em dissolução constante, ele anteciparia a decepção e se tornaria inatingível à mudança, passando a existir (na medida em se pudesse dizer que ele existia) numa espécie de êxtase da indiferença. Os budistas chamam isso de beatitude, e nós não vamos interromper nossa história para discutir esse ponto; com certeza para nós isso se confunde com o desespero. Eu não vejo, por exemplo, por que a decepção do desejo não se deveria aplicar na mesma medida aos desejos mais benévolos e aos mais egoístas. De fato o Senhor da Compaixão parece compadecer-se das pessoas por elas viverem e não por elas morrerem. Quanto ao resto, um budista inteligente escreveu: "A explicação popular do budismo da China e do Japão é que não se trata de budismo". *Aquilo* sem dúvida deixou de ser mera filosofia, mas só para se tornar mera mitologia. Uma coisa é certa: o budismo nunca se tornou nada que remotamente se parecesse com o que chamamos de Igreja.

Parecerá apenas um chiste dizer que toda a história religiosa tem sido realmente um modelo de zeros e cruzes. Mas usando a palavra "zeros" não quero dizer "nadas", mas apenas coisas que são negativas quando comparadas com a forma e o modelo positivos de outras. E embora o símbolo seja apenas uma coincidência, é uma coincidência que realmente coincide. A mente da Ásia pode de fato ser representada por um redondo O, quando não no sentido de uma cifra pelo menos no de um círculo. O grande símbolo asiático de uma serpente com seu rabo na boca é de fato uma imagem muito perfeita de certa ideia de unidade e recorrência que de fato pertence às filosofias e religiões orientais. É realmente uma curva que em certo sentido inclui tudo, e no outro sentido chega ao nada. Nesse sentido, ela confessa que, ou melhor, vangloria-se de que toda argumentação é uma argumentação em círculo. E, embora a figura seja apenas um símbolo, podemos ver como é sólido o sentido simbólico que a produz, o símbolo paralelo da roda de Buda geralmente chamado de suástica. A cruz é uma coisa com ângulos retos apontando destemidamente para direções opostas; mas a suástica é a mesma coisa no ato preciso de retornar para a curva recorrente. Aquela cruz arqueada é de fato uma cruz transformando-se numa roda. Antes de descartarmos até mesmo esses símbolos como se fossem arbitrários, precisamos nos lembrar de como era forte o instinto imaginativo que os produziu ou selecionou tanto no Oriente quanto no Ocidente. A cruz tornou-se algo mais que uma memória histórica; ela transmite, quase como se fosse por meio de um diagrama matemático, a verdade acerca do ponto em questão; a ideia de um conflito que se estende para fora penetrando a eternidade. É verdade, é até mesmo uma tautologia, dizer que a cruz é o ponto crucial de toda a questão.

Em outras palavras, a cruz realmente representa de modo concreto a ideia de fugir do círculo que é tudo e não é nada. Ela foge da argumentação circular segundo a qual tudo começa e termina na mente. Ainda estamos lidando com símbolos, poderíamos transformar a cruz numa parábola na forma da história que envolve São Francisco, que diz que os pássaros partindo com sua bênção podiam voar para os infinitos dos quatro ventos do céu, e o caminho deles criava uma enorme cruz sobre o firmamento; pois comparada com a liberdade daquela revoada de pássaros, a própria forma da suástica parece um gatinho caçando o próprio rabo. Numa alegoria mais popular, poderíamos dizer que, quando São Jorge enfiou sua espada na goela do monstro, ele irrompeu na solidão da serpente que se devorava a si mesma e lhe deu alguma coisa para morder além da própria cauda. Mas, embora muitas fantasias possam ser utilizadas como figuras da verdade, a verdade em si é abstrata e absoluta; mesmo que não seja muito fácil resumi-la a não ser por meio dessas figuras. O cristianismo apela para uma sólida verdade fora de si mesmo; para algo que nesse sentido é externo bem como eterno. Ele declara que as coisas realmente existem; ou, em outras palavras, que as coisas são realmente coisas. Nesse ponto o cristianismo está de acordo com o bom senso; mas toda a história religiosa mostra que esse bom senso desaparece a não ser onde existe o cristianismo para preservá-lo.

Ele não pode existir de maneira diferente, ou pelo menos durar, porque o mero pensamento não permanece racional.

Em certo sentido ele se torna simples demais para ser racional. A tentação dos filósofos é a simplificação e não a sutileza. Eles sempre se sentem atraídos por simplificações insensatas, como os homens postados sobre um abismo se sentem fascinados pela morte e pelo nada e pelo espaço vazio. Foi necessário outro tipo de filósofo capaz de permanecer parado sobre o pináculo do templo, mantendo o equilíbrio, sem se projetar para baixo. Uma dessas óbvias, demasiado óbvias, explicações afirma que tudo é sonho e ilusão e nada existe fora do eu. Outra diz que todas as coisas retornam; outra, que eles afirmam ser budista e com certeza é oriental, é a ideia de que o nosso problema é a nossa criação, no sentido de diferenciação de cor e personalidade, e que nada estará bem até nos fundirmos novamente numa única unidade. Segundo essa teoria, em resumo, a Criação foi a Queda. Isso é importante historicamente porque ficou guardado no escuro coração da Ásia donde partiu em várias épocas, de várias formas, para os vagos confins da Europa. Aqui podemos colocar a misteriosa figura de Manes ou Maniqueu, o místico da inversão, a quem deveríamos chamar de pessimista, pai de muitas seitas e heresias; aqui, num grau mais elevado, a figura de Zoroastro. Ele foi popularmente identificado com outras dessas explicações demasiado simples; a igualdade do bem e do mal, equilibrados e combatendo entre si. Ele também é da escola dos sábios que podem ser chamados místicos; e do mesmo misterioso jardim persa trazido por asas poderosas veio Mitra, o deus desconhecido, para atormentar o último crepúsculo de Roma.

O círculo ou disco do sol instalado na manhã do mundo por um distante egípcio tem sido o espelho e um modelo para todos os filósofos. Fizeram muitas coisas com ele, e às vezes foram à loucura por causa dele, especialmente quando, como no caso desses sábios orientais, o círculo se transformou numa roda que dentro de sua cabeça não parava de girar. Mas o ponto principal a respeito deles é que todos pensam que a existência pode ser representada por um diagrama em vez de um desenho;

e os toscos desenhos dos infantis criadores de mitos são uma espécie de protesto tosco mas intenso contra essa visão. Eles não conseguem crer que a religião não é realmente um modelo, mas sim um quadro. Muito menos conseguem crer que é um quadro de alguma coisa que realmente existe fora da mente. Às vezes o filósofo pinta o disco todo de preto e chama a si mesmo de pessimista; às vezes o pinta todo de branco e chama a si mesmo de otimista; às vezes o divide exatamente em metades de branco e preto e chama a si mesmo de dualista, como fizeram aqueles místicos persas a quem eu gostaria de fazer justiça se tivesse mais espaço. Nenhum deles pôde entender uma coisa que começou a desenhar as proporções simplesmente como se se tratasse de proporções reais, dispostas no estilo vivo que o matemático desenhista chamaria de desproporcionado. Como o primeiro artista na caverna, o desenho revelou a olhares incrédulos a sugestão de um novo propósito naquilo que parecia um modelo desvairadamente tortuoso; o artista parecia estar apenas distorcendo seu diagrama, quando pela primeira vez em todos os tempos começou a tracejar as linhas de uma forma — e de um rosto.

7

A guerra dos deuses e demônios

A teoria materialista da história, segundo a qual todas as políticas e éticas são a expressão da economia, é na verdade uma falácia muito simples. Ela consiste apenas em confundir as condições necessárias da vida com as necessárias preocupações da vida, que são coisas bem diferentes. É como dizer que, pelo fato de o homem poder andar sobre apenas duas pernas, ele nunca anda por aí a não ser para comprar sapatos e meias. O homem não pode viver sem os dois sustentos da comida e da bebida, que o apoiam como duas pernas; mas sugerir que eles têm sido os motivos de todos os seus movimentos na história é dizer que o objetivo de todas as suas marchas militares ou peregrinações religiosas devem ter sido a perna de ouro de miss Kilmansegg[1] ou a perna ideal e perfeita de sir Willoughby Patterne.[2] Mas são esses movimentos que compõem a história da humanidade e sem eles não haveria praticamente nenhuma história. As vacas podem ser puramente econômicas, no sentido de que não conseguimos perceber que elas façam grandes coisas além de pastar e procurar pastagens melhores; e é por isso que uma história das vacas em doze volumes não seria uma leitura muito interessante. Ovelhas e cabras podem ser economistas puros pelo menos em suas ações externas; mas é por isso que a ovelha nunca foi uma heroína de guerras e impérios épicos considerados dignos de uma narração detalhada; e até mesmo o quadrúpede mais ativo não inspirou um livro para crianças intitulado Áureos Feitos de Bodes Valentes ou algum título semelhante. Mas até aqui, no que concerne aos elementos que compõem a argumentação de que o ser humano é um ser econômico, podemos dizer que a história só começa onde o motivo das vacas e ovelhas sai de cena. Será difícil sustentar que os cruzados partiram de suas casas para a vastidão infinita por que as vacas partem de uma vastidão para pastagens mais agradáveis. Será difícil sustentar que os exploradores do Ártico foram para o norte levados pelo mesmo motivo material que fez as andorinhas irem para o sul. E se da história humana excluirmos fatos como todas as guerras religiosas e todas as explorações simplesmente aventureiras, ela não deixará simplesmente de ser humana, mas simplesmente deixará de ser história. O esquema da história é feito dessas curvas e ângulos decisivos determinados pela vontade do homem. A história econômica nem sequer seria uma história.

Mas há uma falácia mais profunda além desse fato óbvio: os homens não precisam viver para a comida pelo mero fato de não poderem viver sem comer. A verdade é que a coisa mais presente na mente do ser humano não é a parafernália econômica necessária para sua existência; é antes a existência em si: o mundo que ele enxerga todas as manhãs ao acordar e a natureza de sua posição geral dentro dele. Há alguma coisa que está mais próxima dele do que o seu sustento: a própria vida. Pois assim que lembra exatamente qual trabalho produz seu salário e qual salário produz suas refeições, ele pensa dez vezes que o dia está bonito ou que este mundo é esquisito, ou se pergunta se o casamento é um fracasso, ou se sente feliz e intrigado com seus filhos, ou recorda a própria juventude, ou de um algum jeito revê a misteriosa sorte humana. Isso é verdade e se aplica à maioria até mesmo de nossos escravos assalariados em nossa mórbida industrialização moderna, que por sua hediondez e desumanidade realmente forçou a questão econômica a ocupar uma posição de destaque. Isso é incomensuravelmente mais verdadeiro se aplicado à multidão de camponeses, ou caçadores, ou pescadores que compõem a massa real da humanidade. Até aqueles insensíveis pedantes que pensam que a ética depende da economia devem admitir que a economia depende da existência. E um número infinito de dúvidas e devaneios normais se refere à existência; não em relação a como podemos viver, mas sobre por que vivemos. A prova disso é muito simples, tão simples quanto o suicídio. Vire-se o universo de cabeça para baixo dentro da mente, e com isso serão virados de cabeça para baixo todos os economistas políticos. Suponha-se que um homem deseje morrer, e o professor de política econômica torna-se um sujeito bastante chato com suas elaboradas explicações de como ele deve viver. E todas as divergências e decisões que fazem de nosso passado uma história têm esse caráter de desviar o curso direto da economia pura. Como o economista pode ser dispensado de calcular o salário futuro de um suicida, assim também pode ser dispensado de prover uma aposentadoria por idade para um mártir. Como ele não precisa garantir o futuro de um mártir, assim também não precisa garantir o sustento da família de um monge. Seu plano é modificado em graus menores e diversos pelo fato de um homem ser soldado e morrer por seu país, de outro ser um camponês e amar de modo especial sua terra, pelo fato de um terceiro ser mais ou menos afetado por uma religião que lhe proíbe ou lhe permite fazer isso ou aquilo. Todavia, essas coisas todas não são lembradas para um cálculo econômico do sustento, mas para uma avaliação elementar da vida. Elas todas são lembradas naquilo que alguém lá no fundo sente, ao contemplar, a partir daquelas estranhas janelas que chamamos olhos, a estranha visão que chamamos de mundo.

Nenhum sábio deseja trazer ao mundo mais palavras compridas. Mas que me seja permitido dizer que precisamos de uma coisa nova; e podemos chamá-la de história psicológica. Refiro-me à consideração do significado das coisas na cabeça de um homem, especialmente de um homem comum, em oposição ao que é definido ou deduzido simplesmente a partir de formalidades oficiais ou pronunciamentos políticos. Já toquei nesse assunto falando de casos como o totem ou ou mesmo qualquer mito popular. Não basta que nos digam que o gato macho era chamado de totem, especialmente quando isso não é verdade. Nós queremos saber que efeito isso causava. Era igual ao gato de Whittington[3] ou igual ao gato de uma bruxa? Seu nome real era Pasht[4] ou Gato de Botas? Esse é o tipo de coisa de que precisamos no tocante à natureza das relações políticas e sociais. O que nós queremos saber é o sentimento real que uniu socialmente muitos homens comuns, tão sensatos e egoístas como nós. Que sentiam os soldados quando viam no céu o esplendor daquele estranho totem que chamamos de Águia de Ouro das Legiões? Que sentiam os vassalos em relação àqueles outros totens, os leões e os leopardos sobre o escudo de seu senhor? Enquanto ignorarmos esse lado subjetivo da história, que mais simplesmente pode ser chamado de lado interior da história, sempre haverá certa limitação naquela ciência que pode ser superada com vantagem pela arte. Enquanto os historiadores não conseguirem fazer isso, a ficção será mais verdadeira que o fato. Haverá mais realidade num romance; isso mesmo, até num romance histórico.

Em nada essa nova história se faz mais necessária do que na psicologia da guerra. Nossa história é engessada por ser construída com documentos oficiais, públicos e privados que nada nos dizem sobre a coisa em si. Na pior das hipóteses, temos apenas cartazes oficiais, que não poderiam ser espontâneos precisamente por serem oficiais. Na melhor das hipóteses, temos apenas a diplomacia secreta, que não poderia ser popular justamente por ser secreta. Numa ou noutra destas duas coisas baseia-se o julgamento histórico acerca das razões reais que sustentaram a luta. Os governos lutam por colônias ou por direitos comerciais; os governos lutam acerca de portos ou de tarifas elevadas; os governos lutam por uma mina de ouro ou um ponto de pesca de pérolas. Basta dizer que o governo absolutamente não luta. Por que lutam os que lutam? Qual é a psicologia que sustenta a coisa maravilhosa e terrível chamada guerra? Ninguém que saiba alguma coisa sobre soldados acredita na ideia tola dos catedráticos segundo a qual milhões de homens podem ser controlados pela força. Se todos eles afrouxassem, seria impossível punir todos os frouxos. E o menor sinal de frouxidão poria a perder em meio dia toda uma campanha. Como se sentiam os homens a respeito da política? Se se disser que eles aceitavam a política por causa de um político, como se sentiam acerca desse político? Se os vassalos lutavam cegamente por seu príncipe, que viam em seu príncipe esses cegos?

Existe algo conhecido de todos nós que só pode ser interpretado, numa linguagem apropriada, como *realpolitik*. Na prática, é quase uma política insensatamente irreal. Está sempre teimosa e estupidamente repetindo que os homens lutam por fins materiais, sem refletir por um instante que os fins materiais quase nunca são materiais para os homens em luta. Seja como for, homem nenhum morrerá por políticas práticas, exatamente como homem nenhum morrerá por alguma remuneração. Nero não poderia contratar cem cristãos para serem devorados por leões por um xelim por hora, pois os homens não aceitam o martírio por dinheiro. Mas a visão evocada pela *realpolitik*, ou política realista, situa-se além de um exemplo maluco e inacreditável. Ninguém neste mundo acredita que um soldado diga: "Estou quase perdendo a perna, mas vou em frente até perdê-la, pois no fim das contas hei de desfrutar de todas as vantagens de meu governo e conseguir um porto de água quente no Golfo da Finlândia". Ninguém pode jamais supor que um escriturário transformado em recruta diga: "Se eu acabar na câmara de gás provavelmente vou morrer torturado; mas é um conforto refletir que se eu um dia decidisse tornar-me um mergulhador e pescador de pérolas no Mares do Sul, essa carreira está agora aberta para mim e para meus compatriotas". A história materialista é a mais louca e incrível de todas as histórias, ou até mesmo de todos os romances. Qualquer que seja o desencadeador bélico específico, o alimento das guerras é alguma coisa na alma: isto é, algo semelhante à religião. É o que os homens sentem acerca da vida e da morte. Um homem perto da morte lida diretamente com um absoluto; é absurdo dizer que ele está preocupado apenas com complicações relativas e remotas que a morte de qualquer jeito vai eliminar. Se ele for sustentado por certas lealdades, estas devem ser lealdades tão simples como a morte. Há geralmente duas ideias, que são dois lados de uma única ideia. A primeira é o amor por algo que se diz ameaçado, mesmo que seja algo apenas vagamente conhecido como "casa"; a segunda é a aversão e o desafio em relação a alguma coisa alienígena que ameaça a casa. A primeira é mais filosófica do que parece, embora não precisemos discutir isso aqui. Um cidadão não quer ver sua casa nacional destruída ou sequer mudada, porque ele não consegue sequer se lembrar de todas as coisas boas relacionadas a ela; exatamente do mesmo modo que um cidadão não quer ver sua casa queimada, porque ele mal consegue contar todas as coisas de que depois sentiria falta. Por isso ele luta por aquilo que parece uma abstração confusa, mas que na realidade é uma casa. Mas o lado negativo é igualmente muito nobre e muito forte. O homem luta com mais vigor quando sente que o inimigo é ao mesmo tempo um velho inimigo e um eterno estranho, sentem que a atmosfera é alienígena e antagônica; como se sentem os franceses em relação aos prussianos ou os cristãos orientais em relação aos turcos. Se dissermos que se trata de uma diferença de religião, as pessoas se deixarão levar por melancólicas briguinhas sobre seitas e dogmas. Nós teremos pena delas e diremos que se trata de uma diferença acerca da morte e da luz do dia; uma diferença que de fato chega como uma sombra escura entre nossos olhos e o dia. Os homens podem pensar nessa diferença até mesmo na hora de morrer; pois é uma diferença sobre o significado da vida.

O que comove os homens nessas coisas é algo muito mais alto e mais santo do que a política: é o ódio. Quando eles persistiram nos dias mais atrozes da Grande Guerra, sofrendo no corpo ou na alma por aqueles que amavam, muito longe estavam de preocupar-se com objetivos diplomáticos como motivos de sua recusa a se render. Por mim mesmo e pelas pessoas que melhor conheço posso dizer qual foi a visão que impossibilitou a rendição. Foi a visão da cara do imperador alemão entrando em Paris. Esse não é um sentimento que alguns de meus amigos idealistas descreveria como amor. Eu me dou por muito satisfeito em chamá-lo ódio, o ódio do inferno e de todas as suas obras; e em concordar que, como eles não acreditam no inferno, também não precisam acreditar no ódio. Mas, diante desse preconceito predominante, esta longa introdução se fez infelizmente necessária, para garantir um entendimento do que significa uma guerra religiosa. Há uma guerra religiosa quando dois mundos se chocam; isto é, quando duas visões de mundo se chocam; ou então, numa linguagem mais moderna, quando duas atmosferas morais se chocam. O que para um homem é o ar que se respira, para outro é veneno; e é inútil falar em dar à pestilência um lugar ao sol. É isso que precisamos entender, mesmo às custas de digressões, se quisermos ver o que realmente aconteceu no Mediterrâneo; quando bem no meio da rota da emergente República do Tibre, como uma coisa que a excedia e desdenhava, ameaçadora com seus enigmas da Ásia e arrastando todas as tribos e tributários do imperialismo, veio Cartago cavalgando as ondas do mar.

A antiga religião da Itália era no seu todo aquela mistura que consideramos no tópico da mitologia; excetuando-se o fato de que onde os gregos tinham uma tendência natural para a mitologia, os latinos ao que parece tinham uma verdadeira queda para a religião. Ambos multiplicavam deuses, mas às vezes fica a impressão de que os multiplicavam por razões opostas. Às vezes parece que o politeísmo grego se ramificou para cima como os galhos de uma árvore, ao passo que o politeísmo italiano se ramificou para baixo como as raízes. Talvez fosse mais verdadeiro dizer que os ramos do primeiro se levantaram leves, carregando flores, enquanto os do segundo penderam para baixo, com o peso dos frutos. Quero dizer que os latinos parecem multiplicar os deuses para trazê-los para mais perto dos homens, ao passo que os deuses gregos foram subindo, irradiando-se para fora no céu da manhã. O que nos chama a atenção nos cultos italianos é seu caráter local, e especialmente seu caráter doméstico. Ficamos com a impressão de divindades fervilhando pela casa como moscas; ou deidades agrupando-se e mantendo-se unidas como morcegos em volta das colunas ou fazendo ninhos nos beirais da casa. Temos uma visão de um deus do telhado e um deus do portal, de um deus das portas e até mesmo um deus dos escoadouros. Alguém já sugeriu que toda a mitologia era uma espécie de história de fantasia; mas essa era uma espécie particular de história de fantasia que pode verdadeiramente ser chamada de conto ao pé do fogão ou conto infantil; porque era um conto do interior do lar; como aqueles que fazem cadeiras e mesas falar como elfos. Os antigos deuses da família dos camponeses italianos parecem ter sido imagens de madeira, grandes e desajeitadas, mais disformes que a imagem da cabeça que Quilp[5] arrebentou com um atiçador. Essa religião da casa era muito caseira. Obviamente havia outros elementos menos humanos no emaranhado da mitologia italiana. Havia deidades gregas sobrepostas às romanas; havia aqui e acolá coisas mais feias subjacentes, experimentos de um paganismo cruel, como o ritual de Arícia, em que o sacerdote abatia o assassino.[6] Essas coisas sempre existiram potencialmente no paganismo, mas com certeza não mostram o caráter particular do paganismo latino. Essa peculiaridade pode ser grosso modo explicada dizendo-se que, se a mitologia personificou as forças da natureza, a mitologia do paganismo latino personificou a natureza transformada pelas forças do homem. Era o deus do trigo e não do capim, do gado e não dos animais selvagens da floresta; em resumo, o culto era literalmente uma cultura; como quando falamos dele como agricultura.

Há nisso um paradoxo que para muitos ainda é o quebra-cabeça ou o enigma dos latinos. A religião, que impregna cada detalhe doméstico como uma trepadeira, era acompanhada por aquilo que aos olhos de muitos parece exatamente o espírito oposto: o espírito da revolta. Os imperialistas e os reacionários muitas vezes invocam Roma como o próprio modelo de ordem e obediência; mas Roma era exatamente o contrário. A história real da antiga Roma é muito mais parecida com a história da moderna Paris. Poderia ser chamada na linguagem moderna de cidade construída com barricadas. Diz-se que a porta de Janus nunca foi fechada porque havia uma eterna revolução do lado de fora; também se pode afirmar sem erro que havia uma guerra eterna do lado de dentro. Dos primeiros motins plebeus até a última guerra de escravos, o Estado que impunha a paz ao mundo nunca esteve realmente em paz. Os próprios governantes eram rebeldes.

Há uma relação real entre essa religião na vida privada e essa revolução na vida pública. Histórias não menos heroicas por serem comuns nos lembram que a República foi fundada sobre um tiranicídio que vingou um insulto dirigido a uma esposa; que os tribunos do povo foram reempossados depois de outro tiranicídio que vingou um insulto dirigido a uma filha. A verdade é que apenas homens para quem a família é sagrada podem atingir um padrão ou parâmetro que lhes permite criticar o Estado. Somente eles podem apelar para algo mais santo do que os deuses da cidade: os deuses do lar. É por isso que as pessoas ficam perplexas quando veem que as mesmas nações que são rígidas na vida doméstica também são consideradas irrequietas na vida política, por exemplo, os irlandeses e os franceses. Vale a pena debruçar-se sobre esse ponto doméstico por se tratar de um exemplo exato do que se quer dizer aqui por história interior, como o interior das casas. Histórias meramente políticas de Roma podem estar bastante certas na afirmação de que este ou aquele foi um gesto cínico ou cruel dos políticos romanos; mas o espírito que elevou Roma desde lá debaixo foi o espírito de todos os romanos; e não é hipocrisia chamá-lo de o ideal de Cincinato que passou do senado para o arado. Homens desse tipo haviam fortalecido sua aldeia de todos os lados, já haviam estendido as vitórias dela sobre italianos e até sobre gregos, quando se viram diante de uma guerra que mudou o mundo. Eu a chamei aqui de guerra dos deuses e demônios.

Estabelecera-se na costa oposta do mar interior uma cidade que levava o nome de Nova Cidade. Já era muito mais velha, mais poderosa e mais próspera do que a cidade italiana; mas ainda estava envolvida numa atmosfera que fazia seu nome não ser inapropriado. Fora chamada de nova porque era uma colônia, como Nova York ou Nova Zelândia. Era um posto avançado ou um assentamento da energia e expansão das grandes cidades comerciais de Tiro e Sidom. Havia nela uma marca dos novos países e colônias: uma confiante perspectiva comercial. Ela gostava de dizer coisas que tinham certo timbre metálico de segurança; como, por exemplo, que ninguém poderia lavar as mãos no mar sem a permissão da Nova Cidade. Pois ela dependia quase exclusivamente da grandeza de seus navios, como acontecia com os dois grandes portos e mercados de onde provinha seu povo. Ela trouxe de Tiro e Sidom um prodigioso talento comercial e uma considerável experiência em viagens. Trouxe também outras coisas.

Num dos capítulos anteriores sugeri que algo da psicologia está por trás de certo tipo de religião. Naquela gente ávida por resultados práticos, além de resultados poéticos, havia uma tendência a invocar espíritos do terror e da compulsão; a comover o Aqueronte após perder a esperança de propiciar os deuses. Sempre existe uma espécie de crença obscura de que esses poderes mais sombrios irão de fato agir, sem brincar em serviço. Na psicologia interior dos povos púnicos, essa estranha espécie de pessimismo prático havia assumido grandes proporções. Na Nova Cidade, que os romanos denominaram Cartago, assim como nas cidades-mães da Fenícia, o deus que fazia acontecer coisas tinha o nome de Moloque, e talvez ele fosse a mesma divindade que nós conhecemos como Baal, o Senhor. Os romanos no início não sabiam bem que nome lhe dar ou o que fazer com ele; tiveram de regressar ao mais grosseiro mito das origens gregas ou romanas e compará-lo a Saturno devorando os próprios filhos. Mas os adoradores de Moloque não eram grosseiros ou primitivos. Eram membros de uma civilização madura e polida, repleta de refinamento e luxo; eram provavelmente muito mais civilizados que os romanos. E Moloque não era um mito; ou, de qualquer modo, não era um mito o seu alimento. Esse povo altamente civilizado de fato se reunia para invocar as bênçãos do céu sobre seu império, e centenas de crianças eram atiradas numa grande fornalha. Podemos entender essa combinação de ações imaginando muitos comerciantes de Manchester usando cartolas altas como chaminés e costeletas sustentando a barba indo para a igreja todos os domingos às onze horas para ver um bebê ser assado vivo.

Os primeiros estágios da briga política e comercial podem ser seguidos em todos os detalhes por se tratar de uma briga meramente política e comercial. Houve um tempo em que as guerras púnicas davam a impressão de não acabar nunca; e não é fácil dizer quando elas começaram. Os gregos e os sicilianos já haviam vagamente combatido do lado dos europeus contra a cidade africana. Cartago havia derrotado a Grécia e conquistado a Sicília. Cartago também se plantara com firmeza na Espanha; e, entre a Espanha e a Sicília, a cidade latina ficou encurralada e teria sido facilmente esmagada, se os romanos fossem do tipo de gente que pode ser facilmente esmagada. No entanto, o interesse da história reside realmente no fato de Roma ter sido esmagada. Sem a interferência de certos elementos morais e também materiais, a história teria terminado exatamente no ponto em que Cartago julgou que ela tinha terminado. É muito comum condenar Roma por não fazer as pazes. Mas um instinto popular dizia que não poderia haver paz com aquele tipo de gente. É muito comum condenar Roma por sua *Delenda est Carthago:* Cartago deve ser destruída. É mais comum ainda esquecer, diante de todas as aparências, que a própria Roma foi destruída. Com demasiada frequência se esquece de que a atmosfera sagrada que envolveu

Roma para sempre se deveu em parte ao fato de ela ter ressuscitado dos mortos.

Cartago era uma aristocracia, assim como acontece com a maioria dos estados mercantilistas. A pressão dos ricos sobre os pobres era tão impessoal quanto irresistível. Pois essas aristocracias jamais permitem um governo pessoal, e talvez essa seja a razão de o governo cartaginês ter tido ciúme do talento pessoal. Mas o gênio pode surgir em qualquer lugar, até mesmo no seio de uma classe governante. Como se fosse para tornar terrível ao extremo a prova suprema do mundo, decretou o destino que uma das casas mais nobres de Cartago produzisse um homem que saiu daqueles palácios dourados com a energia e originalidade de um Napoleão provindo de lugar nenhum. Na pior crise da guerra, Roma soube que a própria Itália, por um milagre militar, foi invadida pelo norte. Aníbal, a Graça de Baal como seu nome dizia em sua própria língua, arrastara um pesadíssimo séquito de armas por sobre as estreladas solidões dos Alpes; e rumava para o sul na direção da cidade que ele, por todos os seus terríveis deuses, se comprometera a destruir.

Aníbal marchou para Roma, e os romanos que se apressaram a lutar contra ele tiveram a impressão de estar combatendo um mago. Dois grandes exércitos se afundaram à direita e à esquerda de Aníbal nos charcos da Trébia; outros foram tragados no terrível redemoinho de água de Canas; outros mais acorreram para ser arruinados a seu toque. O sinal supremo de todos os desastres, a traição, levou uma tribo atrás de outra a se rebelar contra a causa perdida de Roma, e mesmo assim o invencível inimigo fazia rufar seus tambores cada vez mais perto da cidade: seguindo seu grande líder, o crescente exército cosmopolita de Cartago passava como um desfile do mundo inteiro: elefantes que faziam tremer o chão como se fossem montanhas em marcha, gigantescos gauleses com sua armadura bárbara e os escuros espanhóis cingidos de ouro e morenos númidas sobre seus desenfreados cavalos do deserto girando e dardejando como falcões e multidões de desertores, mercenários e todo o tipo de gente; a Graça de Baal avançava diante deles.

Os áugures e escribas romanos que naquela situação anunciaram prodígios sinistros (nasceu uma criança com cabeça de elefante, estrelas caíram como granizo) captaram muito mais a filosofia daqueles acontecimentos do que os historiadores modernos que naquilo só conseguem ver o sucesso de uma estratégia pondo fim a uma rivalidade comercial. Algo totalmente diferente foi o que se sentiu naquele exato momento e lugar, algo que sempre sentem os que experimentam uma atmosfera estrangeira penetrando na atmosfera de sua casa como uma névoa ou um sabor desagradável. Não era uma derrota militar, nem certamente uma simples rivalidade mercantil que enchia a imaginação romana com esses horrendos presságios que tornavam a própria natureza inatural. Era Moloque sobre a montanha dos latinos, olhando com seu rosto horrível através da planície; era Baal que pisava os vinhedos com seus pés de pedra; era a voz de Tanite, a invisível, por trás de seus longos véus, sussurrando sobre o amor que é mais horrível que o ódio. A queima dos campos de trigo e a destruição dos vinhedos italianos foram mais que coisas concretas; foram alegorias. Foram a destruição de bens domésticos e bens lucrativos, o enfraquecimento do que era humano, antes daquela desumanização que vai muito além da marca humana chamada crueldade. Os deuses da família se curvaram até o chão entrevados sob seus tetos baixos; e acima deles cavalgavam os demônios nas asas de um vento que vinha de fora dos muros, soprando a trombeta da tramontana. A porta dos Alpes caíra ao chão; e em sentido nada vulgar, mas sim muito solene, era o inferno que estava às soltas. A guerra dos deuses e demônios parecia ter acabado; e os deuses estavam mortos. As águias estavam perdidas, as legiões estavam desfeitas; e em Roma nada restava exceto a honra e a fria coragem do desespero.

No mundo inteiro havia uma só coisa que ainda ameaçava Cartago, e era Cartago. Ainda havia a ação interior de um elemento forte em todos os Estados comerciais bem-sucedidos, e a presença de um espírito que é nosso conhecido. Ainda havia a sólida sensatez e a perspicácia dos administradores de grandes empresas; ainda havia o aconselhamento dos peritos em finanças; ainda havia o governo comercial; ainda havia a ampla e sensata visão dos práticos negociadores do Estado; e nessas coisas os romanos podiam ter esperança. Quando a guerra se arrastava para o que parecia seu trágico fim, foi aos poucos surgindo uma leve e estranha possibilidade de que mesmo àquela altura os romanos talvez não esperassem em vão. Os simplórios comerciantes de Cartago, pensando como costumam pensar esses homens em termos de raças que vivem e morrem, viram com clareza que Roma não estava apenas morrendo; estava morta. A guerra terminara; obviamente a resistência da cidade italiana já não fazia sentido, e era inconcebível que alguém resistisse sem nenhuma esperança. Nessas circunstâncias, havia outro conjunto de amplos e sólidos princípios comerciais a considerar. As guerras eram mantidas com dinheiro e, consequentemente, custavam dinheiro; talvez eles sentissem em seu coração, como faz muita gente dessa espécie, que no fim das contas a guerra devesse ser um pouco perversa, pois custa dinheiro. Chegara agora o tempo da paz; e mais ainda, da economia. Os recados enviados por Aníbal de tempos em tempos pedindo reforços eram um anacronismo ridículo; havia agora coisas muito mais importantes a cuidar. Pode ser verdade que um ou outro cônsul fez uma última investida na batalha do rio Metaurus, matou o irmão de Aníbal, Asdrúbal e, num gesto de fúria latina, atirou a cabeça dele para dentro do campo de Aníbal. Atos de loucura desse tipo mostravam o total desespero dos latinos em relação a sua causa. Mas nem mesmo esses irritáveis latinos poderiam ser loucos a ponto de se aterem para sempre a uma causa perdida. Assim argumentavam os melhores peritos em finanças; e arquivavam cartas e mais cartas, repletas de estranhíssimos relatórios alarmistas. Assim argumentou e agiu o grande império cartaginês. Aquele preconceito absurdo, a maldição dos Estados comerciais, de que a estupidez é de certo modo prática e de que o gênio é de certo modo fútil, os levou a abandonar e subjugar pela fome aquele grande artista na escola das armas, que os deuses lhes haviam dado em vão.

Por que os homens cogitam esta estranha ideia de que o sórdido deve sempre derrubar o magnânimo; de que há alguma vaga ligação entre o cérebro e a brutalidade; ou de que não importa que alguém seja obtuso desde que também seja malvado? Por que eles têm a vaga sensação de que todo cavalheirismo é sentimento e todo sentimento é fraqueza? Eles agem assim porque são, como todos os homens, primeiramente inspirados pela religião. Para eles, como para todos os homens, o primeiro fato é sua noção da natureza das coisas; sua ideia acerca do mundo em que vivem. E a crença deles é que a única coisa suprema é o medo e, portanto, que o próprio âmago do mundo é mau. Eles acreditam que a morte é mais forte que a vida e, portanto, as coisas mortas devem ser mais fortes que as vivas; sejam essas coisas mortas ouro, ferro e máquinas, ou rochas, rios e forças da natureza. Pode parecer fantasioso dizer que os homens que encontramos tomando um chá ou participando de uma festa ao ar livre são em segredo adoradores de Baal ou Moloque. Mas esse tipo de mentalidade comercial tem sua própria visão cósmica, e é a visão de Cartago. Ela encerra o erro brutal que foi a ruína daquela cidade. O poder púnico ruiu por existir nesse materialismo uma insensata indiferença para com o pensamento real. Deixando de crer na alma, ele deixa de crer na mente. Sendo prático demais para ser moral, ele nega o que todo soldado prático chama de moral de um exército. Ele imagina que o dinheiro lutará quando os homens já não lutarem mais. Foi o que aconteceu com os príncipes comerciantes púnicos. A religião deles era uma religião de desespero, mesmo quando sua fortuna era auspiciosa. Como poderiam entender que os romanos pudessem ter esperanças diante de uma fortuna inviável? A religião deles era uma religião de força e temor;

como poderiam entender que os homens ainda conseguem desprezar o medo, mesmo quando se submetem à força? A filosofia de mundo deles tinha o cansaço em sua própria essência; acima de tudo, eles estavam cansados da atividade bélica; como deveriam entender aqueles que ainda pelejam mesmo quando estão cansados disso? Numa palavra, como deveriam entender a mentalidade do homem que por tanto tempo se curvara ante coisas estúpidas, o dinheiro e a força bruta e os deuses que tinham o coração de feras? Eles de repente acordaram para a notícia de que as cinzas que eles haviam tratado com tal desdém a ponto de não se dignarem pisoteá-las para as apagar estavam de novo irrompendo em chamas por toda parte; de que Asdrúbal fora derrotado, Aníbal fora superado em números, Cipião havia levado a guerra para a Espanha; depois a levara para a África. Exatamente diante das portas da cidade dourada Aníbal travou sua última batalha por ela e perdeu; e Cartago caiu numa queda sem par desde a de Satã. O nome da Nova Cidade permanece apenas como um nome. Dela não resta nenhuma pedra sobre a areia. Outra guerra na verdade foi travada antes da destruição final: mas a destruição foi final. Somente homens solitários que escavaram suas profundas bases séculos mais tarde encontraram uma pilha de centenas de pequenos esqueletos, as sagradas relíquias daquela religião. Pois Cartago caiu por ser fiel a sua própria filosofia e por seguir até a conclusão lógica sua própria visão do universo. Moloque devorara seus filhos.

Os deuses haviam ressuscitado mais uma vez, e os demônios haviam sido finalmente derrotados. Mas haviam sido derrotados pelos derrotados, e praticamente pelos mortos. Ninguém entende o romance de Roma, e por que ela ressurgiu para ser depois uma liderança representativa que parecia quase predestinada e fundamentalmente natural. Quem não se lembra da agonia de horror e humilhação através da qual ela continuou dando testemunho em favor da sensatez que é a alma da Europa? Ela passou a ocupar uma posição única no centro de um império porque anteriormente ocupara solitária uma posição em meio à ruína e à destruição. Depois disso todos sabiam lá no fundo que ela representara a humanidade, mesmo quando rejeitada pelos homens. E caiu sobre ela o prenúncio de uma luz brilhante ainda invisível e o peso do porvir. Não cabe a nós conjeturar de que modo ou em que momento a misericórdia de Deus poderia ter resgatado o mundo; mas não resta dúvida de que a luta que estabeleceu a cristandade teria sido muito diferente se tivesse havido um império de Cartago em vez de um império de Roma. Temos de render graças à paciência das guerras púnicas se, em épocas posteriores, coisas divinas desceram pelo menos sobre coisas humanas e não desumanas. A Europa evoluiu com seus próprios vícios e sua própria impotência, como será sugerido em outra página; mas o lado pior de sua evolução não era como aquele do qual ela fugira. Pode alguém em sã consciência comparar o grande boneco de madeira, que as crianças supunham que viria comer pequena parte de seu jantar, com o grande ídolo que supostamente comeria as crianças? Essa é a medida de quanto o mundo se extraviara, num contraste com quanto ele poderia ter-se extraviado. Se os romanos foram cruéis, isso se deu num sentido verdadeiro contra um inimigo, e com certeza não contra um simples rival. Eles se lembravam não das rotas e regras comerciais, mas sim do rosto de homens sarcásticos; e odiavam a alma odiosa de Cartago. E nós lhes devemos alguma gratidão por nunca termos tido de destruir os bosques de Vênus exatamente como foram destruídos os bosques de Baal. Devemos em parte à rispidez deles o fato de nossos pensamentos sobre o passado humano não serem totalmente ríspidos. Se a passagem do paganismo para o cristianismo foi uma ponte e ao mesmo tempo uma ruptura, devemos isso àqueles que preservaram a humanidade do paganismo. Se, depois de todos esses séculos, de certo modo estamos em paz com o paganismo, e podemos pensar mais cordialmente em nossos pais, é bom lembrar as coisas que aconteceram e as que poderiam ter acontecido. Só por isso podemos aceitar com leveza o fardo da antiguidade e não precisamos sentir calafrios ante uma ninfa numa fonte ou um cupido num cartão de amor. Riso e tristeza nos ligam a coisas acontecidas há tanto tempo e lembradas sem desonra; e podemos ver com uma pontinha de ternura o crepúsculo descendo sobre a fazenda Sabina[7] e ouvir os deuses familiares alegrando-se quando Catulo volta para casa em Sírmio.[8] *Deleta est Carthago.*

8

O fim do mundo

Certa vez num dia de verão estava eu sentado num prado em Kent à sombra de uma igrejinha de aldeia, tendo ao meu lado um companheiro bastante curioso com quem eu acabara de passear pelo bosque. Ele fazia parte de um grupo de excêntricos que eu havia encontrado durante meu passeio e seguia uma religião denominada pensamento superior; e nisso eu já havia sido iniciado o suficiente para perceber a atmosfera geral de superioridade ou estrutura e esperava descobrir num estágio posterior e mais esotérico os primórdios do pensamento. Meu companheiro era o mais divertido do grupo, pois, independentemente de sua posição em relação ao pensamento, ele no mínimo era muito superior aos outros em experiência, tendo viajado além dos trópicos enquanto eles meditavam nos subúrbios; mas ele era acusado de exceder-se ao fazer seus relatos de viajante. Apesar de tudo o que se dizia contra ele, eu o preferi a seus companheiros e de bom grado caminhei com ele pela floresta; e ali não pude evitar a sensação de que seu rosto queimado com as sobrancelhas grossas e severas e a barba pontuda lhe davam algo da aparência de Peter Pan. Depois nos sentamos no prado e ficamos olhando para as copas das árvores e para o pináculo da igreja da aldeia; enquanto a tarde se abrandava e começava a cair e a canção distante de um passarinho vinha lá do alto do céu e apenas uma brisa refrescava mais que agitava os velhos pomares do jardim da Inglaterra. Então meu companheiro disse: "Você sabe por que o pináculo daquela igreja sobe daquele jeito?". Expressei um respeitável agnosticismo, e ele respondeu de modo informal: "Ah; é como um obelisco; o culto fálico da antiguidade". Virei-me então para ele de repente e vi certa malícia em seus olhos em cima daquela barba que parecia de bode; por um momento pensei que ele não era Peter Pan, era o Diabo. Não há palavras mortais capazes de expressar a imensa, a insana incongruência e a inatural perversão de pensamento implícitas na expressão de uma coisa dessas num momento desses e num lugar desses. Por um momento senti aquela disposição que leva os homens a queimar bruxas; e depois uma sensação de absurdidade igualmente enorme pareceu abrir-se a meu redor como uma alvorada. "Ora, é claro", disse eu depois de refletir um instante, "se não fosse para um culto fálico, eles teriam construído o pináculo de ponta para baixo apoiando-se sobre seu próprio ápice." Eu poderia ter ficado rindo lá naquele campo durante uma hora. Meu amigo não parecia ofendido, pois de fato ele nunca foi sensível à crítica no que se refere a suas descobertas científicas. Eu só o conhecera por acaso e nunca mais me encontrei com ele, e acredito que já tenha falecido; mas embora isso não tenha nada a ver com a argumentação, pode valer a pena mencionar o nome desse adepto do pensamento superior e intérprete das origens religiosas primitivas; ou de qualquer modo o nome pelo qual ele ficou conhecido. Era Louis de Rougemont.

A absurda imagem de igrejinha kentiana apoiando-se em seu pináculo, como numa história rústica e confusa, sempre volta à minha imaginação quando ouço essas coisas que se dizem sobre origens pagãs; e vem em meu socorro a risada dos gigantes. Então me sinto cordial e caridoso com todos os outros pesquisadores científicos, críticos proeminentes e autoridades em religião antiga e moderna como me sinto em relação ao pobre Louis de Rougemont. Mas a memória daquele absurdo imenso permanece como uma espécie de medida de controle para manter a sensatez, não apenas sobre o assunto das igrejas cristãs, mas também sobre o tema dos templos pagãos. Ora, muitas pessoas têm falado sobre as origens pagãs como o ilustre viajante falava sobre as origens cristãs. De fato, muitos pagãos modernos têm sido muito duros com o paganismo. Muitos humanitários modernos têm sido muito duros com essa verdadeira religião da humanidade. Eles o representam como sendo em toda a parte e desde o princípio enraizado apenas nesses repulsivos enigmas; e caracterizado por algo totalmente desavergonhado e anárquico. Ora, não acredito nisso nem por um instante. Eu nunca pensaria acerca de todo o culto de Apolo aquilo que De Rougemont era capaz de pensar acerca da adoração de Cristo. Eu nunca admitiria que numa cidade grega houvesse aquela atmosfera que aquele maluco conseguiu farejar na aldeia de Kent. Pelo contrário, constitui toda a argumentação, mesmo deste capítulo final sobre a decadência do paganismo, insistir mais uma vez no fato de que a pior espécie de paganismo já havia sido derrotada pela melhor espécie. Foi a melhor espécie de paganismo que conquistou o ouro de Cartago. Foi a melhor espécie de paganismo que cingiu à cabeça os lauréis de Roma. Tudo considerado em grande escala, foi a melhor coisa que o mundo viu até então, aquela que dominava desde a parede dos montes Grampianos até o jardim do Eufrates. Foi a parte melhor que conquistou; foi a parte melhor que dominou; e foi a parte melhor que começou a decair.

Sem o entendimento dessa verdade mais ampla, toda a história parece distorcida. O pessimismo não consiste em sentir-se cansado do mal, mas em sentir-se cansado do bem. O desespero não consiste em sentir-se cansado do sofrimento, mas em sentir-se cansado da alegria. Quando por algum motivo as coisas boas de uma sociedade deixam de funcionar, essa sociedade entra em declínio; quando seu alimento não alimenta, quando seus remédios não curam, quando suas bênçãos não abençoam. Quase poderíamos dizer que numa sociedade desprovida dessas coisas boas nós praticamente não teríamos nenhum teste pelo qual registrar o declínio; é por isso que algumas oligarquias comerciais estáticas como Cartago parecem na história múmias que só ficam observando, tão secas e enfaixadas e embalsamadas que ninguém sabe se são novas ou velhas. De qualquer modo Cartago estava morta, e o pior ataque jamais empreendido pelos demônios contra a sociedade humana havia sido rechaçado. Mas até que ponto seria importante que o pior estivesse morto se o melhor estava morrendo?

Para começar, deve-se observar que a relação de Roma com Cartago praticamente se repetiu e se estendeu em seus relacionamentos com nações mais normais e mais parecidas com ela do que Cartago. Mas não me interessa aqui contestar a visão meramente política de que os estadistas romanos agiram sem escrúpulos contra Corinto e as cidades gregas. Estou interessado em contradizer a ideia de que nada havia além de uma desculpa hipócrita na aversão comum dos romanos pelos vícios gregos. Não estou apresentando esses pagãos como paladinos do cavalheirismo, com um sentimento nacionalista jamais conhecido antes dos tempos cristãos. Mas estou apresentando-os como homens com sentimentos de homens; e esses sentimentos não eram fingidos. A verdade é que uma das fraquezas do culto da natureza e da mera mitologia já havia produzido uma perversão entre os gregos, em razão da pior sofística: a sofística da simplicidade. Da mesma forma que eles se tornaram inaturais adorando a natureza, assim eles de fato se tornaram efeminados adorando o homem. Se a Grécia conduzisse seu conquistador, ela poderia tê-lo corrompido; mas essas eram as coisas que ele sempre quis desde as origens conquistar — até em si mesmo. É verdade que em certo sentido houve menos desumanidade até mesmo em Sodoma e Gomorra do que em Tiro e Sidom. Quando consideramos a guerra dos demônios contra as crianças, não podemos comparar nem mesmo a decadência grega com o satanismo púnico. Mas não é verdade que a sincera repugnância por uma e por outra coisa seja necessariamente farisaica. Qualquer rapaz que teve a sorte de crescer de modo sensato e simples em seus devaneios amorosos, mais do que chocado, se sentirá enojado ao ouvir falar pela primeira vez sobre o culto de Ganimede. E essa primeira impressão, como tantas vezes já se disse aqui sobre as primeiras impressões, estará certa. Nossa cínica indiferença é uma ilusão, a maior de todas as ilusões, a ilusão da familiaridade. É correto imaginar as virtudes mais ou menos rústicas da plebe dos romanos originais reagindo com total espontaneidade e sinceridade contra a simples menção disso. É correto imaginá-los reagindo, mesmo que num grau menor, exatamente como fizeram contra a crueldade de Cartago. Por ser num grau menor eles não destruíram Corinto como destruíram Cartago. Mas se sua atitude e ação foram bastante destrutivas, em nenhum dos dois casos sua indignação foi mero farisaísmo encobrindo mero egoísmo. E, se alguém insistir dizendo que nada nesses dois casos poderia ter funcionado, a não ser razões de Estado e conspirações econômicas, nós só podemos lhe responder que existe algo fora do alcance de seu entendimento: ele nunca entenderá os latinos. Esse algo se chama democracia. Ele talvez tenha ouvido essa palavra muitas vezes e talvez até a tenha usado; mas não faz ideia do que ela significa. Através de toda a história revolucionária de Roma houve um incessante impulso para a democracia; o Estado e o estadista não podiam fazer nada sem se apoiar de forma considerável na democracia; o tipo de democracia que nunca tem nada a ver com a diplomacia. Deve-se precisamente à presença da democracia romana o fato de ouvirmos falar tanto da oligarquia romana. Por exemplo, alguns historiadores recentes tentaram explicar o valor e a vitória de Roma em termos da detestável e detestada usura praticada por alguns dos patrícios; como se Cúrio houvesse conquistado os soldados da falange da Macedônia emprestando-lhes dinheiro; ou como se o cônsul Nero houvesse negociado a vitória de Metauro a uma taxa de cinco por cento. Mas nós entendemos a usura dos patrícios devido à perpétua revolta dos plebeus. O governo dos príncipes mercantilistas púnicos tinha exatamente a alma da usura. Mas nunca houve uma multidão púnica que ousasse chamá-los de usurários.

Acabrunhado como todas as coisas mortais pelo fardo de todos os pecados e fraquezas mortais, o surgimento de Roma fora de fato o surgimento de coisas normais e especialmente populares; e isso se deu mais que em qualquer outra coisa no ódio perfeitamente normal e profundamente popular contra a perversão. Ora, entre os gregos uma perversão se tornara uma convenção. É verdade que se tornara em tal grau uma convenção, especialmente literária, que foi às vezes convencionalmente copiada pelos literatos romanos. Mas essa é uma daquelas complicações que sempre nascem de convenções. Isso não deve obscurecer nossa percepção da diferença de tom das duas sociedades como um todo. É verdade que Virgílio vez ou outra se servia de um tema de Teócrito; mas não se pode ter a impressão de que Virgílio gostasse de modo especial daquele tema. Os temas de Virgílio foram de modo especial e notável os temas normais, sobretudo no tratamento de princípios morais: a piedade, o patriotismo e a honra da vida no campo. E nós bem podemos nos deter e examinar esse poeta ao entrarmos no outono da antiguidade; ele que foi num sentido supremo a própria voz do outono, de sua maturidade e melancolia; de seus frutos de realizações e suas perspectivas de decadência. Ninguém que leia mesmo que sejam apenas uns poucos versos de Virgílio pode duvidar de que ele entendia o que significa sanidade mental para a humanidade. Ninguém pode pôr em dúvida seus sentimentos quando os demônios foram postos em fuga pelos deuses da família. Mas há dois pontos particulares envolvendo Virgílio e sua obra que são especialmente importantes para a tese principal aqui defendida. O primeiro é que o todo de seu grande e patriótico poema épico num sentido muito particular se funda na queda de Troia; isto é, sobre um confessado orgulho de Troia, embora ela houvesse caído. Ao localizar nos troianos a fundação de sua bem-amada raça e república, ele começou o que se pode chamar de a grande tradição troiana que perpassa a história medieval e a moderna. Já vimos a primeira sugestão disso no *pathos* de Homero acerca de Heitor. Mas Virgílio fez disso não apenas literatura, fez também uma lenda. E foi a lenda da dignidade quase divina que pertence aos vencidos. Essa foi uma das tradições que de fato preparou o mundo para a chegada do cristianismo, em especial do cavalheirismo cristão. Foi isso que ajudou a sustentar a civilização através das incessantes derrotas da Idade das Trevas e das guerras bárbaras, de onde saiu o que denominamos cavalheirismo. É a atitude moral do homem com suas costas contra o muro; e o muro era o de Troia. Através de todas as épocas medievais e modernas essa versão das virtudes no conflito homérico pode ser rastreada numa centena de formas que colaboraram com tudo o que era parecido com elas no sentimento cristão. Nossos compatriotas, e os homens de outros países, gostavam de afirmar como Virgílio que sua própria nação descendera dos heroicos troianos. Pessoas de todos os tipos julgavam que a mais nobre heráldica consistia em reivindicar uma descendência de Heitor. Ninguém ao que parece queria ser descendente de Aquiles. O próprio fato de o nome troiano ter-se tornado um nome cristão e de ter sido disseminado até os confins da cristandade, na Irlanda ou nas montanhas gaélicas, enquanto o nome grego permaneceu relativamente raro e pedante, é um tributo a essa mesma verdade. O nome foi transformado num verbo; e a própria expressão inglesa sobre *hectoring*, no sentido de fazer-se de valentão, sugere o número incontável de soldados que tomaram a Troia caída como modelo. De fato, ninguém na antiguidade se entregou menos ao *hectoring* do que Heitor. Mas até mesmo o valentão que fingiu ser um conquistador tomou seu título do conquistado. É por isso que a popularização da origem de Troia de Virgílio tem uma relação vital com todos aqueles elementos que levaram os homens a dizer que Virgílio foi quase um cristão. É como se dois grandes instrumentos ou brinquedos feitos do mesmo tronco de madeira, o divino e o humano, houvessem estado nas mãos da Providência; e a única coisa comparável à cruz de madeira do Calvário foi o cavalo de madeira de Troia.

Assim, seguindo uma desvairada alegoria, piedosa em seu propósito posto que profana na forma, a Sagrada Criança poderia ter combatido o dragão com uma espada de madeira e um cavalinho de pau.

O outro elemento em Virgílio que é essencial para a minha argumentação é a natureza particular de sua relação com a mitologia; ou com aquilo que num sentido especial podemos chamar de folclore: as crenças e fantasias da plebe. Todos sabem que sua poesia nos momentos mais perfeitos se preocupa menos com a pompa do Olimpo do que com os numes da vida natural e agrícola. Todos sabem onde Virgílio procurava as causas das coisas. Ele fala em encontrá-las não tanto nas alegorias cósmicas de Urano e Cronos, mas em Pan e na fraternidade das ninfas e em Silvano, o velho da floresta. Talvez ele seja mais ele mesmo em algumas passagens das Éclogas, nas quais eternizou a grande lenda da Arcádia e dos pastores. Aqui mais uma vez fica bastante fácil não perceber o ponto principal fazendo uma crítica mesquinha a respeito de todas as coisas que por acaso separam sua convenção literária da nossa. Não há nada mais artificial do que a acusação de artificialidade dirigida contra a velha poesia pastoril. Nós não entendemos nada do que nossos pais quiseram dizer quando olhamos para as exterioridades de seus escritos. As pessoas acharam tão divertido o mero fato de a pastora de porcelana ser feita de porcelana que nem sequer se perguntaram por que ela simplesmente foi feita. Elas se deleitaram tanto contemplando o Camponês Alegre como figurante numa ópera que nem se perguntaram como ele chegou a participar da ópera, ou como ele se portava no palco.

Resumindo, nós precisamos apenas perguntar por que existe uma pastora de porcelana e não um lojista de porcelana. Por que os consoles de lareiras não eram adornados com figuras de mercadores da cidade em atitudes elegantes; de metalúrgicos feitos de ferro fundido ou de especuladores feitos de ouro? Por que a ópera exibiu o Camponês Alegre e não o Político Alegre? Por que não houve um balé de banqueiros saltitando na ponta dos dedos dos pés? Porque o antigo instinto e o humor da humanidade sempre sugeriram, sob quaisquer convenções, que as convenções de cidades complexas eram menos sadias e felizes do que os costumes do campo. É o que acontece com a eternidade das Éclogas. Um poeta moderno de fato escreveu coisas chamadas de Éclogas da Fleet Street, em que os poetas tomaram o lugar dos pastores. Mas ninguém até agora escreveu nada intitulado Éclogas da Wall Street, em que os milionários tomassem o lugar dos poetas. E a razão é que existe um anseio por esse tipo de simplicidade que é real, mesmo sendo apenas sazonal; e nunca existe esse tipo de anseio por aquele tipo de complexidade. A chave do mistério do Camponês Alegre é que o camponês muitas vezes se sente alegre. Os que não acreditam nisso são simplesmente os que não sabem nada sobre ele, e por isso não sabem quais são seus tempos de alegria. Os que não acreditam na festa ou na canção do pastor são simplesmente os que não conhecem o calendário do pastor. O verdadeiro pastor é de fato muito diferente do pastor ideal, mas isso não constitui uma razão para esquecer a realidade na raiz do ideal. Requer-se uma verdade para criar uma tradição. Requer-se uma tradição para criar uma convenção. A poesia pastoril com certeza muitas vezes é uma convenção, especialmente durante um declínio social. Foi durante um declínio social que pastores e pastoras de Watteau passearam pelos jardins de Versalhes. Foi igualmente durante um declínio social que pastores e pastoras continuaram tocando suas flautas e dançando através das mais desbotadas imitações de Virgílio. Mas isso não é motivo para descartar o moribundo paganismo sem jamais lhe entender a vida. Não é motivo para esquecer que em inglês a própria palavra *pagan* [pagão] é igual à palavra *peasant* [camponês]. Podemos dizer que essa arte é apenas artificialidade; mas não é paixão pelo artificial. Pelo contrário, ela é em sua própria natureza apenas o fracasso do culto da natureza, ou o amor do natural.

Pois os pastores estavam morrendo porque seus deuses estavam morrendo. O paganismo vivia de poesia; essa poesia já considerada sob o nome de mitologia. Mas em todas as partes, e especialmente na Itália, fora uma mitologia e poesia enraizada no campo; e a religião rústica fora grandemente responsável pela felicidade rústica. Só quando toda a sociedade cresceu em idade e experiência começou a aparecer essa fraqueza de todas as mitologias como já observamos num capítulo sob esse nome. Essa religião não era exatamente uma religião. Em outras palavras, essa religião não era propriamente uma realidade. Era o tumulto de um mundo jovem fazendo uma confusão com imagens e ideias como um rapaz faz confusão com vinho e amor; mais do que imoral era irresponsável; não continha a previsão do teste final do tempo. Por ser infinitamente criativa era infinitamente crédula. Pertencia ao lado artístico do homem, mas até mesmo considerada artisticamente há muito tempo ela se tornara sobrecarregada e confusa. As árvores genealógicas nascidas da semente de Júpiter eram um emaranhado em vez de uma floresta; as reivindicações dos deuses e semideuses mais pareciam casos a serem decididos por um advogado ou um arauto do que por um poeta. Mas nem é preciso dizer que não era apenas no sentido artístico que essas coisas se haviam tornado mais anárquicas. Aparecera de modo cada vez mais flagrante aquela flor do mal que está de fato implícita na própria semente do culto da natureza, por mais natural que possa parecer. Eu já disse que não acredito que o culto natural começa necessariamente com essa paixão específica; não sou da escola do folclore científico de De Rougemont. Não acredito que a mitologia deva começar com o erotismo. Mas acredito que a mitologia deve terminar nele. Tenho realmente certeza de que a mitologia terminou nele. Além disso, não apenas a poesia se tornou mais imoral, mas também a imoralidade se tornou mais insustentável. Vícios gregos, vícios orientais, sugestões de antigos horrores de demônios semíticos começaram a encher as fantasias da decadente Roma, fervilhando como moscas sobre um monturo de esterco. A psicologia disso é realmente humana o suficiente para qualquer um que tente aquele experimento de ver a história do ponto de vista de seu interior. Chega uma hora da tarde em que a criança se cansa de "fingir", em que se cansa de ser um ladrão ou um pele-vermelha. É nesse momento que ela atormenta o gato. Chega uma hora na rotina de uma civilização organizada em que o homem se cansa de brincar de mitologia e de fingir que uma árvore é uma ninfa e que a lua fez amor com um homem. O efeito dessa deterioração é igual em toda parte; é o que se pode verificar em todo consumo de drogas ou de bebidas e em todos os tipos de tendência a aumentar a dose. Os homens procuram pecados mais estranhos ou obscenidades mais chocantes para estimular os nervos fatigados. Procuram as loucuras de religiões orientais para esse mesmo fim. Eles tentam ferir seus nervos para que voltem à vida, mesmo que seja com as facas dos sacerdotes de Baal. Eles caminham sonâmbulos e tentam acordar a si mesmos com pesadelos.

Assim, a qualquer estágio, mesmo do paganismo, as danças e canções campestres soam cada vez mais indistintas na floresta. Em primeiro lugar, a civilização camponesa estava desaparecendo ou já tinha desaparecido de toda a região rural. O império no fim estava cada vez mais organizado sobre o sistema servil que geralmente acompanha a ostentação da organização; de fato, era tão servil quanto o esquema moderno para a organização da indústria. É proverbial o fato de que aquilo que antes fora a classe agrária se tornou uma simples plebe urbana dependente de pão e circo; o que por sua vez sugere para alguns uma plebe dependente de esmolas e cinemas. Nesse e em muitos outros aspectos, o moderno retorno ao paganismo foi um retorno não à juventude, mas à velhice pagã. Mas as causas disso foram espirituais em ambos os casos; e especialmente o espírito do paganismo havia partido com seus espíritos familiares. O coração saíra dele com seus deuses familiares, que se foram com os deuses do jardim, do campo e da floresta. O Velho Homem da Floresta estava velho demais; já estava moribundo. Diz-se verdadeiramente que em certo sentido Pan morreu para que Cristo nascesse.

É praticamente tão verdadeiro em outro sentido que os homens souberam que Cristo nasceu porque Pan estava morto. Criou-se um vazio com o desaparecimento de toda a mitologia da humanidade, que teria sido asfixiante como um vácuo se não tivesse sido preenchido com teologia. Mas o ponto principal por agora é que de modo algum a mitologia poderia ter durado como uma teologia. A teologia é pensamento, concordemos ou não com ela. A mitologia nunca foi pensamento, e ninguém poderia realmente concordar com ela ou dela discordar. Era apenas um estado de espírito de deslumbramento e, quando essa disposição desapareceu, ela não pôde ser recuperada. Os homens não apenas deixaram de acreditar nos deuses, mas também perceberam que nunca haviam acreditado neles. Haviam cantado seus louvores; haviam dançado em volta de seus altares. Haviam tocado a flauta; haviam feito o papel de bobos.

Assim caiu o crepúsculo sobre a Arcádia, e as últimas notas da flauta soaram tristes no bosque de faias. Nos grandes poemas de Virgílio já existe certa tristeza; mas os amores e os deuses da família continuam presentes nos belos versos que o sr. Belloc tomou como um teste de compreensão: *Incipe parve puer risu cognoscere matrem* [Comece, bebezinho, a conhecer a mãe pelo sorriso]. Mas com eles, assim como acontece conosco, a família humana começou a ruir sob uma organização servil e a massificação das cidades. A multidão urbana tornou-se esclarecida; isto é, perdeu a energia mental capaz de criar mitos. Por todo o círculo em volta das cidades do Mediterrâneo as pessoas choravam a perda dos deuses e consolavam-se com gladiadores. Enquanto isso algo semelhante acontecia com aquela aristocracia intelectual da antiguidade que estivera caminhando a esmo e conversando livremente desde Sócrates e Pitágoras. Eles começaram a revelar ao mundo o fato de que estavam caminhando em círculos e dizendo a mesma coisa numa repetição contínua. A filosofia passou a ser uma piada; também passou a ser uma chateação. Essa simplificação inatural de tudo neste ou naquele sistema, que observamos como o defeito do filósofo, revelou de imediato sua finalidade e futilidade. Tudo era virtude, ou tudo era felicidade, ou tudo era destino, ou tudo era bom, ou tudo era ruim; então eles diziam isso. Por toda parte os sábios haviam degenerado em sofistas; isto é, em retóricos contratados ou em apresentadores de enigmas. Um dos sintomas disso é o fato de o sábio começar a transformar-se não apenas num sofista, mas também num mágico. Um toque de ocultismo oriental é muito apreciado nas melhores casas. Como o filósofo já é um *entertainer* da sociedade, pode também ser um hipnotizador.

Muitos modernos têm insistido na pequenez daquele mundo mediterrâneo; e nos horizontes mais amplos que poderiam estar reservados para ele com a descoberta de outros continentes. Mas isso é uma ilusão; uma das muitas ilusões do materialismo. Os limites que o paganismo atingira na Europa eram os limites da existência humana; na melhor hipótese, ele teria apenas atingido os mesmos limites em qualquer outro lugar. Os estoicos romanos não precisavam de nenhum chinês para ensinar-lhes o estoicismo. Os pitagóricos não precisavam de nenhum hindu para ensinar-lhes sobre a recorrência, ou a vida simples, ou a beleza de ser vegetariano. À medida que eles podiam conseguir essas coisas do Oriente, já as haviam conseguido até em excesso dessa fonte. Os sincretistas estavam tão convencidos quanto os teosofistas de que todas as religiões são realmente a mesma coisa. E de que outra forma poderiam eles ampliar a filosofia simplesmente ampliando a geografia? Mal se pode propor que deveriam aprender uma religião mais pura com os astecas, ou sentar-se aos pés dos incas do Peru. Todo o resto do mundo era um caos de barbárie. É essencial reconhecer que o Império Romano foi reconhecido como a mais alta conquista da raça humana; e também a mais ampla. Um terrível segredo parecia estar escrito, como se fosse em obscuros hieróglifos, sobre aquelas poderosas obras de mármore e pedra, aqueles anfiteatros e aquedutos colossais. O homem não poderia fazer mais que isso.

Pois não era o recado proclamado sobre o muro da Babilônia: que um rei foi considerado deficiente, ou que seu único reino foi entregue a um estrangeiro. Não era uma notícia tão boa como a notícia de uma invasão e conquista. Não sobrava nada que pudesse conquistar Roma; mas também não sobrava nada que pudesse melhorá-la. Era a coisa mais forte que estava ficando fraca. Era a coisa melhor que estava ficando ruim. É necessário insistir continuamente que muitas civilizações se haviam reunido numa única civilização do Mediterrâneo; que essa civilização já era universal com uma universalidade envelhecida e estéril. Os povos haviam juntado seus recursos e ainda não eram suficientes. Os impérios haviam feito parcerias e ainda estavam quebrados. Nenhum filósofo que fosse realmente filosófico poderia pensar em nada a não ser que, naquele mar central, a onda do mundo atingira seu ponto mais alto, parecendo tocar as estrelas. Mas a onda já estava caindo, uma vez que era apenas a onda do mundo.

Aquela mitologia e aquela filosofia, à luz das quais o paganismo já foi analisado, ambas haviam sido bebidas literalmente até as fezes. Se com a multiplicação da magia o terceiro departamento, que denominamos demônios, estava cada vez mais ativo, ele nunca significou outra coisa que não fosse destruição. Resta apenas o quarto elemento, ou melhor, o primeiro; aquele que em certo sentido fora esquecido por ser o primeiro. Refiro-me àquela primeira, dominante e mesmo assim imperceptível impressão de que o universo no fim das contas tem uma única origem e um único objetivo; e por ter um objetivo deve ter um autor. O que aconteceu nessa época com essa grande verdade no fundo da mente humana talvez seja mais difícil determinar. Alguns dos estoicos sem dúvida viram isso cada vez mais claro à medida que as nuvens da mitologia se abriram e desfizeram; e dentre eles grandes homens fizeram muito lutando até o fim para lançar os fundamentos de um conceito da unidade moral do mundo. Os judeus ainda tinham sua secreta certeza disso ciosamente guardada atrás de altas cercas de exclusividade; no entanto, uma forte característica da sociedade nessa situação é o fato de que algumas figuras em voga, especialmente senhoras, realmente abraçaram o judaísmo. Mas no caso de muitas outras pessoas imagino que nesse ponto surgiu uma nova negação. O ateísmo tornou-se realmente possível nesse tempo anormal, pois o ateísmo é anormalidade. Não é simplesmente a negação de um dogma. É a inversão de um pressuposto subconsciente da alma; a sensação de que existe um significado e uma direção no mundo que ela enxerga. Lucrécio, o primeiro evolucionista que se esforçou para substituir Deus pela evolução, já havia exposto aos olhos dos homens sua dança de cintilantes átomos, com a qual ele concebeu o cosmo sendo criado do caos. Mas não foi sua forte poesia ou sua triste filosofia, imagino eu, que possibilitaram aos homens acalentar essa visão. Foi algo no sentido de uma impotência e um desespero, e com isso os homens ergueram em vão os punhos contra as estrelas, quando viram as mais belas obras da humanidade afundando lenta e fatalmente num lodaçal. Eles poderiam facilmente acreditar que até a própria criação não era uma criação, mas uma perpétua queda, quando viram que as mais sólidas e dignas obras de toda a humanidade estavam caindo devido a seu próprio peso. Poderiam imaginar que todas as estrelas eram estrelas cadentes; e que os próprios pilares de seus solenes pórticos estavam se curvando sob uma espécie de crescente Dilúvio. Para gente naquele estado de espírito havia um motivo para o ateísmo, que em certo sentido é racional. A mitologia poderia desaparecer e a filosofia poderia fossilizar-se; mas, se por trás dessas coisas havia uma realidade, com certeza essa realidade poderia ter sustentado as coisas que iam caindo. Não existia nenhum Deus; se existisse um Deus, com certeza esse era o momento exato para ele agir e salvar o mundo.

A vida da grande civilização prosseguiu com tedioso esforço e até com tediosas celebrações. Era o fim do mundo, e o pior era que isso não precisava acabar nunca. Um conveniente acordo fora feito entre todos os inúmeros mitos e religiões do Império: cada grupo deveria adorar livremente e apenas prestar uma espécie de homenagem oficial de agradecimento ao tolerante imperador, lançando-lhe um pouco de incenso e dirigindo-se a ele usando seu título oficial de Divus. Obviamente não havia problema algum nisso; ou melhor, passou-se muito tempo até o mundo perceber que nalgum ponto qualquer havia alguma dificuldade nisso, mesmo que desprezível. Os membros de alguma seita oriental, ou sociedade secreta, ou algo assim, aparentemente fizeram um escândalo nalgum ponto; ninguém conseguia imaginar por quê. O incidente se repetiu mais uma ou duas vezes e começou a provocar uma irritação desproporcional a sua insignificância. Não era exatamente o que esses provincianos diziam, embora seja óbvio que aquilo parecia bastante esquisito. Aparentemente diziam que Deus estava morto e que eles mesmos o viram morrer. Essa poderia ser mais uma das muitas manias produzidas pelo desespero da época; só que eles não pareciam particularmente desesperados. Contrariando a natureza, pareciam muito alegres com esse fato e davam o motivo disso dizendo que a morte de Deus lhes permitira comê-lo e beber-lhe o sangue. Segundo outras explicações Deus não estava exatamente morto no fim das contas; arrastava-se pela confusa imaginação uma espécie de procissão fantástica do funeral de Deus, ante o qual o sol se enegrecera, mas que terminava com a onipotência morta irrompendo de sua tumba e surgindo novamente como o sol. Mas não era a essa estranha história que se prestava atenção; as pessoas daquele mundo haviam conhecido religiões esquisitas em quantidade suficiente para encher um manicômio. Era algo no tom dos malucos e em seu tipo de formação. Era um grupo formado às pressas integrado por bárbaros e escravos, por pobres e pessoas sem importância; mas sua formação era militar; moviam-se juntos e não tinham dúvida nenhuma sobre quem ou o que fazia realmente parte de seu pequeno sistema; e em volta daquilo que eles diziam, por mais suavemente que o dissessem, havia um círculo como que de ferro. Homens habituados a muitas mitologias e moralidades não conseguiam fazer nenhuma análise do mistério, com exceção da curiosa conjetura de que eles estavam falando sério. Todas as tentativas de fazê-los ver sentido na questão perfeitamente simples da estátua do imperador parecia endereçada a gente surda. Era como se um novo metal meteórico houvesse caído sobre a terra; era uma diferença de substância ao toque. Aqueles que tocavam suas fundações imaginavam ter encontrado uma rocha.

Com estranha rapidez, como as mudanças num sonho, as proporções das coisas pareceram mudar na presença deles. Antes que a maioria dos cidadãos soubesse o que havia acontecido, esses homens tornaram sua presença notável. Eram muito importantes para serem ignorados. As pessoas de repente se calavam perto deles e passavam por eles caminhando tensas. Vemos uma nova cena em que o mundo se desvia desses homens e mulheres, e eles ficam no centro de um grande espaço como leprosos. A cena muda mais uma vez, e o grande espaço em que eles se encontram está cercado por todos os lados por uma nuvem de testemunhas, intermináveis camadas cheias de rostos olhando para baixo na direção deles e prestando atenção, pois coisas estranhas estão acontecendo com eles. Novas torturas foram inventadas para os loucos que trouxeram boas novas. A triste e cansada sociedade parece quase encontrar uma nova energia na organização de sua primeira perseguição religiosa. Ninguém sabe com muita clareza por que aquela sociedade uniforme perdeu assim seu equilíbrio acerca dessas pessoas em seu bojo; mas lá estão elas imóveis contrariando a natureza enquanto a arena e o mundo parecem girar em torno delas. E sobre elas brilhou naquela hora escura uma luz que nunca foi obscurecida; um fogo intenso que aderiu àquele grupo como uma fosforescência etérea, iluminando sua trilha pelos crepúsculos da história e confundindo todos os esforços de confundi-lo com as névoas da mitologia e teoria; aquela coluna de luz e relâmpago com que o próprio mundo o golpeou, isolou e coroou; com que seus próprios inimigos o tornaram mais ilustre e seus críticos o tornaram mais inexplicável: a auréola de ódio ao redor da Igreja de Deus.

Do homem chamado Cristo

1

O Deus na caverna

Este esboço da história humana começou numa caverna: a caverna que a ciência popular associa à história do homem das cavernas; a caverna na qual a investigação prática de fato descobriu desenhos arcaicos de animais. A segunda metade da história humana, que foi como uma nova criação do mundo, também começa numa caverna. Até se constata um detalhe dessa fantasia no fato de animais estarem mais uma vez presentes, pois se deu numa caverna usada pelos montanheses das regiões altas de Belém, que ainda hoje conduzem seu gado para essas grutas e cavernas para o pernoite. Foi num lugar assim que um casal sem teto se refugiou junto com o gado quando as portas da apinhada estalagem haviam sido fechadas na cara deles; e foi num lugar assim, exatamente debaixo dos pés dos passantes, num subterrâneo sob o próprio chão do mundo, que Jesus Cristo nasceu. Mas nessa segunda criação houve algo realmente simbólico nas raízes da rocha primeva ou nos chifres da pré-histórica manada. Deus era também um homem das cavernas e também havia desenhado estranhas formas de criaturas, curiosamente coloridas, sobre a parede do mundo; mas as pinturas feitas por ele ganharam vida.

Um grande volume de lendas e escritos, que sempre aumentam e nunca terão fim, tem repetido e ecoado as mudanças desse paradoxo singular: as mãos que fizeram o sol e as estrelas eram pequenas demais para alcançar as cabeças enormes do gado ao redor. Sobre esse paradoxo, quase poderíamos dizer sobre esse chiste, funda-se toda a literatura de nossa fé. Isso é algo que o crítico científico não consegue ver. A duras penas ele explica a dificuldade que nós, de modo desafiador e quase irônico, sempre exageramos; e brandamente condena como improvável algo que nós loucamente sempre exaltamos como incrível; como algo que seria bom demais para ser verdade, só que é verdade. Uma vez que esse contraste entre a criação cósmica e a pequena infância local foi repetido, reiterado, sublinhado, enfatizado, apreciado, cantado, gritado, bradado, para não dizer urrado, numa centena de milhares de hinos, corais, versos, rituais, pinturas, poemas e sermões populares, pode-se sugerir que não precisamos que um crítico superior nos chame atenção para algo um tanto estranho acerca disso; especialmente se for um crítico do tipo que parece levar muito tempo para entender um chiste, mesmo seu próprio chiste. Mas sobre esse contraste e combinação de ideias há coisa que se pode dizer aqui, uma vez que é relevante para toda a tese deste livro. O tipo de crítico de quem estou falando geralmente se impressiona com a importância da educação na vida e a importância da psicologia na educação. Esse tipo de homem nunca se cansa de nos dizer que as primeiras impressões fixam o caráter pela lei da causação; e ele fica muito nervoso se o sentido visual de uma criança for envenenado pelas cores erradas de uma boneca grotesca, ou se o sistema nervoso dela for abalado por uma estrepitosa cacofonia. No entanto, ele nos julgará muito tacanhos se dissermos que esse é exatamente o motivo pelo qual há de fato uma diferença entre ser criado como cristão e ser criado como judeu, ou muçulmano, ou ateu. A diferença é que todas as crianças católicas aprenderam com pinturas, e até mesmo todas as crianças protestantes aprenderam com histórias, essa incrível combinação de ideias diferentes que formaram uma das primeiras impressões de sua mente. Não é apenas uma diferença teológica. É uma diferença psicológica que sobrevive a qualquer teologia. Ela de fato é, como aquele tipo de cientista gosta de dizer sobre o que quer que seja, incurável. Qualquer agnóstico ou ateu cuja infância conheceu um verdadeiro Natal sempre faz dali por diante, goste ele disso ou não, uma associação mental entre duas ideias que a maior parte da humanidade deve considerar como distantes uma da outra: a ideia de um bebê e a ideia de uma força desconhecida que sustenta as estrelas. Seus instintos e sua imaginação ainda conseguem ligá-las, quando sua razão já não consegue ver a necessidade da ligação; para ele sempre haverá certo sabor de religião envolvendo o simples quadro de uma mãe e seu bebê; alguma sugestão de compaixão e suavização envolvendo a simples menção do terrível nome de Deus. Mas essas duas ideias não estão associadas de modo natural ou necessário. Elas não estariam necessariamente associadas para um antigo grego ou chinês, nem mesmo para Aristóteles ou Confúcio. Não é mais inevitável ligar Deus a um infante do que ligar a gravitação a um gatinho. A associação foi criada em nossa cabeça pelo Natal porque somos cristãos, porque somos cristãos psicológicos mesmo quando não somos cristãos teológicos. Em outras palavras e usando uma expressão muito discutida, a combinação de ideias alterou profundamente a natureza humana. Há realmente uma diferença entre o homem que sabe disso e o homem que não sabe. Talvez não seja uma diferença de valor moral, pois o muçulmano ou o judeu poderiam ser mais dignos de acordo com as luzes deles; mas é um fato evidente envolvendo o cruzamento de duas luzes particulares, a conjunção de dois astros num horóscopo particular. Onipotência e impotência, ou divindade e infância, criam definitivamente uma espécie de epigrama que um milhão de repetições não consegue transformar numa banalidade. Não é nenhum exagero chamá-lo de único. Belém é decididamente um lugar onde os extremos se encontram.

Aqui começa, nem é preciso dizê-lo, outra poderosa influência para a humanização da cristandade. Se o mundo quisesse o que se chama de um aspecto não controverso do cristianismo, provavelmente escolheria o Natal. Todavia, o Natal está obviamente ligado ao que se supõe ser um aspecto controverso (eu jamais consegui, em estágio algum de minhas avaliações, imaginar por quê): o respeito prestado à abençoada

Virgem. Na minha infância uma geração mais puritana levantou objeções contra a estátua sobre a minha igreja paroquial representando a Virgem e o Menino. Depois de muita controvérsia, concordaram em tirar a criança. Ter-se-ia até a impressão de que isso era mariolatria ainda mais deturpada, a menos que a mãe fosse considerada menos perigosa quando despojada de uma espécie de arma. Mas a dificuldade prática é também uma parábola. Não se pode cortar da estátua de uma mãe todo o cenário de um recém-nascido. Não se pode deixar um recém-nascido suspenso no ar; na verdade não se pode realmente sequer ter uma estátua de um recém-nascido. Da mesma forma, não se pode manter a ideia de uma criança recém-nascida suspensa no vazio, ou pensar nela sem pensar em sua mãe. Não se pode visitar a criança sem visitar a mãe; não se pode, na vida humana normal, abordar a criança a não ser por intermédio da mãe. Se nós simplesmente quisermos pensar nesse aspecto da vida de Cristo, a outra ideia é uma consequência como é uma consequência na história. Devemos excluir Cristo do Natal, ou o Natal de Cristo; ou então devemos admitir, mesmo que seja apenas como admitimos num quadro antigo, que aquelas duas cabeças sagradas estão próximas demais para que suas auréolas não se misturem e se sobreponham.

Poderíamos sugerir, usando uma imagem um tanto violenta, que nada havia acontecido naquela concavidade ou fenda nas grandes montanhas cinzentas, a não ser o fato de que todo o universo fora virado do avesso. Quero dizer que todos os olhares de admiração e adoração antes voltados para fora para a maior das realidades voltavam-se agora para dentro na direção da menor das realidades. A própria imagem sugerirá todo aquele coletivo espanto de olhares convergentes que faz tantas coloridas imagens católicas parecer-se com a cauda de um pavão. Mas é verdade em certo sentido que Deus, que fora apenas uma circunferência, era visto como um centro; e o centro é infinitamente pequeno. É verdade que a espiral espiritual de agora em diante funciona para dentro e não mais para fora, e nesse sentido é centrípeta e não centrífuga. A fé se torna, de várias maneiras, uma religião de realidades pequenas. Mas suas tradições na arte, literatura e fábulas populares atestaram de modo mais que suficiente, como já se disse, esse paradoxo particular do ser divino no berço. Talvez não se tenha enfatizado de modo muito claro a importância do ser divino na caverna. De fato, é muito curioso que a tradição não tenha enfatizado a caverna com muita clareza. É um fato conhecido que a cena de Belém tem sido representada em todos os cenários possíveis de tempos e países, de paisagens e arquiteturas; e é igualmente admirável o fato de que os homens a conceberam de modos muito diferentes de acordo com suas diferentes tradições e gostos individuais. Mas, embora todos tenham percebido que se tratava de um estábulo, não muitos perceberam que se tratava de uma caverna. Alguns críticos foram tolos o suficiente para supor que havia alguma contradição entre o estábulo e a caverna; nesse caso, eles não devem saber muito sobre cavernas e estábulos na Palestina. Assim como eles veem diferenças que não existem, nem precisa dizer que não veem diferenças que existem. Quando um crítico muito conhecido diz, por exemplo, que Cristo nascer numa caverna rochosa é como Mitras ter brotado vivo de um rochedo, parece uma paródia baseada em religião comparada. Existe algo que se chama ponto principal de uma história, mesmo que se trate de uma história no sentido de uma mentira. E a ideia de um herói surgindo, como Palas surgiu do cérebro de Zeus, maduro e sem mãe é num sentido óbvio exatamente o oposto da ideia de um deus nascendo como um bebê normal e inteiramente dependente de sua mãe. Qualquer que seja nossa preferência nesse caso, certamente deveríamos perceber que são ideais contrários. É tão insensato ligá-los entre si por ambos conterem uma substância chamada pedra como é insensato identificar o castigo do Dilúvio com o batismo no Jordão por ambos conterem uma substância chamada água. Tanto como mito quanto como mistério, Cristo obviamente foi imaginado como nascido num buraco nas rochas primeiramente porque isso marcava a posição de um excluído e sem teto. Apesar de tudo isso é verdade, como eu já disse, que a caverna não tem sido usada de um modo muito comum ou muito claro como símbolo na mesma proporção que o foram as outras realidades que cercaram o primeiro Natal.

E a razão disso também se refere à própria natureza daquele mundo novo. Foi em certo sentido a dificuldade de uma nova dimensão. Cristo não apenas nasceu pondo-se no mesmo nível do mundo, mas até mesmo abaixo dele. O primeiro ato do drama divino foi representado não apenas num palco que não foi montado num nível acima do espectador, mas sim num palco escuro, fechado e afundado fora do alcance dos olhos; e essa é uma ideia muito difícil de expressar na maioria das modalidades de expressão artística. É a ideia de acontecimentos simultâneos em diferentes níveis de vida. Algo semelhante a isso poderia ter sido tentado na mais antiga arte medieval decorativa. Mas quanto mais os artistas foram aprendendo de realismo e perspectiva, tanto menos podiam pintar simultaneamente os anjos no céu, os pastores nas montanhas e a glória nas trevas sob as montanhas. Talvez isso pudesse ter sido transmitido da melhor forma pelo típico expediente de algumas das guildas medievais, quando se transportava sobre rodas pelas ruas um teatro com três palcos um em cima do outro, com o céu no alto e a terra e o inferno embaixo. Mas no enigma de Belém era o céu que estava embaixo da terra.

Só nisso já havia o toque de uma revelação, a do mundo de cabeça para baixo. Vão seria tentar dizer algo adequado, ou algo novo, acerca da mudança que essa concepção de deidade nascida como um excluído ou até mesmo um fora da lei exerceu sobre toda a concepção de lei e de seus deveres para com os pobres e excluídos. É profundamente verdadeiro dizer que depois daquele momento não poderia mais haver escravos. Poderia haver e houve gente carregando esse título legal até a Igreja ficar forte o suficiente para eliminá-lo, mas já não poderia mais existir aquela tranquilidade pagã assentada na mera vantagem estatal de manter um estado servil. Os indivíduos tornaram-se importantes adquirindo um valor que nenhum instrumento pode ter. Um homem já não podia ser um meio para um fim, pelo menos não para o fim de algum outro homem. Todo esse elemento popular e fraterno na história tem sido corretamente ligado pela tradição ao episódio dos pastores, os camponeses que se viram conversando cara a cara com os príncipes dos céus. Mas há outro aspecto do elemento popular que talvez não tenha sido plenamente desenvolvido; e esse é relevante aqui de um modo mais direto.

Homens do povo, como os pastores, homens da tradição popular, haviam sido em todas as partes os criadores das mitologias. Eram eles os que haviam sentido da forma mais direta, com menos controle por parte da filosofia ou dos cultos corruptos da civilização, a necessidade que já consideramos: as imagens que eram aventuras da imaginação; a mitologia que era uma espécie de investigação; os indícios tentadores e provocadores de algo semi-humano na natureza; a significância muda das estações e de lugares especiais. Eles haviam entendido melhor que ninguém que a alma de uma paisagem é uma história e a alma de uma história é uma personalidade. Mas o racionalismo já havia começado a decompor esses tesouros do camponês realmente irracionais embora imaginativos; exatamente como a escravidão sistemática havia privado o camponês de sua casa e seu lar. Em todas essas sociedades camponesas, por toda parte caía uma confusão e um crepúsculo de decepção, na hora em que esses poucos homens descobriram o que buscavam. Em todas as outras partes a Arcádia estava desaparecendo da floresta. Morto estava Pan e os pastores dispersos como ovelhas. E embora ninguém o soubesse, aproximava-se a hora de terminar e cumprir-se tudo; e, embora ninguém o ouvisse, havia um grito distante numa língua desconhecida ecoando pelos altaneiros ermos das montanhas. Os pastores haviam encontrado seu Pastor.

E o que eles encontraram era da mesma espécie daquilo que buscavam. O povo se enganara em muitas coisas; mas não se havia enganado ao acreditar que realidades divinas poderiam ter uma habitação, e que a divindade não precisava desdenhar os limites de tempo e espaço. E os bárbaros que conceberam a mais grosseira fantasia sobre o sol sendo roubado e escondido numa caixa, ou o mito mais desvairado sobre o deus sendo resgatado e seu inimigo enganado com uma pedra, estavam mais próximos do segredo da caverna e sabiam mais sobre a crise do mundo do que todos aqueles do círculo de cidades em volta do Mediterrâneo, que se mostravam satisfeitos com frias abstrações ou generalizações cosmopolitas; do que todos aqueles que estavam tecendo fios cada vez mais adelgaçados de pensamentos extraídos do transcendentalismo de Platão ou do orientalismo de Pitágoras. O lugar que os pastores encontraram não foi uma academia ou uma república abstrata; não foi um lugar de mitos alegorizados ou dissecados ou explicados ou esvaziados. Foi um lugar de sonhos realizados. Desde aquela hora nenhuma outra mitologia foi criada no mundo. Mitologia é busca.

Todos nós sabemos que a apresentação popular dessa história popular, em numerosos dramas sacros e canções natalinas, atribuiu aos pastores a roupagem, a língua e a paisagem de distintas zonas rurais inglesas e europeias. Todos nós sabemos que um dos pastores fala num dialeto de Somerst ou que outro fala em levar as ovelhas de Conway para Clyde. A maioria de nós sabe a esta altura como é verdadeiro esse erro, como é sábio e artístico, como é intensamente cristão e católico esse anacronismo. Mas alguns que viram isso nessas cenas de rusticidade medieval talvez não o tenham observado em outra espécie de poesia, que às vezes se convencionou chamar de artificial em vez de artística. Receio que muitos críticos modernos verão apenas um classicismo esmaecido no fato de homens como Crashaw e Herrick terem concebido os pastores de Belém sob a forma dos pastores de Virgílio. No entanto, eles estavam profundamente certos: transformando seus dramas de

Belém numa écloga latina, eles utilizaram uma das conexões mais importantes na história humana. Virgílio, como já vimos, representa o paganismo mais sadio que havia derrubado o paganismo insensato dos sacrifícios humanos; mas o próprio fato de que até mesmo as virtudes virgilianas e o paganismo sensato eram uma deterioração incurável constitui todo o problema cuja solução está na revelação feita aos pastores. Se o mundo um dia tivesse tido uma oportunidade de cansar-se de ser demoníaco, poderia ter sido curado simplesmente tornando-se sensato. Mas se ele se cansara até mesmo da sensatez, que devia acontecer, a não ser o que de fato aconteceu? Não é falso imaginar o pastor arcádico das éclogas rejubilando-se pelo que aconteceu. Até se reivindicou que uma das éclogas fosse uma profecia do que de fato aconteceu. Mas é tanto no tom quanto na dicção incidental do grande poeta que sentimos a potencial afinidade com o grande evento; e até mesmo em suas elocuções humanas as vozes dos pastores virgilianos mais de uma vez poderiam ter descoberto mais do que a ternura da Itália. *Incipe, parve puer, risu cognoscere matrem* Eles poderiam ter encontrado naquele lugar estranho tudo o que havia de melhor nas últimas tradições latinas; e algo melhor do que um ídolo de madeira representando para sempre o pilar da família humana; um deus da família. Mas eles e todos os outros mitólogos seriam justificados por rejubilar-se porque o acontecimento havia cumprido não apenas o misticismo, mas também o materialismo da mitologia. A mitologia teve muitos pecados; mas não andara errada sendo carnal como a Encarnação. Com algo da antiga voz que supostamente devia ter ecoado por todos os túmulos, ela podia gritar novamente: "Nós vimos, ele nos viu, um deus visível".[1] Assim os antigos pastores poderiam ter dançado, e seus pés poderiam ter sido belos sobre as montanhas,[2] alegrando-se eles mais que os filósofos. Mas os filósofos também ouviram.

Embora antiga, soa ainda estranha a história de como eles vieram de terras do Oriente, coroados com a majestade de reis e vestindo algo do mistério dos mágicos. A verdade da tradição sabiamente os lembra quase como quantidades desconhecidas, tão misteriosas como seus misteriosos e melodiosos nomes: Melquior, Gaspar e Baltazar. Mas veio com eles todo aquele mundo de sabedoria que havia observado as estrelas na Caldeia e o sol na Pérsia; e não estaremos errados vendo neles a mesma curiosidade que move todos os sábios. Eles representariam o mesmo ideal humano se seus nomes de fato fossem Confúcio ou Pitágoras ou Platão. Eles eram daqueles que buscavam não a história, mas sim a verdade das coisas; e sendo que sua sede de verdade era em si mesma sede de Deus, eles também tiveram sua recompensa. Mas até mesmo para entendermos essa recompensa, precisamos entender que tanto para a filosofia quanto para a mitologia essa recompensa foi o complemento do que estava incompleto.

Homens tão sábios sem dúvida teriam vindo, como esses homens eruditos de fato vieram, para obter pessoalmente a confirmação de muitas coisas verdadeiras em sua própria tradição e saber que estavam certos em seus raciocínios. Confúcio teria constatado uma nova fundação para a família na própria inversão da Sagrada Família; Buda teria observado uma nova renúncia, de estrelas em vez de joias, de divindade em vez de realeza. Esses sábios ainda teriam o direito de dizer, ou melhor, um novo direito de dizer que havia verdade em seus antigos ensinamentos. Mas, no fim das contas, esses homens sábios teriam vindo para aprender. Eles teriam vindo para completar suas concepções com algo que ainda não haviam concebido; até mesmo para equilibrar seu universo imperfeito com algo que eles outrora poderiam ter contestado. Buda teria vindo de seu paraíso impessoal para adorar uma pessoa. Confúcio teria vindo de seus templos do culto dos antepassados para cultuar uma criança.

Precisamos captar desde o início esse caráter do novo cosmo: ele era mais amplo que o velho cosmo. Nesse sentido a cristandade é mais ampla que a criação, aquela criação de antes de Cristo. Incluía coisas que antes não estavam lá e incluía também as que já estavam. Essa ideia incidentalmente está bem ilustrada neste exemplo de piedade chinesa, mas seria verdadeira em relação a outras virtudes ou crenças pagãs: ninguém duvida de que um respeito razoável pelos pais faz parte de um evangelho em que o próprio Deus se sujeitou na infância a pais terrenos. Mas o outro sentido segundo o qual os pais estavam sujeitos a ele introduz uma ideia que não é confucionista. O infante Cristo não é como o infante Confúcio; nosso misticismo o concebe com uma infância imortal. Não sei o que Confúcio teria feito com o Bambino, se ele surgisse vivo em seus braços como surgiu nos braços de São Francisco. Mas isso é verdadeiro em relação a todas as outras religiões e filosofias: é o desafio da Igreja. A Igreja contém o que o mundo não contém. A própria vida não provê como faz para todos os aspectos da vida. O fato é que todos os outros sistemas individuais são estreitos e insuficientes comparados com este; isso não é ostentação retórica; é um fato real e um dilema real. Onde está o Santo Menino entre os estoicos e os adoradores de ancestrais? Onde está a Nossa Senhora dos muçulmanos, uma mulher que não foi feita para homem algum e foi colocada acima dos anjos? Onde está o São Miguel dos monges de Buda, cavaleiro e corneteiro, preservando para todos os soldados a honra da espada? Que poderia fazer São Tomás de Aquino com a mitologia do bramanismo, ele que descreveu toda a ciência e racionalidade e até mesmo o racionalismo do cristianismo? No entanto, mesmo se compararmos Tomás de Aquino com Aristóteles, no outro extremo da razão, teremos a mesma sensação de algo acrescentado. Tomás de Aquino conseguiu entender as partes mais lógicas de Aristóteles; não se sabe se Aristóteles conseguiria entender as partes mais místicas de Tomás de Aquino. Mesmo em pontos em que não podemos dizer que o cristão é maior, somos forçados a dizer que ele é mais amplo. Mas é o que acontece seja qual for a filosofia, ou a heresia, ou o movimento moderno enfocado. Como se sairia o trovador Francisco de Assis entre os calvinistas, ou, indo além, entre os utilitaristas da Escola de Manchester? No entanto, homens como Bossuet e Pascal poderiam ser tão severos e lógicos quanto qualquer calvinista ou utilitarista. Como se sairia Santa Joana d'Arc, uma mulher incitando homens à luta com a espada, entres os quacres, ou os *doukhabors*[3] ou a seita pacifista tolstoiana? No entanto, grande número de santos católicos passou a vida pregando a paz e impedindo guerras. O mesmo acontece com as tentativas modernas de sincretismo. Elas jamais conseguem criar algo mais amplo do que o Credo sem excluir alguma coisa. Não quero dizer excluir alguma coisa divina, mas alguma coisa humana: a bandeira, ou a estalagem, ou a história da batalha do rapaz; ou a cerca viva na extremidade do campo. Os teosofistas constroem um panteão; mas é apenas um panteão para panteístas. Eles postulam um Parlamento de Religiões como a reunião de todos os povos; mas é apenas uma reunião de pedantes. No entanto, exatamente um panteão desses foi estabelecido dois mil anos antes junto ao litoral do Mediterrâneo; e os cristãos foram convidados a expor a imagem de Jesus lado a lado com as imagens de Júpiter, Mitra, Osíris, Átis ou Amon. Foi a recusa dos cristãos que marcou a virada na história. Se os cristãos houvessem aceitado, eles e o mundo inteiro teriam com certeza, usando uma metáfora grotesca mas exata, acabado no caldeirão. Todos teriam sido reduzidos a um líquido morno naquela enorme panela de corrupção cosmopolita em que todos os outros mitos e mistérios já se estavam misturando. Foi uma fuga terrível e assustadora. Ninguém entende a natureza da Igreja ou o tom reverberante do credo proveniente da antiguidade; quem não percebe que todo o mundo outrora quase morreu devido a sua tolerância e à fraternidade de todas as religiões.

Aqui é importante sublinhar a ideia de que os reis magos, que representam o misticismo e a filosofia, são realmente concebidos como pessoas que buscam o novo e encontram até mesmo o inesperado. Aquela sensação de crise que ainda emociona na história do Natal, e até em cada celebração dessa data, acentua a ideia de busca e descoberta. A descoberta é, nesse caso, realmente uma descoberta científica. Para as outras figuras místicas desse drama sacro, para o anjo e a mãe, os pastores e os soldados de Herodes,[4] pode haver aspectos mais simples e mais sobrenaturais, mais elementares ou mais emotivos. Mas os sábios do Oriente devem buscar a sabedoria; e para eles deve haver uma luz também no intelecto. E esta é a luz: o credo católico é católico e nada mais é católico. A filosofia da Igreja é universal. A filosofia dos filósofos não é universal. Se Platão e Pitágoras tivessem sido envolvidos por um instante pela luz que saiu daquela pequena caverna, teriam sabido que sua própria luz não era universal. Não há nenhuma certeza, de fato, de que eles já não o soubessem. A filosofia também, assim como a mitologia, parecia-se muito com uma busca. É a percepção dessa verdade que atribui sua tradicional majestade e mistério às figuras dos três reis: a descoberta de que a religião é mais ampla do que a filosofia e de que esta é a mais ampla de todas as religiões, encerrada nesse espaço exíguo. Os magos estavam contemplando o estranho pentagrama com o triângulo humano invertido; e eles nunca chegaram à conclusão de seus cálculos. Ali está o paradoxo desse grupo na caverna: embora nossas emoções acerca dele sejam de uma simplicidade infantil, nossos pensamentos sobre ele podem ramificar-se criando uma complexidade infinita. E jamais poderemos atingir o fim nem mesmo de nossas ideias acerca da criança que era um pai e da mãe que era uma criança.

Poderíamos nos contentar perfeitamente dizendo que a mitologia viera com os pastores e a filosofia com os filósofos; e que só lhes restava se acertarem entre si sobre o reconhecimento da religião. Mas havia um terceiro elemento que não deve ser ignorado, um elemento que a religião sempre se recusa a ignorar, em qualquer celebração ou reconciliação. Estava presente nas cenas primárias do drama aquele Inimigo que havia corrompido as lendas com a luxúria e congelado as teorias transformando-as em ateísmo, mas que reagiu ao desafio direto com algo daquele método mais direto que observamos no culto consciente prestado aos demônios. Na descrição desse culto satânico, da voraz aversão pela inocência mostrada nas obras de sua bruxaria e do mais desumano de seus sacrifícios humanos, falei menos de sua penetração indireta e secreta no paganismo mais sadio; da saturação da imaginação mitológica com sexo; da ascensão do orgulho imperial transformado em insanidade. Mas ambas as influências, a direta e a indireta, fazem-se sentir no drama de Belém. Um soberano sob o regime de suserania romana, provavelmente equipado e cercado com o ornato e a ordem romana, embora ele mesmo tivesse sangue oriental, pelo que parece sentiu naquela hora vibrar dentro de si mesmo o espírito de coisas estranhas. Todos nós conhecemos a história de como Herodes, alarmado por rumores sobre um misterioso rival, lembrou-se do gesto desvairado dos caprichosos déspotas da Ásia e ordenou o massacre de suspeitos da nova geração do povo comum. Todos conhecem a história; mas nem todos talvez tenham notado seu lugar na história das estranhas religiões dos homens. Nem todos perceberam a importância até mesmo de seu próprio contraste com as colunas de Corinto e a calçada romana daquele mundo conquistado e superficialmente civilizado. Só mesmo um vidente, à medida que o propósito em seu negro espírito começou a mostrar-se e a brilhar nos olhos do idumeu Herodes, poderia talvez ter visto algo semelhante a um enorme fantasma cinzento olhando por sobre os ombros; poderia ter visto atrás dele, enchendo a cúpula da noite e pairando no ar pela última vez ao longo da história, aquele vasto e terrível rosto que era o Moloque dos cartagineses; aguardando seu último tributo de um monarca das raças de Sem. Os demônios também, naquele festival natalino, celebraram à sua maneira.

Se não entendermos a presença daquele inimigo, deixaremos de entender não apenas o ponto principal do cristianismo, mas até mesmo do Natal. O Natal para nós da cristandade tornou-se uma realidade, e em certo sentido uma realidade simples. Mas como todas as verdades dessa tradição, ela é em outro sentido uma realidade muito complexa. Sua nota única é a percussão simultânea de muitas notas: de humildade, de alegria, de gratidão, de místico temor, mas também de vigilância e de drama. Não é apenas uma ocasião para os pacíficos, como também não é apenas dos foliões; não é apenas uma conferência de paz hindu, como também não é apenas uma festa de inverno escandinava. Nela há também algo de desafiador: algo que faz os abruptos sinos da meia-noite soarem como grandes canhões de uma batalha que acaba de ser vencida. Toda essa coisa indescritível que chamamos de atmosfera do Natal simplesmente paira no ar como uma prolongada fragrância ou um vapor que vai desaparecendo da exultante explosão daquela hora única nas montanhas da Judeia aproximadamente dois mil anos atrás. Mas o sabor é ainda inconfundível, e trata-se de algo demasiado sutil ou demasiado solitário para ser abarcado pelo nosso emprego da palavra paz. Pela própria natureza da história o exultar na caverna foi o exultar numa fortaleza, ou num antro de proscritos; entendendo-se a situação adequadamente, não é uma leviandade dizer que eles estavam exultando num abrigo de trincheira. Não é apenas verdade que aquele aposento subterrâneo era um esconderijo contra os inimigos, e que os inimigos já estavam vasculhando a pedregosa planície que se estendia acima deles como um céu. Não é apenas verdade que os próprios cascos dos cavalos de Herodes poderiam naquele sentido ter passado como um trovão por sobre a submersa cabeça de Cristo. É também verdade que naquela imagem existe a verdadeira ideia de um posto avançado, de uma perfuração na rocha e de uma entrada no território inimigo. Há nessa divindade enterrada uma ideia de *minar* o mundo; de sacudir as torres e os palácios desde suas bases; exatamente como Herodes, o grande rei, sentiu aquele terremoto sob seus pés e oscilou com seu oscilante palácio.

Esse talvez seja o mais poderoso dos mistérios da caverna. Já se vê que, embora se diga que os homens procuraram o inferno debaixo da terra, nesse caso é antes o céu que está debaixo dela. E segue-se daí que nessa estranha história existe a ideia de uma revolução no céu. Esse é o paradoxo de toda essa situação: desse momento em diante a realidade mais alta só pode atuar de baixo para cima. A realeza só pode voltar ao que é seu mediante uma espécie de rebelião. De fato a Igreja desde o seu início, e especialmente no seu início, não foi tanto um principado quanto uma revolução contra o príncipe do mundo. Essa ideia de que o mundo havia sido conquistado pelo grande usurpador, e estava em sua posse, tem sido muito deplorada ou ridicularizada por aqueles otimistas que identificam o iluminismo com o sossego. Mas ela foi responsável por toda a emoção do desafio e do belo risco que fez a boa-nova parecer realmente boa e ao mesmo tempo nova. Foi de fato contra uma enorme usurpação inconsciente que essa ideia fez uma revolução, no início uma revolução muito obscura. O Olimpo ainda ocupava o céu como uma nuvem parada, moldada de acordo com muitas poderosas formas; a filosofia ainda ocupava os assentos mais altos e até mesmo os tronos de reis, quando Cristo nasceu na caverna e o cristianismo surgiu nas catacumbas.

Nos dois casos podemos observar o mesmo paradoxo da revolução: o sentimento de algo desprezado e de algo temido. A caverna, sob um aspecto, é apenas um buraco ou um canto para o qual são varridos como lixo os excluídos; no entanto, sob outro aspecto, é um esconderijo de algo precioso que os tiranos estão procurando como um tesouro. Em certo sentido eles estão ali porque o dono da estalagem nem sequer se lembraria deles e, em outro, porque o rei jamais pôde esquecer-se deles. Já observamos que esse paradoxo apareceu também no tratamento dispensado à Igreja primitiva. Ela era importante, embora ainda fosse insignificante, e com certeza enquanto ainda era impotente. Ela era importante somente porque era intolerável; e nesse sentido é correto dizer que era intolerável porque era intolerante. Houve ressentimentos contra a igreja porque, a sua maneira silenciosa e quase secreta, ela havia declarado guerra. Ela saíra do chão para aniquilar o paganismo no céu e na terra. Ela não tentou destruir todas aquelas criações de ouro e mármore; mas contemplou um mundo sem isso. Ousou olhar através disso tudo como se o ouro e o mármore fossem vidro. Aqueles que acusaram os cristãos de atear fogo em Roma foram caluniadores, mas estavam no mínimo mais próximos da natureza do cristianismo que aqueles entre os modernos que nos dizem terem sido os cristãos uma espécie de sociedade ética, de gente que se deixava martirizar de forma lânguida por mostrar aos homens suas obrigações para com o próximo, gente detestada de um modo brando por sua humildade e compaixão.

Herodes, portanto, teve seu lugar no drama sacro de Belém porque constituiu a ameaça à igreja militante e a exibe desde o início sofrendo perseguição e lutando pela própria vida. Para aqueles que pensam que isso é uma dissonância, é uma dissonância que soa simultaneamente com os sinos de Natal. Para aqueles que acham que a ideia das cruzadas é uma ideia que estraga a ideia da cruz, nós só podemos dizer que para eles a ideia da cruz está estragada; a ideia da cruz foi literalmente estragada no berço. Não é relevante argumentar com eles aqui sobre a ética abstrata de lutar; o que se quer neste ponto é simplesmente recapitular a combinação de ideias que compõe a ideia cristã e católica, e observar que todas essas ideias já estão cristalizadas na primeira história do Natal. Há três coisas distintas e comumente contrastadas que apesar de tudo são uma coisa só; mas essa é a única coisa que pode fazer delas uma só. A primeira coisa é o instinto humano por um céu que deverá ser tão literal e quase tão local como uma casa. É a ideia perseguida por todos os poetas e todos os pagãos criadores de mitos: que um lugar particular deve ser o santuário do deus ou a morada dos bem-aventurados; que o país das fadas é um país; ou que o retorno do espírito deve ser a ressurreição do corpo. Não raciocino aqui acerca da recusa do racionalismo de satisfazer essa necessidade. Eu só digo que se os racionalistas se recusam a satisfazê-lo, os pagãos não serão satisfeitos. Isso está presente na história de Belém e Jerusalém como está presente na história de Delos e Delfos; e como *não* está presente em todo o universo de Lucrécio ou todo o universo de Herbert Spencer. A segunda coisa é uma filosofia *mais ampla* do que outras filosofias; mais ampla que a de Lucrécio e infinitamente mais ampla do que a de Herbert Spencer. Ela olha para o mundo através de uma centena de janelas quando o antigo estoico ou o moderno agnóstico olha através de uma apenas. Ela vê a vida com milhares de olhos pertencentes a milhares de tipos diferentes de pessoas, onde o outro é apenas o ponto de vista individual de um estoico ou um agnóstico. Ela tem algo para todos os estados de espírito do homem, encontra trabalho para todos os tipos de homens, entende segredos de psicologia, tem consciência das profundezas do mal, é capaz de distinguir entre maravilhas reais e irreais e exceções miraculosas, exercita-se no discernimento envolvendo casos difíceis, tudo com a multiplicidade, sutileza e imaginação acerca das variedades da vida que fica muito além das triviais ou joviais banalidades da mais antiga ou moderna filosofia moral. Numa palavra, nela há mais coisas: ela encontra mais coisas na existência sobre as quais refletir; ela obtém mais coisas da vida. Grande parte desse material acerca de nossa multifacetada vida foi acrescentado desde o tempo de São Tomás de Aquino. Mas São Tomás de Aquino sozinho ter-se-ia sentido limitado no mundo de Confúcio ou de Comte. E a terceira coisa é esta: embora seja local o bastante para a poesia e mais ampla do que qualquer filosofia, ela é também um desafio e um combate. Conquanto seja deliberadamente alargada para abraçar todos os aspectos da verdade, ela está fortemente preparada para o combate contra todas as modalidades de erro. Ela induz todos os tipos de gente a lutar por ela, consegue todos os tipos de armas para usar na luta, amplia seu conhecimento das coisas pelas quais e contra as quais luta com todas as artes da curiosidade ou compaixão; mas ela nunca se esquece de que está lutando. Ela proclama a paz na terra e nunca se esquece de por que houve uma guerra no céu.

Essa é a trindade de verdades simbolizadas aqui pelos três tipos nas antigas histórias do Natal: os pastores, os reis e o outro rei que declarou guerra contra as crianças. Não é simplesmente verdadeiro dizer que outras religiões e filosofias são, sob esses aspectos, suas rivais. Não é verdadeiro dizer que alguma delas reúna essas características; não é verdadeiro dizer alguma delas pretenda reuni-las. O budismo pode professar ser igualmente místico; mas não professa ser igualmente militar. O islamismo professa ser igualmente militar; mas não professa ser igualmente metafísico e sutil. O confucionismo pode professar que satisfaz a necessidade que têm os filósofos de ordem e razão; mas não professa satisfazer a necessidade que os místicos têm do milagre, do sacramento e da consagração de coisas concretas. Há muitas evidências dessa presença de um espírito ao mesmo tempo universal e único. Uma delas servirá neste ponto, aquela que é o assunto deste capítulo: nenhuma outra história, nenhuma lenda pagã, ou anedota filosófica, ou evento histórico de fato nos afeta com aquela impressão peculiar e até pungente produzida em nós pela palavra Belém. Nenhum outro nascimento de um deus, nenhuma outra infância de um sábio nos parece ser o Natal nem algo parecido com o Natal. Ou é demasiado frio ou demasiado frívolo, ou demasiado formal e clássico, ou demasiado simples e selvagem, ou demasiado oculto e complicado. Ninguém dentre nós, sejam quais forem nossas opiniões, jamais iria buscar uma cena dessas com a sensação de estar indo para casa. Poderíamos admirá-la por ela ser poética, ou por ser filosófica, ou por muitas outras coisas isoladas; mas não por ela ser o que é. A verdade é que há um caráter muito peculiar e individual envolvendo o fascínio que essa história exerce sobre a natureza humana; em sua substância psicológica ela não é nada parecida com uma lenda ou com a biografia de um grande homem. No exato sentido comum, ela não dirige nossa mente para a grandeza: para aquelas amplificações e exageros de seres humanos transformados em deuses e heróis, mesmo pelas espécies mais sadias de veneração dos heróis. Ela não opera exatamente para fora, com intrepidez, visando as maravilhas que se podem encontrar nos confins da terra. Ela é antes algo que nos surpreende pelas costas, desde a parte oculta e pessoal de nosso ser; como aquilo que às vezes nos pega desprevenidos na emoção de pequenos objetos ou nas atitudes piedosas de gente pobre. É mais propriamente como se alguém tivesse descoberto um quarto interno no recesso mais íntimo de sua própria casa, de cuja existência nunca se suspeitara, e houvesse visto uma luz provindo lá de dentro. É como se alguém houvesse encontrado algo no fundo de seu coração que o cooptasse para o bem. Não é algo feito daquilo que o mundo chamaria de materiais resistentes; ou melhor, é algo feito de materiais cuja resistência reside naquela leveza alada com que eles nos tocam de leve e vão embora. É tudo aquilo dentro de nós que não passa de uma breve ternura e que ali se torna eterno; tudo aquilo não significa mais que um enternecimento momentâneo que de alguma estranha maneira se transforma em fortalecimento e repouso; é a palavra perdida e o discurso interrompido que se tornam positivos e são suspensos intactos, à medida que os estranhos reis desaparecem num país distante e nas montanhas já não se ouvem os pés dos pastores; e permanecem apenas a noite e a caverna com pregas sobre pregas cobrindo algo mais humano que a humanidade.

2

Os enigmas do Evangelho

Para entender a natureza deste capítulo é preciso recorrer à natureza deste livro. A argumentação escolhida como espinha dorsal do livro é aquele tipo de argumentação denominado *reductio ad absurdum*. Ela sugere que os resultados da aceitação da tese do racionalismo são mais irracionais que os nossos; mas para provar isso precisamos aceitar aquela tese. Assim, na primeira seção muitas vezes tratei o homem simplesmente como um animal para mostrar que o resultado disso era mais impossível do que se ele fosse tratado como um anjo. No mesmo sentido em que foi preciso tratar o homem simplesmente como animal, é preciso tratar a Cristo simplesmente como homem. Devo suspender minhas próprias crenças, que são muito mais positivas e assim, partir da pressuposição de que essa limitação de fato existe, até mesmo para jogá-la por terra, para imaginar o que aconteceria com um homem que realmente lesse a história de Cristo como a história do homem; e até mesmo como a história de um homem de quem ele nunca tivesse ouvido falar. E pretendo ressaltar que uma leitura realmente imparcial dessa espécie no mínimo provocaria, mesmo que não fosse imediatamente à fé, um espanto para o qual não haveria nenhuma solução a não ser na crença. Por isso, neste capítulo não apresentarei nada do espírito de meu credo pessoal; vou excluir até mesmo o estilo da minha maneira de falar e até de descrever, que eu acharia adequado ao falar em meu próprio nome. Aqui estou falando como um pagão humano imaginário, sinceramente, encarando o Evangelho pela primeira vez.

Ora, não é fácil considerar o Novo Testamento como um Novo Testamento. Não é nada fácil entender a boa-nova como nova. Tanto para o bem como para o mal, a familiaridade nos enche de pressupostos e associações; e nenhum homem da nossa civilização, não importa o que ele pense sobre religião, pode realmente ler esse texto como se nunca houvesse ouvido falar dele antes. Seja como for, é óbvio que é absolutamente a-histórico falar como se o Novo Testamento fosse um livro que houvesse caído, perfeitamente encadernado, do céu. Trata-se simplesmente de uma seleção que a autoridade da Igreja fez de um grande volume de antiga literatura cristã. Mas, deixando de lado qualquer questão desse tipo, existe uma dificuldade psicológica em sentir o Novo Testamento como novo. Existe uma dificuldade psicológica em ver aquelas palavras tão conhecidas do jeito que elas são, sem ir além do que elas intrinsecamente representam. E essa dificuldade deve ser de fato muito grande, pois seu resultado é muito curioso. O resultado é que a maior parte dos críticos modernos e da crítica atual, até mesmo da crítica popular, tece um comentário que é exatamente o inverso da verdade. É tão completamente o inverso da verdade que quase se poderia suspeitar que esses críticos simplesmente nunca leram o Novo Testamento.

Todos nós ouvimos gente repetindo centenas de vezes, pois eles nunca se cansam de dizê-lo, que o Jesus do Novo Testamento é de fato alguém sumamente misericordioso e bondoso, que ama a humanidade, mas que a Igreja ocultou esse caráter humano em seus repelentes dogmas e o sufocou com seu terrorismo eclesiástico até Jesus assumir um caráter desumano. Atrevo-me a repetir que isso é quase exatamente o inverso da verdade. A verdade é que é a imagem de Cristo nas igrejas que aparece quase inteiramente suave e misericordiosa. É a imagem do Cristo dos evangelhos que mostra também muitos outros aspectos. A figura dos evangelhos de fato expressa com palavras de beleza que quase parte o coração a sua compaixão por nossos corações partidos. Contudo, essa não é de modo algum a única espécie de palavras proferida por ele. Em contrapartida, elas praticamente constituem a única espécie de palavras que a Igreja em suas imagens populares sempre o faz proferir. A massa dos pobres está acabrunhada, e toda a massa de povo é de pobres, e para a massa da humanidade a coisa principal consiste em ter a convicção da incrível misericórdia divina. Ninguém que tenha os olhos abertos pode duvidar de que é sobretudo essa ideia de compaixão que o mecanismo popular da Igreja procura sustentar. As imagens populares contêm uma dose excessiva do sentimento do "Bom Jesus, manso e humilde". Essa é a primeira impressão que um estranho sente e critica na *Pietà* ou num santuário do Sagrado Coração. Costumo dizer que, embora a arte seja insuficiente, não tenho certeza de que o instinto seja irreal. Seja como for, existe algo que assusta, algo que gela o sangue da gente na ideia de termos uma estátua do Cristo irado. Existe algo insuportável até mesmo para a imaginação na ideia de virar a esquina de uma rua ou de entrar no espaço de um mercado e topar com a paralisante petrificação *daquela* figura atacando uma geração de víboras, ou daquela face fixando a cara de um hipócrita. Pode-se, portanto, justificar racionalmente a Igreja se ela mostra aos homens o rosto ou aspecto mais misericordioso; e com certeza o aspecto que ela mostra é o mais misericordioso. A ideia essencial aqui é que esse aspecto é realmente muito mais especial e exclusivamente misericordioso que qualquer impressão que alguém poderia ter simplesmente mediante a primeira leitura do Novo Testamento. Alguém que se limitasse a tomar as palavras da história tal qual ela se apresenta teria uma impressão muito diferente; uma impressão cheia de mistério e talvez inconsistente; mas com certeza não seria apenas uma impressão de suavidade. Seria fortemente interessante, mas parte do interesse consistiria em deixar muitas coisas sem intuí-las ou explicá-las. A história dos evangelhos está cheia de súbitos gestos evidentemente significativos, só que nós não sabemos qual é seu significado: são silêncios enigmáticos, são respostas irônicas. As explosões de ira, como tempestades acima de nossa atmosfera, não parecem irromper exatamente onde esperaríamos que elas acontecessem, mas parecem seguir algum mapa meteorológico superior e próprio. O Pedro que o ensinamento popular da Igreja apresenta é com muita justiça o Pedro a quem Cristo disse em sinal de perdão: "Apascenta as minhas ovelhas". Esse não é o Pedro a quem Cristo se dirigiu como se ele fosse o demônio, dizendo aos gritos naquela sua obscura ira: "Para trás de mim, Satanás". Cristo lamentou-se expressando nada menos que amor e compaixão por Jerusalém, fadada a assassiná-lo. Nós não sabemos que estranha atmosfera ou percepção espiritual o levou a colocar Betsaida no abismo abaixo de Sodoma. Estou deixando de lado por enquanto todas as questões de inferências ou exposições doutrinais, ortodoxas ou não. Estou simplesmente imaginando o efeito na mente de um homem se ele de fato fizesse aquilo de que esses críticos estão sempre falando; se ele realmente lesse o Novo Testamento sem nenhuma referência à ortodoxia e nem sequer à doutrina. Ele descobriria várias coisas que se encaixam muito menos na heterodoxia atual que na atual ortodoxia. Encontraria, por exemplo, que se há algumas descrições que merecem ser chamadas de realistas essas são precisamente as descrições do sobrenatural. Se há um aspecto do Jesus do Novo Testamento em que se pode dizer que ele se apresenta como uma pessoa eminentemente prática, isso acontece na sua atuação como exorcista. Não há nada de manso e suave, não há nada nem mesmo místico no sentido comum do termo, envolvendo o tom de voz que diz: "Cala-te e sai desse homem". Parece mais o tom de voz muito prático de um domador de leões ou de um médico resoluto lidando com um maníaco assassino. Mas essa é apenas uma questão secundária apresentada como ilustração. Não estou aqui levantando essas controvérsias, mas sim considerando o caso do homem imaginário vindo da lua para quem o Novo Testamento é novidade.

Ora, a primeira coisa a observar é que se nós a tomarmos simplesmente como uma história humana, ela é, sob alguns aspectos, uma história muito estranha. Não me refiro aqui a seu tremendo e trágico clímax ou a qualquer implicação envolvendo triunfo naquela tragédia. Não me refiro aqui ao que é comumente chamado de elemento miraculoso; pois nesse ponto as filosofias diferem, e as filosofias modernas nitidamente vacilam. De fato pode-se dizer que o inglês escolarizado dos dias de hoje passou de um costume antigo, em que ele não acreditava em nenhum milagre a menos que fosse antigo, e adotou um costume novo, em que ele não acredita em nenhum milagre a menos seja moderno. Ele costumava acreditar que as curas milagrosas cessaram com os primeiros cristãos e agora está inclinado a suspeitar que elas começaram com os primeiros cientistas cristãos. Mas aqui prefiro referir-me especialmente às não miraculosas e até mesmo às despercebidas e imperceptíveis partes da história. Há muitíssimas coisas que ninguém teria inventando, pois são coisas de que ninguém jamais se utilizou de alguma forma particular; coisas que, se foram observadas, continuaram sendo bastante enigmáticas. Por exemplo, existe aquele longo período de silêncio na vida de Cristo até os trinta anos de idade. De todos os silêncios esse é o mais imenso e o que mais impressiona a imaginação. Mas não é o tipo de coisa que alguém talvez possa ter inventado para provar algum ponto; e até agora ninguém que eu saiba jamais tentou provar algum ponto em particular a partir desse silêncio. É impressionante, mas apenas impressionante como fato; não há nada particularmente popular ou óbvio acerca desse fato visto como uma fábula. A tendência comum da adoração do herói e da criação de um mito tem muito mais probabilidade de dizer exatamente o contrário. É muito mais provável que diga (como creio que dizem alguns dos evangelhos rejeitados pela Igreja) que Jesus exibiu uma precocidade divina e começou sua missão numa idade miraculosamente tenra. E há de fato algo estranho no pensamento de que aquele que dentre todos os seres humanos menos precisava de preparação parece ter sido aquele que mais se preparou. Não me proponho especular se se trata de alguma forma da humildade divina, ou de alguma verdade da qual vemos uma sombra na mais longa tutela doméstica das mais nobres criaturas da terra; apenas menciono isso como um exemplo do tipo de coisa que seja como for dá azo a especulações, muito diversas das especulações religiosas reconhecidas. Ora, toda a história de Cristo está cheia dessas coisas. Não se trata de modo algum, como temerariamente se afirma em textos escritos, de uma história fácil de sondar até o fundo. É tudo, menos aquilo que essa gente menciona como sendo um Evangelho simples. Relativamente falando, é o Evangelho que tem o misticismo, e é a Igreja que tem o racionalismo. A meu ver, naturalmente, é o Evangelho que é o enigma, e a Igreja é a resposta. No entanto, qualquer que seja a resposta, o Evangelho, tal qual como se apresenta, é quase um livro de enigmas.

Em primeiro lugar, o homem que lesse o que diz o Evangelho não encontraria banalidades. Se ele houvesse lido, até mesmo com a mais respeitosa atitude, a maioria dos filósofos antigos e moralistas modernos, ele apreciaria a importância singular de dizer que não encontrou banalidades. Isso é mais que se pode afirmar até mesmo sobre Platão. É muito mais que se pode dizer sobre Epícteto, ou Sêneca, ou Marco Aurélio, ou Apolônio de Tiana. Isso é infinitamente mais que se pode afirmar sobre a maioria dos moralistas agnósticos e os pregadores das sociedades éticas, com seus rituais trabalhistas e sua religião da fraternidade. A moralidade da maior parte dos moralistas antigos e modernos tem constituído uma sólida e refinada catarata de banalidades fluindo sem jamais cessar. Essa com certeza não seria a impressão do estrangeiro independente imaginário que estudasse o Novo Testamento. Ele não perceberia nada tão banal e em certo sentido nada tão contínuo como aquele rio de banalidades. Ele descobriria muitas alegações estranhas que poderiam soar como a alegação de alguém ser irmão do sol ou da luz; muitos conselhos alarmantes; muitas repreensões espantosas; muitas histórias estranhamente belas. Ele veria algumas figuras de linguagem verdadeiramente colossais sobre a impossibilidade de fazer um camelo passar pelo buraco de uma agulha, ou a possibilidade de atirar uma montanha ao mar. Ele veria muitas simplificações bastante ousadas sobre as dificuldades da vida, como o conselho de lançar luz sobre todos sem distinção alguma como faz o sol, ou o de não se preocupar com o futuro seguindo o exemplo dos pássaros. Ele encontraria, em contrapartida, algumas passagens de uma obscuridade quase impenetrável para seu entendimento, como a moral da parábola do administrador desonesto. Alguns desses pontos poderiam impressioná-lo como fábulas e alguns como verdades, mas nenhum deles como um truísmo. Por exemplo, ele não encontraria as banalidades comuns em favor da paz. Encontraria vários paradoxos em favor da paz. Encontraria vários ideais de não resistência, que tomados como se apresentam seriam pacíficos demais até mesmo para qualquer pacifista. Numa passagem ele seria aconselhado a tratar um assaltante *não* com resistência passiva, mas com incentivos positivos e entusiásticos, se os termos forem tomados ao pé da letra, cobrindo com presentes o ladrão de mercadorias. Mas ele não encontraria nenhuma palavra sobre toda aquela retórica óbvia contra a guerra que encheu as páginas de inúmeros livros, odes e discursos; nenhuma palavra sobre a perversidade da guerra, o desperdício da guerra, a assustadora escala da mortandade da guerra e todo o resto da conhecida loucura; de fato, nenhuma palavra sequer sobre a guerra. Não há nada que lance alguma luz particular sobre a atitude de Cristo acerca da atividade bélica organizada, excetuando-se o fato de que ele aparentemente gostava bastante dos soldados romanos. De fato, falando a partir do mesmo ponto de vista externo e humano, eis outra perplexidade: ele parece ter-se relacionado muito melhor com romanos que com judeus. Mas a questão nesse caso é certo tom a ser apreciado simplesmente lendo determinado texto; e poderíamos apresentar inúmeros exemplos disso.

A afirmação de que os mansos herdarão a terra está muito longe de ser uma afirmação mansa. Quero dizer que ela não é mansa no sentido de moderada e inofensiva. Para justificá-la, seria preciso mergulhar muito fundo na história e antecipar coisas então nem sonhadas e que muitos até agora não perceberam; coisas como o método com que os monges místicos reivindicaram as terras que os reis com sua praticidade haviam perdido. Se isso chegou a ser uma verdade foi porque se tratava de uma profecia. Mas certamente não era uma verdade no sentido de truísmo. A bênção derramada sobre os mansos daria a impressão de ser uma afirmação muito violenta, no sentido de violentar a razão e a probabilidade. E com isso atingimos outro importante estágio da especulação. Como profecia, ela de fato se confirmou, mas isso só aconteceu muito tempo depois. Os mosteiros foram os mais práticos e prósperos experimentos e propriedades na reconstrução que se deu depois da enxurrada de invasões bárbaras: os mansos de fato herdaram a terra. Mas ninguém poderia saber de nada disso naquele tempo — a menos que realmente houvesse alguém que soubesse. Algo semelhante se pode dizer acerca do incidente de Marta e Maria, que foi interpretado em retrospectiva e a partir de dentro pelos místicos da vida contemplativa cristã. Mas de forma alguma se tratava de uma visão óbvia do caso, e se poderia dizer sem medo de errar que muitos moralistas, antigos e modernos, concluiriam precipitadamente pelo óbvio. Que torrentes de eloquência fácil teriam fluído deles para reforçar qualquer ligeira superioridade da parte de Marta! Que esplêndidos sermões sobre a Alegria do Serviço, o Evangelho do Trabalho ou o Mundo-tornado-melhor-do-que-o-encontramos e geralmente sobre todas as dezenas de milhares de banalidades que se podem proferir em favor de se dar ao trabalho de agir — por parte de gente que não se dá a nenhum trabalho para proferi-las! Se em Maria, a mística filha do amor, Cristo estava protegendo a semente de alguma coisa mais sutil, quem provavelmente o entenderia naquele tempo? Nenhuma outra pessoa poderia ter visualizado Clara e Catarina e Teresa brilhando acima do pequeno telhado de Betânia. O mesmo acontece de outro modo com a magnífica ameaça sobre trazer ao mundo uma espada para dividir. Ninguém poderia então ter adivinhado como isso poderia acontecer ou como poderia ser justificado. De fato os livre-pensadores ainda são simplórios a ponto de cair na armadilha e chocar-se com uma frase tão deliberadamente desafiadora. Eles de fato se queixam do paradoxo por ele não ser uma banalidade.

Mas aqui o ponto principal é que se *pudéssemos* ler os relatos do Evangelho como coisas tão novas como os relatos de jornais, eles nos intrigariam e talvez nos assustassem muito *mais* que as mesmas coisas vistas como um desenvolvimento do cristianismo histórico. Por exemplo, depois de uma clara alusão aos eunucos dos palácios orientais, Cristo disse que haveria os eunucos do reino do céu. Se isso não significa o entusiasmo voluntário da virgindade, então só poderia ser entendido como algo muito mais antinatural e esquisito. Coube à religião histórica humanizá-lo pela experiência de franciscanos ou de irmãs de caridade. A simples declaração tomada isoladamente poderia muito bem sugerir uma atmosfera bastante desumanizada: o silêncio sinistro e desumano do divã e harém asiático. Esse é apenas um de dezenas de exemplos. Mas a lição é que o Cristo do Evangelho poderia de fato parecer mais estranho e terrível do que o Cristo da Igreja.

Estou detendo-me no lado sombrio ou intrigante ou desafiador ou misterioso das palavras do Evangelho, não porque elas obviamente não tenham um lado mais óbvio e popular, mas porque esta é a resposta a uma crítica comum sobre um ponto vital. O livre-pensador muitas vezes diz que Jesus de Nazaré foi um homem de seu tempo, mesmo estando adiante de seu tempo, e diz que não podemos aceitar sua ética como final para a humanidade. Depois o livre-pensador prossegue e critica sua ética dizendo de modo bastante plausível que os homens não podem oferecer a outra face, ou que eles precisam preocupar-se com o dia de amanhã, ou que a renúncia de si mesmo é demasiado ascética ou a monogamia demasiado rigorosa. Mas os zelotes e os legionários não ofereceram a outra face mais que nós, se é que chegaram a tanto. Os comerciantes judeus e os coletores de impostos romanos pensavam no amanhã tanto quanto nós, se não mais. Não podemos fingir estar abandonando a moralidade do passado em benefício de outra mais adequada ao presente. Certamente não se trata da moralidade de outra época, mas poderia ser a moralidade de outro mundo.

Em resumo, podemos dizer que esses ideais são impossíveis em si mesmos. Exatamente o que não podemos dizer é que eles são impossíveis para nós. São marcados de modo bastante perceptível por um misticismo que, se fosse uma espécie de loucura, sempre teria afetado o mesmo tipo de gente como louca. Tome-se, por exemplo, o caso do casamento e da relação entre os sexos. Bem poderia ter sido verdade que um professor da Galileia ensinasse coisas naturais num ambiente galileu, mas não é isso. Racionalmente se poderia esperar que um cidadão do tempo de Tibério tivesse proposto uma visão condicionada pelo tempo de Tibério, mas não foi isso. O que ele propôs foi algo muito diferente: algo muito difícil, mas não mais difícil agora que naquela época. Podemos, por exemplo, dizer com sensatez que, quando Maomé estabeleceu seu compromisso polígamo, o compromisso foi condicionado por uma sociedade polígama. Quando permitiu que um homem tivesse quatro mulheres ele estava de fato fazendo algo adequado às circunstâncias, algo que em outras circunstâncias poderia ser menos adequado. Ninguém vai imaginar que as quatro mulheres fossem como os quatro ventos, algo que aparentemente fizesse parte da ordem da natureza. Ninguém dirá que o número quatro foi escrito para sempre nas estrelas do céu. Mas tampouco alguém dirá que o número quatro é um ideal inconcebível; que está além do poder da mente humana contar até quatro; ou contar o número de esposas e ver se o total é quatro. Trata-se de um compromisso prático que carrega consigo a natureza de uma sociedade particular. Se Maomé tivesse nascido em

Acton no século XIX, bem poderíamos duvidar e indagar se ele encheria aquele subúrbio de haréns com quatro mulheres para cada unidade. Tendo nascido na Arábia no século VI, ele sugeriu em suas disposições conjugais as condições da Arábia daquele século. Mas Cristo em sua visão do casamento não sugere de modo algum as condições da Palestina do século I. Não sugere absolutamente nada, a não ser a visão sacramental do casamento tal qual a desenvolveu muito tempo depois a Igreja Católica. Era uma visão tão difícil para o povo daquela época como é para o povo de hoje. Era muito mais intrigante para o povo da época do que é para o de hoje. Judeus, romanos e gregos não acreditavam, e tampouco entendiam o suficiente para deixar de acreditar na ideia mística de que o homem e a mulher se haviam tornado uma única substância sacramental. Podemos achar esse ideal incrível ou impossível, mas não podemos considerá-lo mais incrível ou impossível que o poderiam ter feito eles. Em outras palavras, qualquer que seja a verdade, não é verdade que a controvérsia tenha sido alterada pelo tempo. Qualquer que seja a verdade, decididamente não é verdade que as ideias de Jesus de Nazaré eram adequadas a seu tempo e já não o são ao nosso. A medida exata de sua adequação a seu tempo talvez esteja sugerida no final de sua história.

Poderíamos afirmar a mesma verdade dizendo que, se a história for considerada meramente humana e histórica, nota-se como é extraordinariamente pouco o que existe nas palavras registradas de Cristo que de algum modo o vincula a seu próprio tempo. Não me refiro aos detalhes de um período, que até mesmo alguém do período sabe serem passageiros. Refiro-me aos fundamentos que até mesmo o homem mais sábio muitas vezes pressupõe serem eternos. Por exemplo, Aristóteles foi talvez o homem de maior sabedoria e mente mais aberta que já existiu. Ele se baseava inteiramente em fundamentos, que geralmente foram vistos como racionais e sólidos ao longo de todas as mudanças sociais e históricas. Mesmo assim, ele viveu num mundo em que se considerava tão natural ter escravos como ter filhos. E, portanto, ele reconheceu uma séria diferença entre escravos e homens livres. Cristo, tanto quanto Aristóteles, viveu num mundo que aceitava a escravidão, e ele não a denunciou de forma específica. Iniciou um movimento que poderia existir num mundo com escravos. Mas era um movimento que poderia existir num mundo sem escravos. Ele nunca usou uma frase que fizesse sua filosofia depender da existência da ordem social em que viveu. Falou como alguém que tem consciência de que tudo é efêmero, inclusive as coisas que Aristóteles considerava eternas. Àquela altura o Império Romano se tornara simplesmente o *orbis terrarum*, sinônimo de mundo. Mas Jesus nunca fez sua moralidade depender da existência do Império Romano ou mesmo da existência do mundo. "Passará o céu e a terra, porém as minhas palavras não passarão."

A verdade é que quando os críticos falaram das limitações locais do Galileu sempre se tratava das limitações locais dos críticos. Ele sem dúvida acreditava em certas coisas em que determinada seita moderna de materialistas não acredita. Mas não se tratava de coisas particularmente peculiares de seu tempo. Estaria mais de acordo com a verdade dizer que a negação delas é muito peculiar de nosso tempo. Sem dúvida estaria ainda mais de acordo com a verdade dizer simplesmente que certa solene importância social, presente na maioria dos que acreditam nelas, é peculiar de nosso tempo. Ele acreditava, por exemplo, em maus espíritos ou na cura psíquica de males corporais, mas não por ser um galileu nascido sob Augusto. É absurdo dizer que alguém acreditava em certas coisas por ser um galileu vivendo sob Augusto, quando ele poderia ter acreditado nas mesmas coisas se tivesse sido um egípcio sob Tutancâmon ou um indiano sob Gengis Khan. Mas dessa questão geral do satanismo ou dos milagres divinos eu trato em outra parte. Basta aqui dizer que os materialistas precisam provar a impossibilidade de milagres contra o testemunho de toda a humanidade, não contra os preconceitos de provincianos do norte da Palestina sob os primeiros imperadores romanos. O que eles precisam provar nesta discussão aqui é a presença nos evangelhos daqueles preconceitos particulares daqueles provincianos particulares. E, humanamente falando, é assombroso ver como é pouco o que eles conseguem apresentar até mesmo para começar a prová-lo.

É isso o que acontece nesse caso do sacramento do matrimônio. Talvez não acreditemos em sacramentos, como talvez não acreditemos em espíritos, mas está muito claro que Cristo acreditava nesse sacramento a seu modo e não de acordo com alguma corrente ou maneira contemporânea. Ele com certeza não tomou sua argumentação contra o divórcio da lei mosaica, ou do direito romano, ou dos hábitos da nação palestina. Os críticos de seu tempo teriam exatamente a mesma impressão que têm seus críticos de hoje: de estar diante de um dogma arbitrário e transcendental oriundo do nada, a não ser do próprio Cristo. Não estou absolutamente preocupado em defender esse dogma; o ponto central aqui é que é exatamente tão fácil defendê-lo agora como era então. Trata-se de um ideal completamente fora do tempo, difícil em qualquer época, em nenhum período impossível. Em outras palavras, se alguém disser que se trata do que se pode esperar de um homem perambulando naquela região naquele período, nós com muita justiça responderemos que parece muito *mais* o que poderia ser o misterioso pronunciamento de um ser além do homem, se ele vivesse entre os homens.

Insisto, portanto, que alguém que lesse o Novo Testamento com a mente sincera e pura *não* teria a impressão daquilo que atualmente muitas vezes se entende quando se fala de um Cristo humano. O Cristo meramente humano é uma figura construída, uma obra de ficção artificial, exatamente como o homem meramente evolucionário. Além disso, tem havido um número excessivo de cristos humanos descobertos na mesma história, assim como tem havido um número excessivo de chaves da mitologia descobertas nas mesmas narrativas. Três ou quatro escolas racionalistas separadas trabalharam sobre o tema e produziram três ou quatro explicações racionais de sua biografia. A primeira explicação racional foi a de que ele nunca existiu. E isso por sua vez provocou o surgimento de três ou quatro explicações diferentes, como a de que ele era um mito do sol, ou um mito do trigo, ou qualquer outro tipo de mito, o que também constitui uma monomania. Depois a ideia de que era um ser divino que não existiu deu lugar à ideia de que ele era um ser humano que de fato existiu. Na minha juventude a moda era dizer que ele era apenas um mestre ético à maneira dos essênios, que aparentemente não tinha muito a dizer que já não houvesse sido dito por Hillel ou por uma centena de outros judeus: como, por exemplo, que é gentileza ser gentil e que ser puro contribui para a purificação. Depois alguém disse que ele foi um louco tomado por uma ilusão messiânica. Depois outros disseram que ele fora de fato um mestre original porque se preocupara apenas com o socialismo; ou então (como disseram outros) apenas com o pacifismo. Depois surgiu uma personagem científica mais sinistra dizendo que Jesus jamais teria sido ouvido por ninguém se não fossem suas profecias sobre o fim do mundo. Como o dr. Cumming,[1] ele era importante apenas como milenarista e criou um terror em sua região anunciando a data precisa do juízo final. Entre outras variantes do mesmo tema estava a teoria de que Jesus era apenas um operador de curas espirituais. Essa era a visão implícita da ciência cristã, que precisa pregar um cristianismo sem a crucificação para explicar a cura da sogra de Pedro ou da filha do centurião. Existe outra teoria que se concentra inteiramente nas atividades do demonismo e naquilo que o demonismo chamaria de superstição contemporânea sobre os demoníacos, como se Cristo, feito um jovem diácono que recebe as primeiras ordens, houvesse avançado até o exorcismo sem nunca ultrapassar esse estágio. Ora, cada uma dessas explicações em si me parece singularmente inadequada; mas, tomadas em conjunto, sugerem alguma coisa justamente sobre o mistério que elas não captam. Com certeza deve ter havido algo não apenas misterioso mas também multifacetado envolvendo Cristo, considerando-se que dele se podem extrair tantos cristos menores. Se os cientistas cristãos se satisfazem vendo-o como um operador de curas espirituais e os socialistas cristãos se satisfazem vendo-o como um reformador social, e se satisfazem a ponto de não esperar que ele seja nenhuma outra coisa, a impressão que se tem é a de que ele de fato foi uma figura de alcance muito mais amplo que se poderia esperar que eles esperassem. E isso parece sugerir que há muito mais coisas que eles imaginam nesses atributos misteriosos de expulsar demônios ou profetizar o juízo final.

Acima de tudo, será que o nosso leitor inocente do Novo Testamento não tropeçaria em algo muito mais surpreendente para ele que para nós? Repetidas vezes tentei aqui a tarefa bastante impossível de inverter o tempo e o método histórico e de olhar com a fantasia para os fatos lá adiante em vez de olhar para trás com a memória. Assim, imaginei o monstro que o homem no início deve ter parecido à simples natureza a seu redor. Teríamos um choque ainda maior se realmente imaginássemos a primeira menção que foi feita à natureza de Cristo. O que sentiríamos ante o primeiro sussurro de certa sugestão sobre certo homem? Com certeza não nos cabe censurar ninguém que julgasse esse primeiro sussurro desvairado como algo simplesmente ímpio ou insano. Pelo contrário, tropeçar nessa pedra de escândalo é o primeiro passo. A incredulidade nua e crua é um tributo muito mais leal a essa verdade que uma metafísica modernista que a explicasse simplesmente como uma questão de grau. Melhor seria rasgar nossas vestes emitindo um alto brado contra a blasfêmia, como fez Caifás no julgamento, ou tomar o homem por um maníaco possuído por demônios, como fizeram os parentes e a multidão, em vez de insistir em discussões estúpidas sobre pequenos detalhes de panteísmo na presença de uma reivindicação tão catastrófica. Há mais sabedoria que se identifica com a surpresa de qualquer pessoa simples, repleta da sensibilidade da simplicidade, capaz de esperar que a relva secasse e os pássaros caíssem mortos da altura de seus voos, quando um aprendiz de carpinteiro em sua lenta caminhada dissesse calmamente, quase por acaso, como quem está atento a alguma outra coisa: "Antes que Abraão existisse, eu sou".

3

A história mais estranha do mundo

No último capítulo enfatizei deliberadamente um aspecto da história do Novo Testamento hoje negligenciado, mas imagino que ninguém irá supor que isso visa obscurecer aquele aspecto que realmente pode ser chamado de humano. Que Cristo foi e continua sendo o juiz mais misericordioso e o amigo mais compassivo é um fato consideravelmente mais importante em nossa vida pessoal que nas especulações históricas de quem quer que seja. Mas o propósito deste livro é ressaltar que algo único foi ocultado em generalizações baratas; e visando isso é importante insistir que até mesmo o que era extremamente universal era também extremamente original. Por exemplo, poderíamos tomar um tópico que, ao contrário do que acontece com as recentemente mencionadas vocações ascéticas, realmente está em sintonia com o espírito moderno. A exaltação da infância é algo que nós de fato entendemos, mas de modo algum é algo que na época era entendido como a entendemos. Se quiséssemos um exemplo da originalidade dos evangelhos, não poderíamos achar exemplo mais chocante. Quase dois mil anos depois percebemos em nós um estado de espírito que realmente sente o encantamento místico da criança e expressamos isso em canções e histórias evocando a infância, no conto de *Peter Pan* ou no livro *The Child's Garden of Verses* [Jardim de Versos da Infância]. E das palavras de Cristo em uníssono com um ferrenho anticristão como Swinburne podemos dizer:

> Sinal algum jamais mostrado
> A olhares fiéis ou infiéis

Nunca exibiu entre as nuvens partidas
Um paraíso tão claro.

Os credos do mundo podem ser sete vezes sete,
Cada um deles manchado de sangue,
Mas se assim é o reino dos céus,
Deve de fato ser o céu.

Mas esse paraíso não era claro até ser gradualmente esclarecido pelo cristianismo. O mundo pagão, como tal, não teria entendido nada semelhante a uma sugestão séria de que a criança está acima ou é mais pura que o homem. Isso teria soado como a sugestão de que o girino é superior ou mais puro que a rã. Aos ouvidos de alguém totalmente racionalista, teria soado como a afirmação de que um broto é necessariamente mais bonito que a flor, ou que a maçã verde é necessariamente melhor que a madura. Em outras palavras, esse sentimento moderno é um sentimento inteiramente místico. É praticamente tão místico quanto o culto à virgindade; é de fato o culto à virgindade. Mas a antiguidade pagã tinha muito mais noção da santidade da virgem que da santidade da criança. Por várias razões hoje em dia passamos a venerar as crianças: talvez em parte por invejarmos as crianças que ainda fazem o que os homens costumavam fazer, como jogar jogos simples e gostar de contos de fada. Acima disso, porém, há muita psicologia real e sutil em nossa apreciação da infância; mas, se fizermos disso uma descoberta moderna, devemos imediatamente admitir que o histórico Jesus de Nazaré já o descobrira dois mil anos antes. Com certeza no mundo que o cercava nada havia para ajudá-lo nessa descoberta. Nesse ponto Cristo foi realmente humano: mais humano que um ser humano da época costumava ser. Peter Pan não pertence ao mundo de Pã, pertence ao mundo de Pedro.

Mesmo na questão do simples estilo literário, se estivermos suficientemente distanciados para ver o caso sob esse ângulo, há uma curiosa qualidade à qual nenhum crítico aparentemente fez justiça. Entre outras coisas o estilo tinha a característica singular de acumular torres sobre torres mediante o uso do *a fortiori*, criando um pagode de diversos graus como os sete céus. Já observei aquela visão imaginária quase invertida que pintou o suplício impossível das Cidades da Planície. Talvez não haja nada tão perfeito em toda a linguagem ou literatura como o emprego desses três graus na parábola dos lírios do campo, na qual Cristo parece inicialmente apanhar uma minúscula flor e observar sua simplicidade e até sua impotência. Depois de repente ele a expande em cores resplandecentes invadindo todos os palácios e pavilhões ocupados por um grande nome da lenda ou da glória nacional. Depois numa nova viravolta ele a reduz mais uma vez ao nada com um gesto de jogá-la fora: "Se Deus veste assim a erva do campo, que hoje existe e amanhã é lançada ao forno, quanto mais...". É como construir uma boa torre de Babel por magia branca num instante e com um gesto das mãos: uma torre subitamente erguida aos céus em cujo topo, numa altura que imaginávamos impossível, se pode ver ao longe a figura de um homem; uma torre sustentada por três infinidades acima de todas as outras coisas, sobre uma escada estrelada de lógica lúcida e imaginação rápida. Em sentido meramente literário, tratar-se-ia mais de uma obra-prima superior à maioria das obras-primas nas bibliotecas; e no entanto parece ter sido proferida quase a esmo durante o gesto de alguém apanhando uma flor. Mas também, em estilo meramente literário, esse emprego de comparações em vários níveis traz em si uma qualidade que me parece sugerir coisas muito mais elevadas que o simples ensinamento de pastoral ou ética comunitária. Não há nada que indique tão bem uma mente sutil e superior, no verdadeiro sentido da palavra, quanto esse poder de comparar uma coisa inferior com uma superior e depois essa coisa superior com outra ainda mais alta: é a capacidade de pensar em três planos simultaneamente. Não há nada que exija mais esse tipo raríssimo de sabedoria do que ver, digamos, que o cidadão está acima do escravo e ver, contudo, que a alma é infinitamente mais alta que o cidadão ou que a cidade. Não se trata de modo algum de uma faculdade que comumente pertence a esses simplificadores do Evangelho: os que insistem no que eles chamam de moralidade simples e outros denominam moralidade sentimental. Não é algo absolutamente coberto por aqueles que se contentam com dizer a todos para ficar em paz. Pelo contrário, há um exemplo muito chocante disso na aparente inconsistência entre os dizeres de Cristo sobre a paz e a espada. É precisamente esse poder que percebe que, embora uma boa paz seja melhor que uma boa guerra, até mesmo uma boa guerra é melhor que uma paz ruim. Essas comparações arrojadas em parte alguma são tão comuns como no Evangelho, e a mim me sugerem algo muito vasto. Assim, uma coisa solitária e sólida, acrescida das dimensões de profundidade e altura, pode elevar-se acima das criaturas rasteiras que se limitam a viver num único plano.

Essa qualidade que consiste em algo que só pode ser chamado de sutil e superior, algo que é capaz de visões amplas e até de significados duplos, não é aqui destacada apenas como uma reação enérgica contra os exageros vulgares da amabilidade e do brando idealismo. Ela também deve ser observada em conexão com a mais tremenda verdade mencionada no final do capítulo anterior, pois é a última característica que geralmente acompanha a megalomania, especialmente aquela megalomania profunda e assustadora que poderia estar implícita numa alegação como aquela. Essa qualidade que só pode ser chamada de distinção intelectual não é, naturalmente, uma prova de divindade. Mas é demonstração evidente de uma provável repugnância às alegações vulgares e presunçosas de divindade. Um homem desse tipo, mesmo que fosse apenas homem, seria o último homem no mundo a sofrer essa intoxicação de uma ideia saída do nada, o que em religião caracteriza o sensacionalista que se autoilude. Ela também não é evitada mediante a negação de que Cristo realmente tenha feito essa alegação. De nenhum homem assim, de nenhum outro profeta ou filósofo da mesma ordem intelectual seria sequer possível imaginar que ele houvesse alegado ser divino. Mesmo se a Igreja houvesse interpretado mal o que ele quis dizer, ainda seria verdade que nenhuma outra tradição histórica com exceção da Igreja jamais cometera esse mesmo erro. Os maometanos não entenderam mal a Maomé e imaginaram que ele fosse Alá. Os judeus não interpretaram mal a Moisés e o identificaram com Javé. Por que somente essa alegação foi exagerada se não foi pelo fato de somente essa alegação ter sido feita? Mesmo se o cristianismo fosse um crasso erro universal, ainda seria um crasso erro tão isolado quanto a Encarnação.

O propósito destas páginas é mostrar a falsidade de certos pressupostos vagos e vulgares, e aqui temos um dos mais falsos. Corre por aí em todas as partes uma espécie de ideia de que todas as religiões são iguais porque todos os fundadores de religiões eram rivais; de que todos eles estão lutando pela mesma coroa estelar. Isso é totalmente falso. A reivindicação da coroa, ou de qualquer coisa semelhante a essa coroa, é algo tão raro a ponto de ser único. Maomé não a reivindicou mais que Miqueias ou Malaquias. Confúcio não a reivindicou mais que Platão ou Marco Aurélio. Buda nunca disse que era Brama. Zoroastro não alegou ser Ormuz nem Arimã. A verdade é que, no curso normal dos fatos, ocorre apenas o que deveríamos esperar que ocorresse dentro do bom senso e com certeza dentro da filosofia cristã. É justamente o contrário. Normalmente falando, quanto maior for o homem tanto menor será a probabilidade de ele fazer a maior de todas as alegações. Excetuando-se o caso único que estamos considerando, o único tipo de homem capaz dessa espécie de alegação é um homem muito pequeno: um monomaníaco dissimulado e centrado em si mesmo. Ninguém pode imaginar Aristóteles alegando ser o pai dos deuses e dos homens, descido do céu, embora possamos imaginar algum insano imperador de Roma como Calígula afirmando isso a respeito de si mesmo, ou mais provavelmente em seu prórpio benefício. Ninguém consegue imaginar Shakespeare falando como se fosse literalmente divino, embora pudéssemos imaginar algum maluco americano descobrindo isso na forma de um criptograma embutido na obra de Shakespeare, ou de preferência em sua própria obra. É possível descobrir aqui e ali seres humanos que fazem essa alegação sobre-humana ao extremo. É possível encontrá-los em sanatórios, ocupando celas acolchoadas, talvez vestindo camisas de força. Mas o que é muito mais importante do que sua sina meramente materialista dentro de nossa muito materialista sociedade, sob leis toscas e cruéis acerca da insanidade, é que o tipo que conhecemos com essas características, ou tendendo para isso, é um tipo doentio e desproporcionado: pequeno mas monstruosamente inflado e mórbido. É devido a uma metáfora bastante infeliz que falamos de um louco como se lhe faltasse um parafuso, pois em certo sentido ele tem parafusos demais não de menos: não há buracos suficientes em sua cabeça para mantê-la ventilada. Essa impossibilidade de permitir a entrada da luz do dia sobre a sua ilusão às vezes cobre e esconde uma ilusão de divindade. Mas é justamente neste ponto que a argumentação se torna intensa e interessante: porque a argumentação prova muita coisa. Pois ninguém supõe que Jesus de Nazaré tenha sido *esse* tipo de pessoa. Nenhum crítico moderno senhor de seus cinco sentidos pensa que o pregador do Sermão do Monte foi um horrível idiota imbecil que poderia ficar rabiscando estrelas sobre as paredes de uma cela. Nenhum ateu ou blasfemador acredita que o autor da parábola do filho pródigo foi um monstro de uma única ideia fixa como um ciclope de um olho só. Com base em qualquer crítica histórica, na escala dos seres humanos, Cristo deve ser posto num lugar mais elevado que isso. No entanto, por toda lógica, devemos realmente colocá-lo nesse lugar, ou então no lugar mais alto de todos.

De fato, os que conseguem realmente considerar o caso (como hipoteticamente eu faço aqui) num espírito indiferente e distanciado deparam neste ponto com um problema humano muitíssimo curioso e interessante. É tão intensamente interessante, considerado como um problema humano, que num espírito totalmente objetivo, por assim dizer, eu gostaria que algum estudioso houvesse transformado sua complexidade em algo semelhante a um retrato inteligível. Se Cristo foi apenas um personagem humano, ele de fato foi um personagem humano muito complexo e contraditório. Pois ele juntou exatamente as duas características que se encontram nos dois pontos extremos da variação humana. Ele foi exatamente o que o homem com uma ilusão nunca é: foi sábio, foi um bom juiz. O que ele dizia era sempre inesperado, mas era sempre inesperadamente magnânimo e inesperadamente moderado. Tome-se um caso como o ponto central da parábola do joio e do trigo. Ela tem a qualidade que une a sanidade à sutileza. Não tem a simplicidade de um louco. Não tem sequer a simplicidade de um fanático. Poderia ser proferida por um filósofo de cem anos de idade ao final de um século de utopias. Nada se poderia parecer menos com essa qualidade de ver além e em volta de coisas óbvias que a condição do egomaníaco com seu único ponto sensível no cérebro. Realmente não vejo como esses dois personagens poderiam ser reunidos de modo convincente, a não ser na forma assombrosa em que os junta o credo. Pois até atingirmos a plena aceitação do fato como fato, por mais maravilhoso que seja, todas as simples aproximações que fazemos nos levam cada vez mais longe dele. A divindade é suficientemente grande para ser divina; é suficientemente grande para chamar-se a si mesma de divina. Mas, à medida que a humanidade cresce e se torna maior, decresce cada vez mais a probabilidade de ela considerar-se divina. Deus é Deus, como dizem os muçulmanos; mas um grande homem sabe que não é Deus; e quanto maior for ele tanto melhor o sabe. É um paradoxo: tudo o que simplesmente se aproxima desse ponto simplesmente dele se afasta. Sócrates, o mais sábio dos homens, sabe que não sabe nada. Um lunático pode considerar-se a própria onisciência, e um tolo pode falar como se fosse onisciente. Mas

Cristo é onisciente em outro sentido: ele não apenas sabe, mas sabe que sabe.

Portanto, mesmo no lado humano e solidário o Jesus do Novo Testamento me parece ter, sob muitos aspectos, a marca de algo sobre-humano; isto é, de algo humano e mais que humano. Mas há outra qualidade presente em todos os seus ensinamentos que me parece esquecida na maior parte textos que tratam deles como ensinamentos: é a persistente sugestão de que ele não veio de fato para ensinar. Se há um incidente registrado que me afeta por ser nobre e grandiosamente humano, esse é o incidente de providenciar vinho para a festa das bodas. Isso é realmente humano num sentido em que nenhum dos inúmeros pedantes, com a aparência de seres humanos, pode ser descrito como humano. O incidente eleva-se acima de todas as pessoas superiores. É tão humano quanto Herrick[1] e tão democrático quanto Dickens. Mas até mesmo nessa história existe algo mais que apresenta aquela marca de coisas não plenamente explicadas; coisas que aqui são muito relevantes. Refiro-me à hesitação inicial, não a algum aspecto da natureza do milagre, mas ao aspecto da conveniência de operar qualquer milagre que fosse, pelo menos naquele estágio: "Ainda não é chegada a minha hora". O que significava aquilo? Com certeza no mínimo significava um grande plano ou propósito em sua mente, com o qual certas coisas não combinavam. E, se deixarmos de lado esse solitário plano estratégico, não apenas omitimos o ponto central da história, mas a própria história.

Com frequência ouvimos falar de Jesus de Nazaré como mestre errante, e há uma verdade vital nessa visão na medida em que ela enfatiza uma atitude para com o luxo e as convenções que pessoas muito respeitáveis ainda enxergam em gente que anda ao léu. Essa atitude está expressa na sua própria famosa frase acerca das tocas das raposas e os ninhos dos pássaros, frase que, como muitos outros de seus famosos ditos, não é percebida em toda sua força devido à falta de apreciação daquele grande paradoxo utilizado por ele para falar de sua própria humanidade como sendo de certo modo coletiva e representativamente humana, chamando-se a si mesmo apenas de o Filho do Homem, isto é, chamando-se com efeito de simplesmente Homem. É apropriado que o Novo Homem ou o Segundo Adão repita com voz tão retumbante e gesto tão grandioso o grande fato que surgiu primeiro na história original: que o homem difere dos brutos em tudo, até na deficiência; que ele em certo sentido é menos normal e até menos nativo — um estranho sobre a terra. É apropriado falar de suas andanças nesse sentido e no sentido de que ele partilhava da vida ao léu dos mais pobres, destituídos de teto e de esperança. É certamente apropriado lembrar que ele seria sem dúvida acossado pela polícia e quase com certeza preso por não ter meios visíveis de subsistência. Pois nossa lei tem uma pitada de humor e um toque de fantasia que Nero ou Herodes nunca chegaram a imaginar: o de realmente punir gente sem teto por não dormir em casa.

Mas em outro sentido o significado da palavra "errante" tal qual como se aplica à vida de Jesus Cristo é um tanto enganoso. De fato, muitos sábios e não poucos sofistas pagãos poderiam verdadeiramente ser descritos como mestres errantes. No caso de alguns deles seus trajetos ao léu não deixavam de ter alguma relação paralela com suas observações feitas a esmo. Apolônio de Tiana, que em alguns cultos da moda aparecia como uma espécie de filósofo ideal, é representando como um errante que chegou a perambular até o Ganges e a Etiópia, praticamente falando o tempo todo. Houve de fato uma escola de filósofos chamados de peripatéticos, e até mesmo a maioria dos grandes filósofos nos deixam a vaga impressão de terem muito pouco a fazer exceto caminhar e falar. As grandes conversações que nos dão um vislumbre das grandes mentes de Sócrates ou Buda ou até mesmo de Confúcio muitas vezes parecem partes de um interminável piquenique; e, de modo especial (e este é o ponto importante), parecem não ter começo nem fim. Sócrates de fato viu sua conversa interrompida pelo incidente de sua execução. Mas a essência da posição de Sócrates e todo seu mérito particular consistem no fato de que a morte foi apenas uma interrupção incidental. Deixamos escapar a real importância moral do grande filósofo se não entendermos esse ponto: que ele fixa seu carrasco com inocente surpresa, quase uma inocente irritação, ao descobrir alguém tão irracional capaz de truncar sua conversinha que visava elucidar a verdade. Ele está em busca da verdade, não em busca da morte. A morte é apenas uma pedra no caminho que pode levá-lo a tropeçar. A obra de sua vida é percorrer caminhos e falar sobre a verdade para sempre. Buda, em contrapartida, prendeu a atenção mediante um único gesto: foi o gesto de renúncia e, portanto, em certo sentido, de recusa. Mas com uma negação dramática ele penetrou num mundo de negação que não era dramático; ele teria sido o primeiro a insistir que não era dramático. Aqui mais uma vez deixamos escapar a particular importância moral do grande místico se não percebermos a distinção: que todo seu ponto central estava no fato de que ele havia posto um ponto final ao drama que consiste no desejo, na luta e geralmente na derrota e na decepção. Ele atinge a paz e passa a viver para ensinar outros a atingi-la. Dali para frente sua vida é a do filósofo ideal; com certeza um filósofo de fato muito mais ideal do que Apolônio de Tiana, mas ainda assim um filósofo no sentido de que não cabe a ele fazer coisa alguma, mas sim explicar tudo. No seu caso, quase podemos dizer, suave e serenamente explodir tudo, pois suas mensagens no fundo são diferentes. Cristo disse: "Buscai, pois, em primeiro lugar o reino, e todas estas coisas vos serão acrescentadas". Buda disse: "Buscai, pois, em primeiro lugar o reino, e então não tereis necessidade de nenhuma destas coisas".

Ora, comparada à desses andarilhos a vida de Jesus teve uma trajetória rápida e direta como a de um raio. Foi acima de tudo dramática: consistiu principalmente em fazer algo que tinha de ser feito. Algo que claramente não teria sido feito se Jesus houvesse vagado pelo mundo para sempre não fazendo mais que dizer a verdade. E até mesmo o movimento externo de sua vida não deve ser descrito como uma andança no sentido de esquecermos que foi uma jornada. Nesse ponto é que ela foi a realização dos mitos e não das filosofias: foi um jornada com uma finalidade e um objeto, como Jasão indo em busca do Tosão de Ouro, ou Hércules procurando os pomos dourados das Hespérides. O ouro que ele buscava era a morte. A principal coisa que ele iria fazer era morrer. Faria outras coisas igualmente definitivas e objetivas, quase poderíamos dizer igualmente externas e materiais. Mas do início ao fim o fato mais definitivo é que ele vai morrer. Talvez não existam duas coisas que possam ser mais diferentes entre si que a morte de Sócrates e a morte de Cristo. Devemos perceber que a morte de Sócrates foi, pelo menos do ponto de vista de seus amigos, uma confusão estúpida e um malogro da justiça interferindo no fluir de uma filosofia humana e lúcida, eu diria quase luminosa. Devemos perceber que a morte foi a noiva de Cristo assim como a pobreza foi a noiva de São Francisco. Devemos perceber que sua vida foi nesse sentido uma espécie de namoro com a morte, um romance da busca do sacrifício supremo. Desde o instante que a estrela sobe como um fogo de artifício até o momento em que o sol é extinto como uma pira funerária, toda a história se move sobre asas com a velocidade e a direção de um drama, terminando num ato que ultrapassa as palavras.

Por isso a história de Cristo é a história de uma jornada, quase na forma de uma marcha militar, certamente à maneira da busca de um herói que se desloca para sua conquista ou sua destruição. É uma história que começa no paraíso da Galileia, uma terra pastoril e pacífica que realmente sugere de algum modo o Éden e vai aos poucos galgando o interior que se eleva até as montanhas mais próximas das nuvens tormentosas e das estrelas, como se fosse uma montanha do purgatório. Podemos vê-lo vagando por lugares estranhos, ou parado à beira do caminho para uma discussão ou uma disputa, mas seu rosto se fixa na cidade da montanha. Esse é o significado daquele grande clímax quando ele atingiu o topo e postou-se numa curva da estrada para de repente lançar um grito lamentando a sorte de Jerusalém. Algum ligeiro toque daquela lamentação está presente em cada poema patriótico; ou então, se estiver ausente, o patriotismo exala o mau cheiro da vulgaridade. Esse é o significado do surpreendente e assustador episódio às portas do templo, quando mesas foram atiradas escada abaixo como trastes, e os ricos comerciantes foram expulsos debaixo de pancadas físicas. Esse incidente no mínimo deve constituir um enigma para os pacifistas na mesma medida em que qualquer paradoxo sobre a não resistência pode constituir um enigma para os militaristas. Comparei sua busca à jornada de Jasão, mas nunca devemos esquecer que num sentido mais profundo melhor cabe a comparação com a jornada de Ulisses. Não foi apenas um romance de viagem, mas também um romance de regresso — e do final de uma usurpação. Nenhum rapaz sadio que leia a história considera a expulsão dos pretendentes de Ítaca como outra coisa que não seja um final feliz. Mas há sem dúvida alguns que consideram a expulsão dos comerciantes e cambistas judeus com aquela delicada repugnância que nunca deixa de se comover diante da violência, especialmente da violência contra os ricos. Mas aqui o ponto principal é que todos esses incidentes trazem em si a marca de uma crise crescente. Em outras palavras, esses incidentes não são incidentais. Quando Apolônio, o filósofo ideal, é trazido perante o tribunal de Domiciano e magicamente desaparece, o milagre é inteiramente incidental. Poderia ter acontecido a qualquer hora da vida errante do tianeu; de fato, acredito que esse milagre é tão duvidoso na data quanto na substância. O filósofo ideal simplesmente desapareceu e retomou sua existência ideal nalgum outro lugar por um período indefinido. Talvez o que caracterize o contraste foi o fato de Apolônio ter supostamente vivido até uma idade milagrosamente avançada. Jesus de Nazaré foi menos prudente em seus milagres. Quando levado perante o tribunal de Pôncio Pilatos, Jesus não desapareceu. Tratava-se da crise e do objetivo: era a hora e o poder das trevas. Em toda sua vida milagrosa, esse foi o ato eminentemente sobrenatural: o de ele não desaparecer.

Todas as tentativas de engrandecer essa história apenas a diminuíram. O empreendimento tem sido tentado por muitos homens de verdadeiro gênio e eloquência, bem como por um número excessivo de sentimentalistas vulgares e de retóricos cheios de si. A história tem sido contada com sentimentalismo condescendente por elegantes céticos e com fluente entusiasmo por rudes campeões de venda. Não será recontada aqui. A força esmagadora das simples palavras da narrativa do Evangelho tem o poder das mós de moinho: os que conseguem lê-las com suficiente simplicidade terão a impressão de terem sobre si o peso de rochas. A crítica não passa de palavras sobre palavras. E para que servem palavras sobre palavras como essas que temos no Evangelho? Qual é a utilidade de uma descrição verbal do jardim escuro subitamente repleto de tochas acesas e rostos furiosos? "Saístes com espadas e porretes para prender-me, como a um salteador? Todos os dias eu estava convosco no templo, ensinando, e não me prendestes." Alguma coisa pode ser acrescentada ao sólido e moderado comedimento dessa ironia, que parece uma enorme onda que se ergueu até o céu e se recusa a cair? "Filhas de Jerusalém, não choreis por mim; chorai, antes, por vós mesmas e por vossos filhos!" Assim como o Sumo Sacerdote perguntou que necessidade mais tinham de testemunho, poderíamos perguntar que necessidade mais temos de palavras. Pedro em pânico o repudiou: "E imediatamente o galo cantou; e Jesus olhou para Pedro; E Pedro saiu e chorou amargamente". Alguém tem outras observações a fazer? Pouco antes de seu assassinato Jesus orou por todos os homens assassinos dizendo: "Eles não sabem o que fazem". Pode-se acrescentar a isso algum comentário, a não ser dizer que tampouco sabemos o que dizemos? Há alguma necessidade de repetir e desenrolar a história de como a tragédia se arrastou pela via Dolorosa e de como o juntaram ao acaso com dois ladrões num dos lotes comuns de execução; e de como em todo aquele horror e ermo ululante da deserção uma voz de louvor se fez ouvir, uma voz surpreendente provindo exatamente da última fonte de onde se poderia esperá-la — a forca do criminoso — e ele disse àquele malfeitor anônimo: "Hoje estarás comigo no paraíso"? Existe alguma coisa a acrescentar-se a isso a não ser um ponto final? Ou será que alguém está preparado para responder adequadamente àquele gesto de despedida endereçado a toda carne, gesto que criou para sua mãe um novo filho?

Condiz mais com minhas forças, e aqui também com meu propósito imediato, mostrar que naquela cena estavam reunidas todas as forças humanas vagamente esboçadas nesta história. Assim como reis, filósofos e gente comum haviam estado simbolicamente presentes em seu nascimento, também estavam de modo mais prático envolvidos em sua morte. E com isso nos postamos face a face diante do fato essencial a ser entendido. Todos os grandes grupos presentes junto à cruz representam de um modo ou de outro a grande verdade da época: que o mundo não podia salvar-se a si mesmo. Nada mais poderia fazer o homem. Roma, Jerusalém, Atenas e tudo mais estava numa rota descendente como um mar transformado numa lenta catarata. De fato nas aparências o mundo antigo ainda estava no auge de sua força: é sempre nesse momento que a fraqueza mais profunda se instala. Mas para entender essa fraqueza precisamos repetir o que já foi dito mais de uma vez: que não era a fraqueza de algo originariamente fraco. Era decididamente a força do mundo que se tornara fraqueza e a sabedoria do mundo que se transformara em loucura.

Nessa história da Sexta-Feira Santa, são as melhores coisas do mundo que estão no seu pior momento. É isso que realmente nos mostra o mundo no seu pior aspecto. Tratava-se, por exemplo, dos sacerdotes de um verdadeiro monoteísmo e dos soldados de uma civilização internacional. Roma, a lendária, fundada sobre a destruída Troia e triunfante sobre a destruída

Cartago, representara o heroísmo que foi o aspecto pagão que mais se aproximou do cavalheirismo. Roma defendera os deuses do lar e as decências humanas contra os ogros da África e as monstruosidades hermafroditas da Grécia. Mas à luz fulminante desse incidente vemos a grande Roma, a república imperial, se afundando sob a sina lucreciana. O ceticismo corroeu até a confiante sanidade dos conquistadores do mundo. Aquele que ocupa o trono para dizer o que é justiça só consegue perguntar: “O que é a verdade?”. Assim, nesse drama que decidiu todo o destino da antiguidade, uma das figuras centrais se fixa justamente no inverso de seu verdadeiro papel. Roma era quase outro nome para responsabilidade. No entanto, ele representa para sempre uma espécie de estátua cambaleante da irresponsabilidade. Nada mais poderia fazer o homem. Até o prático se tornara o impraticável. Postado entre os pilares de seu próprio tribunal, um romano lavara as mãos em relação ao mundo.

Lá também se encontravam os sacerdotes daquela verdade pura e original que estava por trás de todas as mitologias como o sol por trás das nuvens. Era a verdade mais importante que existia; mas nem mesmo ela poderia salvar o mundo. Talvez haja algo irresistível no puro teísmo pessoal: como ver o sol, a lua e o céu juntando-se para formar um rosto de olhos esbugalhados. Talvez a verdade seja demasiado assustadora quando não é domesticada por alguns intermediários divinos ou humanos; talvez seja demasiado pura e distante. Seja como for, ela não poderia salvar o mundo; nem sequer poderia convertê-lo. Houve filósofos que a acalentaram em sua forma mais elevada e nobre; mas eles não só não puderam converter o mundo como também nunca tentaram. Seria tão impossível combater a floresta da mitologia popular com uma opinião privada quanto derrubar uma floresta com um canivete. Os sacerdotes judeus haviam guardado ciosamente a verdade no bom e no mau sentido. Guardado como um segredo gigantesco. Como heróis selvagens poderiam ter guardado o sol numa caixa, eles guardaram o eterno no tabernáculo. Orgulhavam-se do fato de só eles poderem contemplar o sol ofuscante de uma deidade singular; e não sabiam que eles mesmos haviam ficado cegos. Desde o dia em que isso aconteceu seus representantes têm sido como cegos na plena luz do dia, com suas bengalas desferindo golpes à esquerda e à direita e amaldiçoando a escuridão. Mas isso se constatou em seu monumental monoteísmo: que ele pelo menos permanecia como um monumento, a última coisa de seu gênero, e em certo sentido imóvel em meio ao mundo inquieto que ele não podia satisfazer. Pois não há dúvida de que por alguma razão ele não podia satisfazê-lo. Desde aquele dia nunca tem sido plenamente suficiente dizer que Deus está no céu e tudo vai bem com o mundo,[2] desde o boato de que Deus abandonou seu céu para consertá-lo.

E assim como aconteceu com essas forças que eram boas, ou pelo menos haviam sido boas outrora, o mesmo aconteceu com o elemento que talvez fosse o melhor, ou que Cristo certamente parece ter sentido como o melhor. Os pobres a quem ele pregou a boa-nova, a gente comum que o ouvia de bom grado, a plebe que havia criado tantos heróis e semideuses no antigo mundo pagão também exibiu as fraquezas que estavam dissolvendo o mundo. Os pobres padeciam dos males que muitas vezes são constatados na multidão urbana, especialmente na multidão da capital, durante o declínio de uma sociedade. A mesma coisa que faz a população rural viver de tradição faz a população urbana viver de boatos. Exatamente como seus mitos na melhor das hipóteses haviam sido irracionais, suas preferências e aversões são facilmente trocadas pela afirmação infundada arbitrária e destituída de autoridade. Algum bandido ou algo foi artificialmente transformado numa figura pitoresca e popular e apresentado como uma espécie de candidato contra Cristo. Nisso tudo reconhecemos a população urbana que conhecemos, com seus sensacionalismos e furos de jornal. Mas constatava-se nessa antiga população um mal muito característico do mundo antigo. Já o observamos como o esquecimento do indivíduo, até mesmo do indivíduo que vota a condenação e ainda mais do indivíduo condenado: uma característica pagã. O grito desse espírito também foi ouvido naquela hora: "Convém que morra um só homem pelo povo". No entanto, esse espírito de devoção à cidade e ao estado próprio da antiguidade também fora em si mesmo e na sua época um espírito nobre. Teve seus poetas e mártires, homens a serem homenageados para sempre. Ele estava extinguindo-se por sua fraqueza de não enxergar a alma individual do ser humano, o santuário de todo misticismo; mas só se estava extinguindo como tudo mais se extinguia. A multidão seguia os saduceus e os fariseus, os filósofos e os moralistas. Acompanhava os magistrados imperiais e os sacerdotes sagrados, os escribas e os soldados, para que um único espírito universal pudesse sofrer uma condenação universal; para que pudesse haver um único profundo, unânime coro de aprovação e harmonia quando o Homem foi rejeitado pelo homem.

Havia solidões além das quais ninguém deve avançar. Havia segredos na parte mais íntima e invisível desse drama que não encontram símbolos em palavras, ou em nenhuma ruptura que separa um homem dos homens. E não é fácil para quaisquer palavras menos duras e simples que as da despojada narrativa sequer sugerir o horror da elevação que se exibiu sobre a colina. Intermináveis exposições não a exauriram, nem sequer começaram a expressá-la. E se existir algum som capaz de produzir um silêncio, com certeza poderemos guardar silêncio sobre o fim e a hora extrema; quando um grito foi ouvido saindo daquela escuridão com palavras terrivelmente distintas e terrivelmente ininteligíveis, que o homem nunca haverá de entender durante toda a eternidade que elas para ele adquiriram; e por um instante aniquilador um abismo que não cabe em nossa cabeça se abrira exatamente na unidade do absoluto: e Deus fora abandonado por Deus.

O corpo foi descido da cruz, e um dos poucos ricos entre os primeiros cristãos obteve permissão para sepultá-lo numa tumba aberta na rocha em seu jardim; e os romanos montaram uma guarda militar para impedir um possível tumulto e a tentativa de recuperar o corpo. Houve mais uma vez um simbolismo natural nesses procedimentos naturais: convinha que a tumba fosse lacrada com todo o sigilo das antigas sepulturas orientais e guardada pela autoridade dos césares. Pois naquela segunda caverna toda a grande e gloriosa humanidade a que chamamos de antiguidade estava reunida e encoberta, e ali foi sepultada. Foi o fim de algo muito grande chamado de história humana, a história que foi simplesmente humana. As mitologias e as filosofias foram ali sepultadas, os deuses e os heróis e os sábios. Na grande frase romana, eles haviam vivido. Mas como só podiam viver, eles só podiam morrer; e estavam mortos.

No terceiro dia os amigos de Cristo vieram para o local ao romper da manhã e encontraram o túmulo vazio e a pedra removida. De várias formas eles perceberam a nova maravilha, mas até mesmo eles mal se deram conta de que o mundo havia morrido naquela noite. O que estavam contemplando era o primeiro dia de uma nova criação, com um novo céu e uma nova terra; e sob as aparências do jardineiro Deus novamente caminhava pelo jardim, no frio não da noite e sim da madrugada.

4

O testemunho dos hereges

Cristo fundou a Igreja empregando duas grandes figuras de linguagem em suas últimas palavras dirigidas aos apóstolos que receberam autoridade para fundá-la. A primeira foi a frase acerca de fundá-la sobre Pedro como sobre uma pedra; a segunda foi o símbolo das chaves. Sobre o significado da primeira figura não resta naturalmente nenhuma dúvida no que me diz respeito; mas ela não afeta diretamente a argumentação aqui desenvolvida a não ser em dois aspectos mais secundários. Apesar disso, é mais um exemplo de algo que só poderia expandir-se e explicar-se plenamente mais tarde, e até mesmo muito tempo mais tarde. E apesar disso trata-se de mais um exemplo de algo que é exatamente o oposto da simplicidade e da evidência mesmo na linguagem, na medida em que se descreveu um homem como sendo uma pedra quando ele se parecia muito mais com um junco.

Mas a outra imagem, a das chaves, é de uma precisão que mal foi notada na sua exatidão. As chaves tiveram um papel bastante importante nas artes e na heráldica da cristandade; mas nem todos observaram a peculiar adequação dessa alegoria. Atingimos um ponto na história em que é preciso dizer alguma coisa sobre a primeira aparição e as primeiras atividades da Igreja no Império Romano; e para essa breve descrição nada poderia ser mais perfeito do que aquela antiga metáfora. O cristão primitivo era exatamente uma pessoa que levava consigo uma chave, ou então aquilo que ele dizia ser uma chave. Todo o movimento cristão consistia em alegar a posse dessa chave. Não era simplesmente um movimento para a frente, o que poderia ser mais bem representado por um aríete. Não era uma coisa que varresse tudo o que fosse similar ou diferente, como acontece com um movimento social moderno. Conforme veremos num instante, o movimento definitivamente se recusava a agir assim; nesse sentido era tão tacanho como alguém pode imaginar. Só que ele era a chave capaz de abrir a prisão do mundo inteiro, deixando entrar a luz branca da liberdade.

O credo era como a chave sob três aspectos, que podem ser convenientemente resumidos nesse mesmo símbolo. Primeiro, uma chave é acima de tudo um objeto que tem uma forma. É um objeto que depende inteiramente de manter sua forma. O credo cristão é acima de tudo uma filosofia de formas e o inimigo da informidade. É nesse ponto que ele difere de toda aquela infinidade amorfa, maniqueia ou budista, que forma uma espécie de lago noturno no tenebroso coração da Ásia: a ideal aniquilação de todas as criaturas. É nesse ponto que ele também difere da vagueza análoga do mero evolucionismo: a ideia de criaturas constantemente perdendo sua forma. Um homem que soubesse que a chave de sua casa tivesse sido fundida formando uma unidade budista com um milhão de outras chaves ficaria aborrecido. Mas um homem que soubesse que sua chave estava aos poucos crescendo e se ramificando em seu bolso, formando novos denteados ou complicações, não poderia sentir-se mais satisfeito.

Segundo, o formato de uma chave em si é uma forma fantástica. Um selvagem que não soubesse que era uma chave teria a maior dificuldade para adivinhar o que poderia ser aquilo. É um objeto fantástico por ser em certo sentido arbitrário. Uma chave não é uma questão de abstrações; nesse sentido uma chave não é um objeto de discussão. Ou ela se encaixa na fechadura ou não se encaixa. É inútil ficar discutindo sobre ela, considerada em si mesma, ou tentar reconstruí-la baseando-se puramente em princípios de geometria ou arte decorativa. Não faz sentido alguém dizer que gostaria de ver uma chave mais simples; seria muito mais sensato tirar a máxima vantagem de um pé de cabra. E em terceiro lugar, como uma chave é necessariamente um objeto que tem um formato, assim essa chave do cristianismo tinha sob alguns aspectos um formato bastante elaborado. Quando as pessoas se queixam da religião por ela ter-se complicado tão cedo com teologia e coisas do gênero, esquecem que o mundo não só se metera num buraco: era um labirinto cheio de buracos e becos sem saída. O problema em si mesmo era complicado; no sentido comum não envolvia apenas algo tão simples como o pecado. Também estava repleto de segredos, de falácias inexploradas e insondáveis, de inconscientes males mentais, de perigos provindo de todos os lados. Se a fé houvesse enfrentado o mundo apenas com banalidades sobre a paz e a simplicidade a que alguns moralistas gostariam de reduzi-la, não teria exercido o mais leve efeito sobre aquele luxurioso e labiríntico manicômio. O que de fato fez devemos agora descrever grosso modo; basta aqui dizer que sem dúvida havia muito acerca da chave que parecia complexo; de fato, só uma coisa a seu respeito foi simples: ela abriu a porta.

Há com respeito a isso algumas afirmações reconhecidas e aceitas que, por conveniência e brevidade, podem ser descritas como mentiras. Todos ouvimos alguém dizendo que o cristianismo surgiu numa época de barbárie. Eles poderiam igualmente afirmar que a ciência cristã surgiu numa época de barbárie. Podem achar que o cristianismo é um sintoma de decadência social, assim como penso que a ciência cristã é um sintoma de decadência mental. Podem pensar que o cristianismo é uma superstição que no fim destruiu a civilização, assim como penso que a ciência cristã, levada a sério, é capaz de destruir inúmeras civilizações. Mas dizer que o cristão do século IV ou V era um bárbaro vivendo numa época bárbara equivale exatamente a dizer que a sra. Eddy[1] foi uma índia pele-vermelha. E se eu permitisse que minha impaciência congênita para com a sra. Eddy me impelisse a chamá-la de pele-vermelha, estaria incidentalmente dizendo uma mentira. Podemos gostar ou não gostar da civilização de Roma do século IV; podemos gostar ou não da civilização industrial americana do século XIX; mas que ambas foram civilizações no sentido comum do termo nenhuma pessoa de bom senso poderia negar, mesmo que quisesse. Esse é um fato muito óbvio, mas também muito fundamental; e nós precisamos ver nele o fundamento de qualquer descrição ulterior do cristianismo construtivo do passado. Para o bem ou para o mal, ele foi o produto preeminente de uma época civilizada, talvez civilizada demais. Esse é o primeiro fato, independentemente de qualquer elogio ou censura; na verdade, tenho tão pouca sorte que não sinto que estou elogiando o que quer que seja quando o comparo à ciência cristã. Mas é pelo menos desejável conhecer alguma coisa sobre o *caráter* de uma sociedade em que condenamos ou elogiamos alguma coisa; e a ciência que une a sra. Eddy com machados de guerra ["*tomahawks*"] ou a Mater Dolorosa com totens, para nossa conveniência geral, pode ser eliminada. O fato predominante, não apenas a respeito da religião cristã, mas a respeito de toda a civilização pagã, foi aquele mais de uma vez mencionado nestas páginas. O Mediterrâneo era um lago no sentido real de um reservatório: nele numerosos cultos ou culturas diferentes eram, como se diz, coletados. Aquelas cidades uma de frente para a outra em volta do círculo do lago tornaram-se cada vez mais uma única cultura cosmopolita. Sob o aspecto militar e jurídico, era o Império Romano; mas ele era multifacetado. Poderia ser chamado de supersticioso no sentido de que continha um grande número de superstições variadas; mas de modo algum qualquer parte dele pode ser chamada de bárbara.

Nesse contexto cultural cosmopolita surgiu a religião cristã e a Igreja Católica; e tudo nessa história sugere que ela foi percebida como algo novo e estranho. Aqueles que tentaram sugerir que ela se desenvolveu a partir de algo muito mais suave e comum descobriram que neste caso fica muito difícil aplicar seu método evolucionário. Eles podem sugerir que os essênios ou os ebionitas ou fenômenos semelhantes foram a semente;

mas a semente é invisível; a árvore aparece muito rápido plenamente desenvolvida; e a árvore é algo totalmente diferente. É com certeza uma árvore de Natal no sentido de que ela mantém a delicadeza e a beleza moral da história de Belém; mas era tão ritualística como o candelabro de sete braços, e as velas que exibia eram consideravelmente mais numerosas que as provavelmente permitidas pelo primeiro livro de orações de Eduardo VI. Poderíamos muito bem perguntar, de fato, por que alguém que aceita as tradições de Belém deveria levantar objeções a ornamentos de ouro ou dourados, uma vez que os próprios reis magos ofereceram ouro; por que alguém deveria detestar o uso de incenso na igreja, uma vez que incenso foi levado até mesmo ao estábulo. Mas essas controvérsias não me preocupam aqui. Estou preocupado apenas com o fato histórico, cada vez mais admitido pelos historiadores, de que muito cedo em sua história esse fenômeno se tornou visível aos olhos da civilização da antiguidade; e já naquela época a Igreja apareceu como uma Igreja: com tudo o que está implícito numa Igreja e muito do que numa Igreja é detestado. Discutiremos em breve até onde ela era semelhante a outros mistérios ritualísticos ou mágicos ou ascéticos de seu tempo. Com certeza ela não se parecia em nada com os movimentos meramente éticos e idealistas de nosso tempo. Tinha uma doutrina; tinha disciplina; tinha sacramentos; tinha graus de iniciação; admitia e expulsava membros; afirmava um dogma com autoridade e repudiava outro com anátemas. Se todas essas coisas constituem as marcas do anticristo, então o reino do anticristo veio rápido nos calcanhares de Cristo.

Os que afirmam que o cristianismo não era uma Igreja, mas um movimento moral de idealistas têm sido forçados a empurrar o período de sua perversão ou desaparecimento cada vez mais para trás. Um bispo de Roma escreve reivindicando autoridade para si num tempo em que o próprio São João Evangelista ainda estava entre os vivos, e isso é descrito como a primeira agressão ao papa. Um amigo dos apóstolos escreve sobre eles caracterizando-os como conhecidos seus e diz que lhe ensinaram a doutrina do sacramento; e o sr. Wells só pode resmungar que a reação contra os ritos de sangue dos bárbaros pode ter ocorrido muito mais cedo que se poderia esperar. A data da redação do quarto evangelho, que em certa época se imaginava cada vez mais tardia, agora com regularidade se imagina cada vez mais primitiva, e os críticos começam a se espantar diante da clara e tremenda possibilidade de ele talvez ser algo semelhante àquilo que ele se diz ser. O limite extremo de uma data primitiva para a extinção do verdadeiro cristianismo foi provavelmente descoberta pelo mais recente catedrático alemão cuja autoridade é invocada pelo decano Inge. Esse senhor erudito diz que Pentecostes foi a ocasião para a primeira fundação de uma Igreja eclesiástica, dogmática e despótica totalmente divorciada dos simples ideais de Jesus de Nazaré. Isso é o que, no sentido popular e no erudito, se pode chamar de o limite. De que são feitos os homens na imaginação de professores desse tipo? Suponhamos que se tratasse do caso de um movimento meramente humano, digamos, por exemplo, o movimento dos objetores de consciência. Alguns dizem que os cristãos primitivos eram pacifistas; não acredito nisso nem por um instante; mas estou perfeitamente disposto a aceitar o paralelo por causa da argumentação. Tolstói ou algum outro dos grandes pregadores da paz entre os camponeses foi morto a tiros como um subversivo por se opor ao alistamento; e pouco tempo depois seus seguidores se reuniram na sala de um sobrado para celebrar sua memória. Eles nunca tiveram razão alguma para se juntarem a não ser aquela celebração comum; são homens de tipos diversos, sem vínculos entre si, exceto que o maior acontecimento de toda a vida deles foi a tragédia do mestre da paz universal. Vivem repetindo suas palavras, revolvendo seus problemas, tentando imitar seu caráter. Os pacifistas se reúnem no seu Pentecostes e são tomados por um súbito êxtase de entusiasmo e o sopro violento de um turbilhão de inspiração, no curso do qual procedem a estabelecer o Alistamento universal, a aumentar o Planejamento da Marinha, a insistir em que todos andem armados até os dentes e em todas as fronteiras fervilhe a artilharia; as atividades são concluídas com o canto de "Rapazes da Raça Buldogue" e "Não os Deixe Eliminar a Marinha Britânica". Eis aí um paralelo bastante justo ilustrando a teoria desses críticos: que a transição da ideia deles sobre Jesus para a ideia deles sobre catolicismo poderia ter sido criada naquele cubículo do primeiro andar no dia de Pentecostes. Com certeza alguém de bom senso diria a esses críticos que os entusiastas, reunidos devido ao entusiasmo comum por um líder amado por eles, não teriam de imediato saído correndo para estabelecer tudo aquilo que ele odiava. Não, se o "sistema eclesiástico e dogmático" remonta ao dia de Pentecostes, então ele remonta ao dia de Natal. Se conseguimos rastreá-lo até esses cristãos tão primitivos, então devemos rastreá-lo até o próprio Cristo.

Podemos começar com estas duas negações. É idiotice dizer que a fé cristã surgiu numa época simples, no sentido de crédula e iletrada. É igualmente idiotice dizer que a fé cristã era uma coisa simples, no sentido de algo vago ou infantil ou simplesmente instintivo. Talvez o único ponto em que pudéssemos dizer que a Igreja se encaixou no mundo pagão está no fato de que ambos eram não só altamente civilizados, mas também bastante complexos. Ambos eram nitidamente multifacetados, mas a antiguidade era nesse caso um buraco multifacetado, como um orifício hexagonal aguardando um tampão igualmente hexagonal. Nesse sentido somente a Igreja era multifacetada o bastante para adequar-se ao mundo. Os seis lados do mundo mediterrâneo defrontavam-se um com o outro através do mar e aguardavam a chegada de algo que se voltasse ao mesmo tempo para todas as direções. A Igreja tinha de ser simultaneamente romana e grega e judia e africana e asiática. Nas próprias palavras do apóstolo dos gentios, era tudo para todos. O cristianismo naquela época não era simplesmente rude e simples: era exatamente o oposto do desenvolvimento bárbaro da época. Mas quando se trata da acusação contrária, encontramos uma acusação muito mais plausível. É muito mais defensável dizer que a Fé foi apenas a fase final da decadência da civilização, no sentido de civilização em excesso; que essa superstição foi um sinal indicando que Roma estava morrendo, e morrendo por excesso de civilização. Esse é um argumento que merece muito mais consideração, e procederemos a considerá-lo.

No começo deste livro ousei fazer um resumo geral estabelecendo um paralelismo com o surgimento da humanidade provindo da natureza e o surgimento do cristianismo provindo da história. Ressaltei que nos dois casos o que havia acontecido antes poderia sugerir algo vindo depois, mas não sugeri de modo algum o que de fato veio depois. Se uma mente distanciada houvesse visto certos macacos, poderia ter deduzido outros antropoides; não teria deduzido o homem ou nenhuma coisa a mil quilômetros de distância do que o homem fez. Em resumo, ela poderia ter visualizado o Pitecantropo ou o elo perdido assomando no futuro, talvez de um modo tão vago e duvidoso como nós o vemos assomando no passado. Mas se ela previsse seu aparecimento, também preveria seu desaparecimento, deixando apenas algumas leves pegadas como as que ele deixou, se é que são pegadas. Prever esse elo perdido não seria prever o Homem, ou alguma coisa semelhante ao Homem. Ora, é preciso ter em mente essa explicação inicial, pois ela estabelece um paralelo exato com a verdadeira visão da Igreja e com a sugestão de ela ter-se desenvolvido naturalmente a partir do Império em decadência.

A verdade é que em certo sentido alguém poderia perfeitamente ter previsto que a decadência imperial teria produzido alguma coisa semelhante ao cristianismo. Ou seja, alguma coisa semelhante e enormemente diferente. Alguém poderia perfeitamente ter dito, por exemplo: "O prazer tem sido buscado de forma tão extravagante que haverá uma reação voltada para o pessimismo. Talvez ela assuma a forma de ascetismo: os homens se mutilarão em vez de simplesmente se enforcarem". Ou alguém poderia sensatamente ter dito: "Se nos cansarmos dos deuses gregos e latinos, deveremos suspirar por algum mistério oriental: entrarão na moda os persas ou os hindus". Ou então alguém muito sofisticado poderia ter-se mostrado sagaz o bastante para dizer: "Gente poderosa está-se agarrando a esses modismos; algum dia a corte real vai adotar um deles que poderia ser oficializado". Ou então outro profeta mais sombrio talvez fosse perdoado por dizer: "O mundo está indo ladeira abaixo: lúgubres e bárbaras superstições irão voltar, não importa quais sejam. Serão informes e fugidias como sonhos noturnos".

Ora, é muito importante para o caso que todas essas profecias de fato se cumpriram, mas não foi a Igreja que as cumpriu. A Igreja se livrou delas, derrotou-as e elevou-se acima delas triunfante. O hedonismo produziu uma simples reação de ascetismo como era de se esperar de sua natureza. Foi o movimento chamado de maniqueísmo, e a Igreja foi seu inimigo mortal. Como era natural que acontecesse naquele ponto da história, ele surgiu, e depois desapareceu, como também era natural. A simples reação pessimista veio de fato com os maniqueus e com eles desapareceu. Mas a Igreja não veio nem desapareceu com eles: ela teve muito mais a ver com o desaparecimento que com o surgimento do maniqueísmo. Ou então, repetindo, na medida em que era provável que o crescente ceticismo fizesse surgir a moda de uma religião oriental, ele de fato a introduziu: Mitra veio de muito além da Palestina, do coração da Pérsia, trazendo estranhos mistérios do sangue de touros. Com certeza tudo estava preparado para mostrar que uma moda semelhante se teria instalado de qualquer maneira. Mas com certeza não há nada no mundo para provar que ela de modo algum nunca teria desaparecido. Com certeza um modismo oriental era algo extremamente adequado ao século IV ou V; mas isso não explica o fato de ele ter permanecido até o século XX e ainda continuar vigoroso.

Resumindo, na medida em que se poderiam esperar coisas desse gênero, coisas como o mitraísmo, elas foram experimentadas naquela época, mas isso mal explica nossas experiências mais recentes. E se ainda fôssemos mitraístas só porque os chapéus mitraicos e outros aparatos persas eram última moda nos dias de Domiciano, ter-se-ia agora a impressão agora de que devemos ser um pouco deselegantes.

A mesma coisa acontece, conforme se sugerirá em breve, com a ideia da preferência oficial. Na medida em que essa preferência mostrada em relação a um modismo era algo que se poderia esperar durante o declínio e a queda do Império Romano, foi algo que de fato existiu naquele Império e com ele declinou e caiu. Isso não lança nenhuma espécie de luz sobre aquilo que decididamente se recusou a declinar e cair; sobre aquele fenômeno que foi crescendo regularmente enquanto o outro estava declinando e caindo e que até mesmo neste momento está avançando com destemido vigor quando outra era completa seu ciclo, e outra civilização parece praticamente pronta para declinar e cair.

Ora, este é o fato curioso: as próprias heresias que a Igreja primitiva é acusada de esmagar dão testemunho da injustiça da qual ela é acusada. Na medida em que algo merecia censura, esse algo era justamente aquilo que a Igreja foi censurada por censurar. Na medida em que algo era simplesmente uma superstição, ela mesma condenou essa superstição. Na medida em que algo era uma simples reação levando à barbárie, ela mesma o combateu por se tratar de uma reação levando à barbárie. Na medida em que algo era um modismo do império moribundo, esse algo morreu e mereceu morrer, e foi exclusivamente a Igreja que o matou. A Igreja é censurada por ser exatamente aquilo que a heresia foi reprimida por ser. A explicação dos historiadores evolucionários e críticos mais importantes de fato explica por que surgiram o arianismo, o gnosticismo e o nestorianismo — e também por que eles morreram. Não explica por que nasceu a Igreja ou por que ela se recusou a morrer. Acima de tudo, não explica por que ela deveria declarar guerra exatamente contra os males de que ela supostamente sofre.

Tomemos alguns exemplos práticos desse princípio: o princípio de que se houve realmente uma superstição própria do império moribundo ela realmente morreu com ele e com certeza não se identificava com aquilo que a destruiu. Com esse propósito vamos examinar duas ou três das explicações mais comuns sobre as origens cristãs apresentadas pelos críticos modernos do cristianismo. Nada é mais comum, por exemplo, que encontrar um desses críticos modernos dizendo algo semelhante a isto: "O cristianismo foi acima de tudo um movimento de ascetas, uma corrida em busca do deserto, um refúgio no claustro, uma renúncia a qualquer manifestação de vida e felicidade; e isso fez parte de uma sombria e desumana reação contra a própria natureza, um ódio contra o corpo, um horror pelo universo material, uma espécie de suicídio dos sentidos e até mesmo da identidade pessoal. Originou-se de um fanatismo oriental semelhante ao dos faquires e fundava-se em última análise no pessimismo oriental, que parece sentir que a própria existência é um mal".

A coisa mais extraordinária a esse respeito é que tudo isso é verdade: verdade em todos os detalhes, só que tudo é atribuído à pessoa errada. Não é verdade em relação à Igreja, mas é verdade em relação aos hereges que a Igreja condenou. É como se alguém escrevesse uma análise detalhadíssima dos erros e desmandos dos ministros do rei George III, com a simples imprecisão de que toda a história fosse escrita a respeito de George Washington; ou como se alguém fizesse uma lista dos crimes dos bolchevistas sem variação alguma, excetuando-se o fato de que eles foram atribuídos ao czar. A Igreja primitiva era de fato muito ascética, mas estava ligada a uma filosofia totalmente diferente. A filosofia de uma guerra contra a vida e a natureza como tais realmente existiu: os críticos só precisariam saber onde procurá-la.

O que de fato aconteceu foi o seguinte: quando a Fé inicialmente surgiu no mundo, a primeira coisa que ocorreu foi que ela se viu enredada numa espécie de enxame de seitas metafísicas e místicas, na sua maioria provindas do Oriente, como uma solitária abelha dourada perdida num enxame de vespas. Aos olhos do observador comum, não parecia haver muita diferença, ou nenhuma outra coisa além do zumbido geral; de fato, em certo sentido, não havia muita diferença, no que se referia a picar e ser picado. A diferença era que o único ponto dourado em meio a toda aquela ruflante poeira dourada tinha o poder de sair pelo mundo e criar colmeias para toda a humanidade; de dar ao mundo cera e mel (como de modo tão elegante se disse num contexto que com demasiada facilidade é esquecido): "as duas coisas mais nobres, que são a doçura e a luz".[2] A vespas morreram todas no inverno; e metade do problema é que quase ninguém sabe nada sobre elas, e a maioria das pessoas nem sequer sabe que elas existiram; e assim a história de toda daquela primeira fase de nossa religião foi perdida. Ou então, variando a metáfora, quando esse ou algum outro movimento rompeu o dique que separa o Oriente do Ocidente e trouxe outras ideias místicas para a Europa, trouxe consigo uma enxurrada de outras ideias místicas além das suas, a maioria delas ascéticas e quase todas pessimistas. Elas quase inundaram e sufocaram o elemento puramente cristão. Vieram principalmente naquela região que era uma espécie de vaga fronteira entre as filosofias e as mitologias orientais, e compartilhavam com os mais desvairados filósofos daquela curiosa mania de estabelecer modelos fantásticos do cosmo na forma de mapas e árvores genealógicas. Os que supostamente derivaram do misterioso Mani são chamados maniqueus; cultos afins são geralmente conhecidos como gnósticos; na sua maioria são de uma complexidade labiríntica, mas o ponto em que é preciso insistir é o pessimismo: o fato de que quase todos, de um modo ou de outro, consideravam a criação do mundo como obra de um espírito mau. Alguns deles tinham aquela atmosfera asiática que envolve o budismo: a sugestão de que a vida é uma corrupção da pureza do ser. Alguns sugeriam uma ordem puramente espiritual que fora traída pelo embuste grosseiro e sem graça de criar brinquedos como o sol, a lua e as estrelas. De qualquer forma, toda essa maré negra do mar da metafísica no seio da Ásia jorrou através dos diques simultaneamente com o credo de Cristo; mas toda a questão da história é que as duas realidades não eram a mesma coisa: fluíram como água e óleo. O credo permaneceu na forma de um milagre: um rio fluindo através do mar. E a prova do milagre foi mais uma vez prática: consistia no simples fato de que, enquanto todo aquele mar era de água salgada e amarga como a morte, a água dessa única corrente em seu seio podia ser bebida pelo homem.

Ora, essa pureza foi preservada por definições e exclusões dogmáticas. Não poderia talvez ter sido preservada por nada mais. Se a Igreja não houvesse renunciado ao maniqueísmo, poderia ter-se tornado simplesmente maniqueia. Se não houvesse renunciado ao gnosticismo, poderia ter-se tornado gnóstica. Mas exatamente pelo fato de que renunciou a essas coisas ela provou que não era nem gnóstica, nem maniqueia. De qualquer modo, ela provou que alguma coisa não era nem gnóstica, nem maniqueia; e o que poderia ser aquilo que condenou essas correntes, se não era a boa notícia original dos mensageiros de Belém e a trombeta da Ressurreição? A Igreja primitiva era ascética, mas provou que não era pessimista mediante a simples condenação dos pessimistas. O credo declarou que o homem era pecaminoso, mas não declarou que a vida era perversa, e o provou mediante a condenação dos que assim declaravam. A própria condenação dos primeiros hereges é condenada como algo rigoroso e tacanho; mas ela na verdade constituiu exatamente a prova de que a Igreja tencionava ser fraterna e ampla. Foi a prova de que os católicos primitivos queriam muito explicar que eles *não* consideravam o homem totalmente perverso; que eles *não* consideravam a vida incuravelmente miserável; que eles *não* consideravam o casamento um pecado ou a procriação uma tragédia. Eram ascéticos porque a ascese era a única purgação dos pecados do mundo, mas no próprio trovão de seus anátemas eles afirmavam para sempre que seu ascetismo não era anti-humano ou antinatural; afirmavam que queriam purgar o mundo, não destruí-lo. E nada mais exceto aqueles anátemas talvez pudesse esclarecer as coisas naquela confusão que ainda os confunde com seus inimigos mortais. Nada mais exceto o dogma poderia ter resistido ao tumulto da astúcia imaginativa com que os pessimistas faziam sua guerra contra a natureza; com seus Éons e seus Demiurgos, seu estranho Logos e sua sinistra Sofia. Se a Igreja não houvesse insistido na teologia, ela se teria fundido numa louca mitologia de místicos, distanciando-se ainda mais da razão e até mesmo do racionalismo; e, acima de tudo, distanciando-se ainda mais da vida e do amor pela vida. Lembremos que ela teria sido uma mitologia invertida, contrariando tudo o que é natural no paganismo: uma mitologia em que Plutão estaria acima de Júpiter e o Hades pairaria acima do Olimpo; em que Brama e tudo o que constituía o sopro de vida estaria sujeito a Xiva, brilhando com o olhar da morte.

O fato de que a própria Igreja primitiva estava repleta de extático entusiasmo pela renúncia e pela virgindade torna essa distinção muito mais surpreendente. Torna muito mais importante o ponto em que o dogma estabelece seu parâmetro. Alguém poderia rastejar como um animal por ser um asceta. Poderia permanecer noite e dia no topo de uma coluna e ser adorado por ser um asceta. Mas ninguém poderia dizer que o mundo era um erro ou que o estado matrimonial era pecaminoso sem ser um herege. O que era aquilo que tão deliberadamente se desvencilhava do ascetismo oriental estabelecendo uma definição clara e uma recusa ferrenha, se não era algo com sua individualidade própria, completamente diferente? Se os católicos são fatalmente confundidos com os gnósticos, só podemos dizer que isso não acontece por culpa deles. E é bastante desagradável que os mesmos críticos culpem os católicos por perseguir os hereges e também de simpatizar com a heresia.

A Igreja não foi um movimento maniqueu pelo simples fato de que não foi um movimento. Não foi nem mesmo simplesmente um movimento ascético, porque não foi um movimento em hipótese alguma. Estaria mais de acordo com a verdade chamá-la de domadora do ascetismo em vez de uma simples desencadeadora e condutora. Era uma entidade com sua própria teoria e tipo de ascetismo, mas era mais conspícua naquela fase como a moderadora de outras teorias e tipos. Esse é o único sentido que se pode inferir, por exemplo, da história de Santo Agostinho. Enquanto ele era apenas um cidadão do mundo, um simples homem vivendo ao sabor de seu tempo, era de fato maniqueu. Era muito moderno e era moda ser maniqueu. Mas quando se tornou católico, quem ele imediatamente atacou e destruiu foram os maniqueus. A maneira católica de expressar esse fato é dizer que ele deixou de ser um pessimista para tornar-se um asceta. Mas, da forma como os pessimistas interpretaram o ascetismo, poderíamos dizer que ele deixou de ser um asceta para tornar-se um santo. A guerra contra a vida, a negação da natureza, essas eram exatamente as coisas que ele já havia descoberto no mundo pagão fora da Igreja e às quais teve de renunciar ao nela ingressar. O próprio fato de que Santo Agostinho continua sendo uma figura mais severa e mais triste do que São Francisco ou Santa Teresa só enfatiza o dilema. Observando de perto os mais graves e mais severos dentre os católicos, podemos ainda perguntar: "Por que o catolicismo declarou guerra contra os maniqueus se o catolicismo era maniqueu?".

Tomemos outra explicação racionalista do surgimento do cristianismo. É muito comum ouvir outro crítico dizendo: "O cristianismo na realidade não surgiu de modo algum; ou seja, ele não surgiu simplesmente vindo de baixo: foi imposto de cima. É um exemplo do poder dos estados executivos, especialmente dos despóticos. O Império era realmente um império: isto é, era realmente governado pelo Imperador. Um dos imperadores casualmente se tornou cristão. Poderia muito bem ter-se tornado mitraísta, ou judeu, ou adorador do fogo: era comum durante o declínio do Império ver gente famosa e escolarizada adotar esses excêntricos cultos orientais. Mas, quando ele o adotou, o culto tornou-se a religião oficial do Império Romano, tornou-se tão poderoso e universal quanto o Império Romano. O cristianismo só sobrevive no mundo como uma relíquia do Império; ou então, como muitos dizem, ele é apenas fantasma de César ainda pairando sobre Roma. Essa também é uma linha de pensamento adotada na crítica à ortodoxia: dizer que foi apenas o oficialismo que a transformou em ortodoxia. E aqui mais uma vez podemos apelar para os hereges a fim de refutá-la.

Toda a grande história da heresia ariana poderia ter sido inventada para desmascarar essa ideia. Trata-se de uma história interessante, muitas vezes repetida a esse respeito, e seu resultado final é que, na medida em que um dia houve uma religião simplesmente oficial, ela de fato morreu por ser meramente oficial: e foi a religião real que a destruiu. Ário propôs uma versão de cristianismo que tendia, de modo mais ou menos vago, para aquilo que chamaríamos chamar de unitarismo, embora não fosse a mesma coisa, pois atribuía a Cristo uma curiosa posição intermediária entre o divino e o humano. O ponto principal é que o arianismo aos olhos de muitos parecia mais racional e menos fanático, e entre essas pessoas havia muitos da classe culta reagindo contra o entusiasmo inicial da conversão. O ariano era um tipo moderado, um tipo moderno. E sentiu-se que depois das primeiras disputas o arianismo era a forma final da religião racionalizada em que a civilização se poderia estabelecer. Foi aceito pelo próprio Divino César e tornou-se a ortodoxia oficial: os generais e príncipes militares escolhidos entre os novos poderes bárbaros do norte, cheios de futuro, lhe deram seu vigoroso apoio. Mas o resultado disso é ainda mais importante. Exatamente como um homem moderno poderia passar pelo unitarismo para chegar ao completo agnosticismo, assim o maior dentre os imperadores arianos no fim abandonou as últimas e mais tênues pretensões de cristianismo: abandonou até mesmo Ário e voltou para Apolo. Ele foi um césar dos césares: soldado, erudito, homem de grandes ambições e ideais, mais um dos reis filósofos. Tinha ele a impressão de que a um gesto seu o sol tornaria a surgir. Os oráculos começaram a falar como aves que começam a cantar ao amanhecer: o próprio paganismo voltava a ser o que era antes: os deuses retornaram. Parecia o fim daquele estranho interlúdio de uma superstição estrangeira. E de fato foi o fim daquilo, na medida em que houve o mero interlúdio de uma mera superstição. Foi o fim daquilo, na medida em que se tratava do capricho de um imperador ou da moda de uma geração. Se de fato houve algo que começou com Constantino, então isso terminou com Juliano.

Mas algo houve que não acabou. Surgira Atanásio opondo-se ao mundo naquele momento da história, desafiando o tumulto democrático dos concílios da Igreja. Podemos fazer uma pausa e refletir sobre a questão em foco, pois isso é importante para toda esta história religiosa, e o mundo moderno parece não perceber todo o seu alcance. Podemos colocar o caso da seguinte forma: se há uma questão que os liberais e esclarecidos costumam ridicularizar e exibir como exemplo de dogma estéril e briga sectária sem sentido algum, essa questão é a ideia atanasiana da coeternidade do Filho de Deus. Em contrapartida, se há uma coisa que os mesmos liberais sempre nos apresentam como um fragmento de cristianismo puro e simples, não perturbado por disputas doutrinais, essa coisa é a frase singular "Deus é amor". E no entanto as duas afirmações são quase idênticas: pelo menos uma é quase absurda sem a outra. O estéril dogma é apenas a maneira lógica de declarar o belo sentimento. Pois se existe um ser sem um começo, existente antes de todas as coisas, estava ele amando quando nada havia para ser amado? Se através dessa inimaginável eternidade ele está só, qual é o significado de dizer que ele é amor? A única justificativa de um mistério como esse é a concepção mística de que em sua própria natureza havia algo análogo à autoexpressão, algo daquilo que gera e contempla o que foi gerado. Sem alguma ideia semelhante, é de fato ilógico complicar a última essência da deidade com uma ideia de amor. Se os modernos de fato quiserem uma simples religião do amor, eles precisam ir procurá-la no Credo Atanasiano. A verdade é que a trombeta do verdadeiro cristianismo, o desafio da caridade e simplicidade de Belém ou do Natal, jamais ecoou de modo mais impressionante e inconfundível do que no desafio de Atanásio contra a fria acomodação ariana. Decididamente, era ele que de fato estava lutando por um Deus de amor contra um Deus do incolor e remoto controle cósmico: o Deus dos estoicos e dos agnósticos. Decididamente, ele estava lutando pelo Santo Menino contra a cinzenta deidade dos fariseus e saduceus. Ele estava lutando exatamente por aquele equilíbrio de bela interdependência e intimidade, dentro da própria Trindade da natureza divina, que arrasta nosso coração para a Trindade da Sagrada Família. Seu dogma, se a expressão não for mal entendida, transforma até mesmo Deus numa Sagrada Família.

O fato de esse dogma puramente cristão pela segunda vez rebelar-se contra o Império, e realmente pela segunda vez fundar a Igreja apesar do Império, constitui por si só uma prova de que algo positivo e pessoal estava agindo no mundo, algo que não se confunde com nenhuma fé oficial que o Império tenha decidido adotar. Esse poder destruiu por completo a fé oficial que o Império de fato adotou. Ele seguiu seu próprio caminho como sempre vai seguindo. Há inúmeros outros exemplos em que se repete com exatidão o mesmo processo que analisamos nos casos dos maniqueus e dos arianos. Alguns séculos depois, por exemplo, a Igreja precisou afirmar a mesma Trindade, que é simplesmente o lado lógico do amor, contra o surgimento da isolada e simplificada deidade da religião do Islã. No entanto, há os que não conseguem ver por que lutavam os cruzados; e há os que chegam até a falar como se o cristianismo nunca houvesse sido outra coisa a não ser uma forma do que eles chamam de hebraísmo que se instalou com a decadência do helenismo. Essa gente com certeza deve ficar muito intrigada com a guerra entre o crescente e a cruz. Se o cristianismo não tivesse sido nada mais que uma moralidade mais simples que varreu o politeísmo, não haveria nenhuma razão para que ele não devesse ser engolido pelo Islã. A verdade é que o próprio Islã foi uma reação bárbara contra a complexidade misericordiosa que constitui realmente uma característica cristã: a ideia do equilíbrio na deidade, como o equilíbrio na família, que faz do credo uma espécie de sensatez, e faz dessa sensatez a alma da civilização. E é por isso que a Igreja é desde o início algo que mantém sua própria posição e ponto de vista, totalmente à parte dos acidentes e anarquias de sua época. É por isso que ela imparcialmente distribui golpes à esquerda e à direita, contra o pessimismo dos maniqueus ou contra o otimismo dos pelagianistas. Ela não era um movimento maniqueu porque simplesmente não era um movimento. Não era uma moda oficial porque não simplesmente não era uma moda. Era algo que podia coincidir com movimentos e modas, podia controlá-los e podia sobreviver a eles.

Oxalá pudessem deixar suas tumbas os grandes heresiarcas para confundir seus colegas de hoje. Não há nada que os críticos atuais afirmem que não possamos negar imediatamente invocando essas grandes testemunhas. O crítico moderno dirá, com certa leviandade, que o cristianismo é apenas uma reação tendendo para o ascetismo e para uma espiritualidade antinatural, uma dança de faquires em fúria contra a vida e o amor. Mas Mani, o grande místico, lhes responderá de seu trono secreto gritando: "Esses cristãos não têm o direito de serem chamados de espirituais; esses cristãos não têm o direito de serem chamados de ascetas: eles que pactuam com a maldição da vida e a imundície da família. Por causa deles o mundo ainda está sujo com o fruto e a colheita e está poluído de gente. O deles não foi nenhum movimento contra a natureza, caso contrário meus filhos o teriam levado ao triunfo; mas esses tolos renovaram o mundo quando eu com um gesto o teria destruído". E outro crítico escreverá que a Igreja não foi mais que a sombra do Império, a coqueluche de um imperador casual, e dirá que ela continua na Europa apenas como o fantasma do poder de Roma. E o diácono Ário responderá lá das trevas do olvido: "Não mesmo, ou então o mundo teria seguido minha religião mais racional. Pois a minha religião afundou diante de demagogos e homens que desafiaram César; em volta de meu paladino estava o manto purpúreo, e era minha a glória das águias. Não foi por falta dessas coisas que eu fracassei". E um terceiro moderno afirmará que o credo católico se propagou apenas como uma espécie de pânico do fogo do inferno: por toda parte homens tentando coisas impossíveis em sua fuga da incrível vingança, um pesadelo de remorso imaginário. E essa explicação satisfará a muitos que veem algo terrível na doutrina da ortodoxia. E então contra isso se elevará a voz de Tertuliano dizendo: "E por que motivo então fui expulso? Por que corações e cabeças moles me condenaram quando proclamei a perdição de todos os pecadores? E que poder foi esse que me frustrou quando ameacei todos os reincidentes com o inferno? Pois ninguém jamais foi mais longe que eu por aquele árduo caminho, e meu foi o *Credo Quia Impossible*".[3] Depois haverá a quarta objeção dizendo que havia algo do segredo semítico em toda a questão; que foi uma nova invasão do espírito nômade sacudindo um paganismo mais ameno e mais confortável, suas cidades e seus deuses do lar; com isso as ciumentas raças monoteístas puderam instituir seu Deus ciumento. E Maomé haverá de responder do meio do furacão, o furacão vermelho do deserto: "Quem jamais serviu ao Deus ciumento como eu fiz, ou quem o deixou mais solitário no seu céu? Quem jamais prestou mais homenagem a Moisés e Abraão, ou quem conseguiu mais vitórias sobre os ídolos e as imagens do paganismo? E que fenômeno foi esse que me empurrou para trás com a energia de algo vivo, cujo fanatismo foi capaz de me expulsar da Sicília e arrancar-me as profundas raízes das rochas da

Espanha? Que fé era essa daqueles que aos milhares, de todas as classes, invadiram meu país gritando que minha destruição era a vontade de Deus? E o que arremessou o grande Godofredo por sobre o muro de Jerusalém como se ele houvesse saído de uma catapulta? E o que trouxe o grande Sobieski feito um raio até as portas de Viena? Eu acho que havia nisso muito mais coisas do que vocês conseguem imaginar nessa religião que se bateu com a minha".

Aqueles que gostariam de sugerir que a fé foi um fanatismo estão condenados a uma eterna perplexidade. Na explicação deles, ela deve necessariamente aparecer como fanática por nada e fanática contra quase tudo. Ela é ascética e está em guerra contra os ascetas; é romana e se revolta contra Roma; é monoteísta e luta furiosamente contra o monoteísmo; é severa em sua condenação do que é severo; é um enigma que não se pode explicar nem mesmo como irracionalidade. E que espécie de irracionalidade é essa que parece razoável a milhões de imperadores cultos através de todas as revoluções de aproximadamente mil e seiscentos anos? Ninguém se diverte com um enigma, ou paradoxo, ou uma simples confusão mental durante um espaço de tempo tão longo. Não conheço nenhuma explicação a não ser a que afirma que esse fenômeno não é uma irracionalidade, é razão; que se há fanatismo é fanatismo pela razão e contra o que não é racional. Essa é a única explicação que consigo achar para uma coisa que desde o início é tão desapegada e tão confiante, condenando coisas tão parecidas com ela mesma, recusando ajuda de poderes que pareciam essenciais para sua existência, compartilhando em seu aspecto humano de todas as paixões de sua época, e no entanto sempre, no momento supremo, elevando-se de repente acima delas, nunca dizendo exatamente o que se esperava que ela dissesse e nunca precisando desdizer o que havia dito. Não consigo encontrar nenhuma explicação exceto a de que, como Palas saiu do cérebro de Júpiter, ela de fato saiu da mente de Deus, madura e poderosa e armada para o julgamento e para a guerra.

5

A fuga do paganismo

O missionário moderno, com seu guarda-chuva e chapéu de folha de palmeira, tornou-se uma figura bastante cômica. Entre gente sofisticada ele é ridicularizado pela facilidade com que pode ser comido por canibais e por seu estreito fanatismo que o leva a pensar que a cultura canibal é inferior à sua. Talvez a melhor parte da piada seja que os sofisticados não percebem que ela depõe contra eles mesmos. É bastante ridículo perguntar a alguém prestes a ser cozinhado e comido numa festa puramente religiosa por que ele não considera todas as religiões igualmente amistosas e fraternas. Mas há uma crítica mais sutil feita contra o missionário mais antiquado: é que ele generaliza demais em relação aos pagãos e não presta a devida atenção à diferença entre Maomé e Mumbo Jumbo. Provavelmente havia alguma verdade na queixa, especialmente no passado, mas eu estou convencido de que nesse ponto o exagero atual vai na direção diametralmente oposta. Os catedráticos são tentados a tratar todas as mitologias como teologias: como coisas ponderadas a fundo que são afirmadas a sério. Os intelectuais são tentados a levar a sério demais os delicados matizes de várias escolas da metafísica bastante irresponsável da Ásia. Acima de tudo, são tentados a evitar a verdade real implícita na ideia de Tomás de Aquino *contra gentiles* e de Atanásio *contra mundum*.

Se o missionário de fato disser que ele é excepcional por ser cristão e as outras raças e religiões podem ser classificadas em conjunto como pagãs, ele está perfeitamente certo. Talvez diga isso no espírito errado e nesse caso está espiritualmente errado. Mas à fria luz da filosofia e da história ele está intelectualmente certo. Talvez seu raciocínio não seja correto, mas ele está certo. Talvez ele nem sequer tenha o direito de estar certo, mas está certo. O mundo lá fora para o qual ele levará seu credo é realmente algo que está sujeito a certas generalizações que cobrem todas as suas variedades, e não é simplesmente uma variedade de credos similares. Talvez seja uma grande tentação de orgulho e hipocrisia chamá-lo de paganismo. Talvez fosse melhor chamá-lo simplesmente de humanidade. Mas há certas grandes características que chamamos de humanidade enquanto ela continua no que chamamos de paganismo. Não são necessariamente características ruins: algumas delas merecem o respeito da cristandade; outras foram absorvidas e transfiguradas na substância da cristandade. Mas elas existiam antes da cristandade e continuam existindo fora dela, como certamente o mar existia antes do barco e em toda a volta dele; e elas são tão fortes, universais e inconfundíveis como o sabor do mar.

Por exemplo, todos os verdadeiros pesquisadores que estudaram a cultura greco-romana dizem a mesma coisa sobre ela. Eles concordam que no mundo antigo a religião era uma coisa e a filosofia era outra totalmente diferente. Era muito pequeno o esforço que se fazia para racionalizar e ao mesmo tempo efetivar uma crença real nos deuses. Era muito pequena entre os filósofos a alegação de que alguma crença era verdadeira. Ninguém tinha a paixão ou talvez o poder de perseguir outros, exceto em casos particulares e peculiares: nem o filósofo em sua escola, nem o sacerdote em seu templo jamais parecem ter seriamente contemplado sua própria concepção como algo que cobria o mundo. O sacerdote oferecendo um sacrifício a Ártemis em Cálidon não parecia pensar que o povo além-mar algum dia fosse oferecer sacrifícios a ela e não a Ísis; um sábio seguindo o regime vegetariano dos neo pitagóricos não parecia pensar que esse regime prevalecesse a ponto de excluir os métodos de Epíteto ou de Epicuro. Se quisermos, podemos chamar isso de liberalidade; não estou tratando de uma argumentação, mas descrevendo uma atmosfera. Quero dizer que tudo isso é admitido por todos os estudiosos; mas o que nem os cultos nem os incultos perceberam plenamente, talvez, é que essa descrição é de fato uma descrição de todas as civilizações não cristãs de hoje, e em especial das grandes civilizações do Oriente. Muito mais que os críticos modernos admitem, o paganismo oriental é um bloco único, exatamente como o paganismo antigo era um bloco único. Aquele é um tapete persa multicolorido, este é uma pavimentação romana em xadrez, mas a verdadeira rachadura que atravessou o pavimento decorreu do terremoto da Crucificação.

O europeu moderno que procura sua religião na Ásia está atribuindo à Ásia a sua religião. Lá a religião é algo diferente: é mais e é menos. Ele se parece com alguém que está mapeando o mar como se fosse terra firme: assinalando ondas como se fossem montanhas, sem entender a natureza de sua peculiar permanência. É certamente verdade que a Ásia tem sua própria dignidade, poesia e elevada civilização. Porém, não é absolutamente verdade que a Ásia tenha seus próprios domínios de governo moral bem definidos, em que toda lealdade é concebida em termos de moralidade, como quando dizemos que a Irlanda é católica ou que a Nova Inglaterra era puritana. O mapa não mostra religiões em nosso sentido de igrejas. O estado mental é muito mais sutil, mais relativo, mais secreto, mais variado e mutável como as cores da serpente. O muçulmano é o que mais se aproxima de um cristão militante, e isso se dá precisamente porque ele é o que mais se aproxima de um emissário da civilização ocidental. O muçulmano no coração da Ásia quase representa a alma da Europa. E assim como ele fica entre a Ásia e a Europa em termos espaciais, fica entre a Ásia e o cristianismo em termos temporais. Nesse sentido, os muçulmanos da Ásia são como os nestorianos da Ásia. Do ponto de vista histórico, o islamismo é a maior das heresias do Oriente. Alguma coisa ele deve à individualidade única e totalmente isolada de Israel, porém deve mais a Bizâncio e ao entusiasmo teológico da cristandade. Alguma coisa ele deve até às cruzadas. Não deve absolutamente nada à Ásia. Nada deve à atmosfera do mundo asiático antigo e tradicional, com sua antiquíssima etiqueta e suas filosofias sem fundamento ou desconcertantes. Toda aquela Ásia antiga e concreta sentiu a chegada do islamismo como algo estrangeiro, ocidental e bélico, penetrante como uma lança.

Mesmo se marcássemos com linhas tracejadas os domínios das religiões asiáticas, estaríamos provavelmente atribuindo a elas algo dogmático e ético de nossa própria religião. É como se um europeu que desconhecesse a situação americana imaginasse que cada "Estado" americano constituía um Estado soberano independente tão patriótico como a França ou a Polônia; ou imaginasse que um ianque referindo-se carinhosamente à sua "cidade natal" quisesse dizer, como um antigo cidadão de Atenas ou de Roma, que não tinha outra pátria. Assim como ele estaria atribuindo uma espécie particular de lealdade à América, nós também estamos atribuindo uma espécie de lealdade particular à Ásia. Há lealdades de outras espécies, mas não são o que os ocidentais querem dizer ao se declarar crentes, ao tentar ser cristãos, sendo bons protestantes ou católicos praticantes. No mundo intelectual essa lealdade significa algo muito mais vago e eivado de dúvidas e especulações. No mundo moral ela significa algo mais solto e à deriva. Um professor de língua persa de uma de nossas grandes universidades, partidário apaixonado do Oriente a ponto de praticamente desprezar o Ocidente, disse a um amigo meu: "Você nunca entenderá as religiões orientais porque sempre imagina uma religião como algo ligado à ética. Essa espécie de religião oriental não tem nada a ver com a ética". A maioria de nós conhece alguns mestres da sabedoria superior, alguns peregrinos da senda do poder, alguns santos e videntes orientais esotéricos, que de fato nada têm a ver com a ética. Algo diferente, algo desligado e irresponsável marca a atmosfera moral da Ásia e afeta até mesmo o Islã. Isso foi captado de modo muito realista na atmosfera de *Hassan*,[1] uma atmosfera muito horrível. Isso aparece ainda mais vívido nos vislumbres que captamos dos antigos e genuínos cultos asiáticos. Além das profundezas da metafísica, muito abaixo dos abismos das meditações místicas, debaixo de todo aquele solene universo de espiritualidade, há um segredo, uma intangível e terrível leveza. Realmente pouco importa o que o indivíduo faz. Seja porque lá não se acredita no demônio, seja porque lá não se acredita no destino, seja porque lá a experiência é tudo e a vida eterna é algo totalmente diferente, mas por alguma razão os asiáticos são totalmente diferentes. Li nalgum lugar que na Pérsia da Idade Média existiram três amigos famosos por sua unidade mental. Um se tornou o responsável e respeitado vizir do Grande Rei; o segundo foi o poeta Omar, pessimista e epicureu, que bebia vinho e zombava de Maomé; o terceiro foi o Velho Homem da Montanha que enlouquecia seus seguidores com haxixe para que eles pudessem assassinar outras pessoas com seus punhais. Realmente o que o indivíduo faz não tem importância.

O Sultão em *Hassan* teria entendido esses três homens: de fato ele era todos os três ao mesmo tempo. Mas esse tipo de universalista não pode ter o que chamamos de caráter: é o que chamamos de caos. Ele não pode escolher; não pode lutar; não pode arrepender-se nem ter esperança. No mesmo sentido, ele não está criando algo, pois criação significa rejeição. Ele não está, em nossa expressão religiosa, cuidando de sua alma. Pois nossa doutrina da salvação de fato significa um trabalho semelhante ao de alguém que tenta criar uma bela estátua: uma vitória com asas. Para isso, deve haver uma escolha final, pois ninguém pode criar estátuas sem rejeitar parte da pedra. E por trás da metafísica da Ásia existe realmente essa amoralidade extrema, e a razão é que ao longo de todas aquelas épocas inimagináveis não houve nada capaz de enfocar nitidamente a mente humana, capaz de lhe dizer que é chegada a hora de escolher. A mente viveu por tempo demasiado na eternidade. A alma tem sido demasiadamente imortal, em particular no sentido de ignorar a noção de pecado mortal. Ela teve eternidade em excesso, no sentido de não ter tido o suficiente da hora da morte e do juízo. Ela não foi suficientemente crucial, no sentido literal de não ter tido o suficiente da cruz. É isso que queremos dizer quando afirmamos que Ásia está decrépita. Mas rigorosamente falando a Europa é tão velha quanto a Ásia; de fato em certo sentido, qualquer lugar é tão velho quanto qualquer outro. O que queremos dizer é que a Europa não foi simplesmente envelhecendo. Ela nasceu de novo.

A Ásia é toda a humanidade, no sentido de que ela construiu seu destino humano. A Ásia, em seu vasto território, suas variadas populações, seus picos de conquistas passadas e suas profundezas de obscuras especulações, é em si mesma um mundo, e representa algo do que queremos dizer quando falamos do mundo. É um cosmo em vez de um continente. É o mundo criado pelo homem, e contém muitas das coisas mais maravilhosas que o homem fez. Por isso a Ásia surge como o único representante do paganismo e o único rival do cristianismo. Mas em todas as outras partes nas quais temos vislumbres do destino mortal eles sugerem estágios da mesma história. Lá onde a Ásia desaparece nos arquipélagos meridionais dos selvagens, ou onde as trevas repletas de formas sem nome ocupam o coração da África, ou onde os últimos sobreviventes de raças perdidas permanecem no frio vulcão da América pré-histórica, temos sempre a mesma história, às vezes talvez capítulos mais recentes da mesma história. São homens emaranhados na floresta de sua mitologia; são homens afogados no mar de sua própria metafísica. Politeístas se cansaram das ficções mais desvairadas. Monoteístas se cansaram das verdades mais maravilhosas. Demonistas aqui e acolá odeiam o céu e a terra a tal ponto que vão procurar abrigo no inferno. É a Queda do Homem; e é precisamente essa queda que foi sentida pelos nossos próprios pais no primeiro instante do declínio do Império Romano. Nós também descíamos por aquela ampla estrada, ladeira abaixo, seguindo a magnífica procissão das grandes civilizações do mundo.

Se a Igreja não houvesse entrado no mundo naquele momento, é provável que toda a Europa fosse agora exatamente o que é a Ásia. Pode-se fazer alguma concessão em favor de uma diferença real de raça e ambiente, visível tanto no mundo antigo quanto no moderno. Mas, no fim das contas, nós falamos do imutável Oriente em grande parte porque ele não sofreu a grande transformação. Em sua última fase o paganismo mostrou sinais importantes de estar tornando-se igualmente imutável. Isso não significa que novas escolas ou seitas filosóficas não iriam surgir, como novas escolas de fato surgiram na Antiguidade e continuam surgindo na Ásia. Não significa que não haveria nenhum místico ou visionário, como houve místicos na Antiguidade e há místicos atualmente na Ásia. Não significa que não haveria nenhum código social, como houve códigos sociais na Antiguidade e há códigos atualmente na Ásia. Não significa que não pudessem existir homens bons e vidas felizes, pois Deus concedeu aos homens uma consciência, e a consciência pode dar aos homens certa paz. Mas isso não significa que o tom e a proporção de todas essas coisas, especialmente o tom e a proporção de coisas boas e ruins, seriam no Ocidente imutado o que são no Oriente que não muda. E ninguém que olhe honestamente para o Oriente que não muda, mesmo tomado de uma simpatia real, pode acreditar que lá existia qualquer coisa remotamente parecida com o desafio e a revolução da Fé.

Resumindo, se o paganismo clássico houvesse permanecido até hoje, muitas coisas poderiam ter permanecido com ele, e elas se pareceriam muito com o que chamamos de religiões do Oriente. Ainda haveria pitagóricos ensinando a reencarnação, como ainda há hindus ensinando isso. Ainda haveria estoicos criando uma religião a partir da razão e da virtude, como ainda há confucionistas criando uma religião a partir dessas realidades. Ainda haveria neoplatônicos estudando verdades transcendentais, cujo significado seria misterioso para outras pessoas e até discutido entre eles mesmos; assim como os budistas ainda estudam um transcendentalismo misterioso para os outros e discutido entre eles mesmos. Ainda haveria inteligentes seguidores de Apolônio aparentemente adorando o deus-sol, mas explicando que adoravam o princípio divino; exatamente como ainda haveria Pársis aparentemente adorando o sol, mas explicando que adoravam a divindade. Ainda haveria selvagens dionisíacos dançando na montanha, como ainda há dervixes desvairados dançando no deserto. Ainda haveria multidões de gente celebrando as festas populares dos deuses, tanto na Europa pagã quanto na Ásia pagã. Ainda haveria multidões de deuses, locais ou não, para a adoração das multidões humanas. E ainda haveria muita gente mais disposta a adorá-los que a crer neles. Por fim, ainda haveria grande número de gente de fato adorando os deuses e acreditando neles; e acreditando nos deuses e os adorando simplesmente porque eram demônios. Ainda haveria levantinos oferecendo sacrifícios secretos a Moloque, como ainda há *thugs*[2] oferecendo sacrifícios a Kali. Ainda haveria muita magia e muita magia negra. Ainda haveria uma admiração considerável por Sêneca e uma considerável imitação de Nero, exatamente como os exaltados epigramas de Confúcio poderiam coexistir com as torturas da China. E por sobre aquela emaranhada floresta de tradições crescendo e morrendo sem controle algum pairaria o grande silêncio de um estado de espírito singular e até mesmo sem nome, mas cujo nome mais adequado seria o nada. Todas essas coisas, boas ou más, teriam o ar indescritível de serem velhas demais para morrer.

Nenhuma dessas coisas que ocupasse a Europa na ausência do cristianismo teria a menor semelhança com ele. Uma vez que a metempsicose pitagórica ainda estaria presente, poderíamos falar de religião pitagórica assim como falamos da religião budista. Uma vez que as nobres máximas de Sócrates ainda estariam presentes, poderíamos falar da religião socrática assim como falamos da religião confucionista. Uma vez que os feriados populares ainda estariam marcados por algum hino mitológico a Adônis, poderíamos falar da religião de Adônis assim como falamos da religião de *Juggernaut*.[3] Uma vez que a literatura ainda se basearia na mitologia grega, poderíamos chamar essa mitologia de religião assim como chamamos de religião a mitologia hindu. Poderíamos dizer que havia tantos milhares ou milhões de pessoas pertencentes a essa ou aquela religião, no sentido de frequentarem tais e tais templos ou de simplesmente viverem numa região onde esses templos fossem muito comuns. Mas se nós chamarmos a última tradição de Pitágoras ou a remanescente lenda de Adônis pelo nome de religião, então precisamos descobrir algum outro nome para a Igreja de Cristo.

Se alguém disser que as máximas filosóficas preservadas através de tantos séculos ou os templos mitológicos frequentados por tanta gente são coisas da mesma classe e categoria da Igreja, basta responder de modo muito simples que não são. Ninguém acha que são iguais quando vê essas coisas na antiga civilização da Grécia e de Roma; ninguém pensaria serem iguais se aquelas civilizações houvessem durado mais dois mil anos e ainda existissem no presente; ninguém pode em sã consciência pensar que são iguais na paralela civilização pagã do Oriente dos dias de hoje. Nenhuma dessas filosofias ou mitologias é algo parecido com uma Igreja; e elas certamente em nada se parecem com uma igreja militante. E, como já mostrei em outra parte, mesmo que esta regra ainda não estivesse comprovada, a exceção a comprovaria. A regra é que a história pré-cristã ou pagã não produz uma igreja militante; e a exceção, ou aquilo que alguns chamariam de exceção, é que o islamismo, se não é uma Igreja, é pelo menos militante. Isso acontece precisamente porque o islamismo é a única religião rival que *não* é pré-cristã e portanto, nesse sentido, pagã. O islamismo foi um produto do cristianismo, mesmo sendo um subproduto, mesmo sendo um produto ruim. Foi uma heresia ou paródia que emulou e portanto imitou a Igreja. Não surpreende então que o maometismo tenha algo de seu espírito combativo assim como não surpreende que o quaquerismo tenha algo de seu espírito pacífico. Depois do cristianismo aparecem inúmeras emulações ou extensões desse tipo. Antes dele não há nenhuma.

A igreja militante é, portanto, única porque é um exército em marcha buscando uma libertação universal. As amarras das quais o mundo deve ser libertado são muito bem simbolizadas pela condição da Ásia assim como pela condição da Europa pagã. Não me refiro apenas à condição moral ou imoral. Na prática, o missionário tem muito mais a dizer em sua própria defesa que os esclarecidos imaginam, mesmo quando ele afirma que os pagãos são idólatras e imorais. Uma ou duas pinceladas de experiência concreta em relação à religião oriental, mesmo à religião muçulmana, mostrará algumas chocantes insensibilidades na ética, como, por exemplo, a indiferença prática em relação à distinção entre paixão e perversão. Não é o preconceito, mas é a experiência concreta que diz que a Ásia está cheia de demônios bem como de deuses. Mas o mal a que me refiro está na mente. E está na mente em todos os casos em que ela tenha trabalhado por muito tempo em solidão. É o que acontece quando todo o esforço de sonhar e pensar atinge um ponto vazio que é ao mesmo tempo negação e necessidade. Soa como anarquia, mas é também escravidão. É o que já foi denominado de Roda da Ásia: todas aquelas argumentações recorrentes sobre causa e efeito ou coisas que começam e terminam na mente, que impossibilitam a alma de libertar-se, sair para algum lugar ou fazer alguma coisa. E o ponto principal é que isso não é necessariamente uma peculiaridade dos asiáticos: no fim também teria acontecido com os europeus — se algo não houvesse acontecido. Se a igreja militante não tivesse sido um fenômeno em marcha, todos os homens estariam marcando passo. Se a igreja militante não se houvesse submetido a uma disciplina, todos os homens teriam sido submetidos a uma escravidão.

Aquela fé universal e ao mesmo tempo combativa trouxe ao mundo a esperança. Talvez a única coisa que a filosofia e a mitologia tinham em comum era o fato de as duas serem realmente tristes, no sentido de não terem a esperança, embora exibissem toques de fé ou caridade. Podemos chamar o budismo de fé, embora a nossos olhos mais pareça dúvida. Podemos chamar o Senhor da Compaixão de Senhor da Caridade, embora a nossos olhos mais pareça uma espécie muito pessimista de pena. Mas os que insistem sobretudo na antiguidade e na dimensão desses cultos devem concordar que em todas as suas épocas eles não cobriram todas as regiões com aquela espécie de esperança prática e combativa. No cristianismo a esperança nunca esteve ausente; quiçá ela tem sido errante, extravagante e demasiado fixa em fugazes miragens. Sua perpétua revolução e reconstrução apresenta pelo menos uma prova de que as pessoas tinham um estado de espírito. A Europa realmente recuperou sua juventude como as águias: como as águias de Roma novamente surgiram por sobre as legiões de Napoleão, ou como apenas ontem vimos pairar no céu a águia de prata da Polônia. Mas no caso polonês até mesmo a revolução sempre acompanhou a religião. O próprio Napoleão buscou uma reconciliação com a religião. Jamais se conseguiu separar a religião nem mesmo da mais hostil das esperanças, simplesmente porque ela era a própria fonte da esperança. E a causa disso deve ser encontrada na própria religião. Os que discutem sobre ela raramente a consideram em si mesma. Não há aqui espaço e este não é o lugar para uma reflexão completa sobre o caso. Mas pode-se dizer uma palavra para explicar uma reconciliação que sempre recorre e ainda parece exigir explicações.

Não terminarão os cansativos debates sobre a teologia liberalizante até que se encare o fato de que a única parte liberal da teologia é realmente a parte dogmática. Se o dogma é incrível, isso acontece porque ele é incrivelmente liberal. Se é irracional, só pode ser por nos garantir mais liberdade que a razão justifica. O exemplo óbvio é aquela forma essencial de liberdade que chamamos de livre-arbítrio. É absurdo dizer que um homem mostra sua liberalidade mediante a negação da própria liberdade. Mas é defensável dizer que ele precisa afirmar uma doutrina transcendental para afirmar a própria liberdade. Em certo sentido poderíamos razoavelmente dizer que, se um homem é dotado de um poder fundamental de escolha, ele tem nisso um poder sobrenatural de criação, como se pudesse ressuscitar os mortos ou dar à luz os que não foram gerados. Nesse caso ele talvez deva ser um milagre; e certamente nesse caso deve ser um milagre para ser homem, e com maior certeza ainda para ser um homem livre. Mas é absurdo proibi-lo de ser um homem livre e de fazer isso em nome de uma religião mais livre ainda.

Tudo isso é verdadeiro numa centena de outros casos. Alguém que no mínimo acredite em Deus deve acreditar em sua absoluta supremacia. Mas na medida em que essa supremacia admite graus de liberalidade ou iliberalidade, fica evidente que o poder iliberal é a deidade dos racionalistas e o poder liberal é a deidade dos dogmáticos. Na proporção exata em que o monoteísmo se transforma em monismo, ele se transforma em despotismo. É precisamente o deus desconhecido dos cientistas, com seu impenetrável propósito e sua inevitável e inalterável lei, que nos lembra do autocrata prussiano fazendo seus rígidos planos numa barraca remota e controlando a humanidade como uma máquina. É precisamente o Deus de milagres e de orações atendidas que nos lembra do príncipe liberal e popular, recebendo petições, ouvindo parlamentos, analisando casos de toda a população. Não estou discutindo a racionalidade dessa concepção sob outros aspectos: de fato ela não é irracional, como alguns imaginam, uma vez que não há nada de irracional no mais sábio e mais bem-informado rei que atua de modo diferente de acordo com a ação daqueles que ele deseja salvar. Mas aqui estou apenas observando a natureza geral do liberalismo, ou seja, da atmosfera de ação livre ou ampliada. E nesse respeito não há dúvida de que o rei só pode ser o que chamamos de magnânimo quando é o que alguns chamam de caprichoso. O católico, que sente que suas orações fazem uma diferença quando são oferecidas pelos vivos e pelos mortos, também sente que está vivendo como um cidadão livre submetendo-se ao que é quase um regime constitucional. O monista, que vive sob uma única lei férrea, deve ter a sensação de levar a vida de um escravo sob um sultão. Eu de fato acredito que o emprego original da palavra latina *suffragium*, hoje empregada em política para designar o voto, foi usada na teologia com respeito à oração. Dizia-se que as almas no purgatório recebiam o sufrágio dos vivos. E nesse sentido, o de uma espécie de direito de petição endereçada ao regente supremo, podemos verdadeiramente dizer que toda a comunhão dos santos, bem como toda a igreja militante, se funda sobre o sufrágio universal.

Mas isso é verdade acima de tudo em relação à questão mais tremenda: a tragédia que originou a divina comédia do nosso credo. Nada que não seja a extrema, forte ou chocante doutrina da divindade de Cristo produzirá esse efeito particular que pode comover a alma popular como o som de uma trombeta: a ideia de o próprio rei servir o exército como um soldado raso. Tomando essa figura meramente como uma figura humana, criamos uma história que é muito menos humana. Tiramos dela o ponto que de fato penetra a humanidade: o ponto da história que é literalmente a ponta de uma lança. Não se humaniza o universo dizendo-se que gente boa e sábia pode morrer em defesa de suas opiniões, como tampouco seria uma notícia estrondosamente popular o anúncio entre os soldados de que bons combatentes podem com facilidade ser abatidos. Não é nenhuma novidade dizer que o rei Leônidas está morto, como tampouco é novidade dizer que a rainha Ana está morta: os homens não esperaram o cristianismo para serem homens, no sentido pleno de serem heróis. Mas se agora estamos descrevendo a atmosfera do que é generoso e popular e até mesmo pitoresco, qualquer conhecimento da natureza humana nos dirá que não há nenhum sofrimento dos filhos dos homens, ou até mesmo dos servos de Deus, que nos choque mais que a noção do mestre que sofre em vez de seus servos. E isso é o que nos dá o Deus teológico, e decididamente não o científico. Nenhum misterioso monarca, escondido em seu pavilhão estrelado no fundo da base cósmica, se parece minimamente com o cavalheirismo celestial do Capitão que carrega suas cinco feridas na vanguarda da batalha.

O que o adversário do dogma realmente quer dizer não é que o dogma é ruim, mas que é bom demais para ser verdadeiro. Ou seja, quer dizer que o dogma é demasiado liberal para ser provável. O dogma confere ao homem liberdade em excesso quando permite que ele caia. O dogma confere até mesmo a Deus liberdade em excesso quando permite que ele morra. É isso que os céticos inteligentes deveriam dizer; e não tenho aqui a menor intenção de negar que haja argumentos a favor disso. Os céticos querem dizer que o universo é em si mesmo uma prisão universal, que a própria existência é limitação e controle; não é à toa que eles chamam a causação de cadeia. Numa palavra, eles simplesmente querem dizer que não conseguem acreditar nessas coisas, não que elas não sejam absolutamente dignas de crença. Nós dizemos, não só por falar mas muito literalmente, que a verdade nos tornou livres. Eles dizem que ela nos torna tão livres que não pode ser verdade. Para eles, acreditar na liberdade que temos equivale a acreditar em fadas. Alimentar a fantasia de homens com vontade própria equivale a acreditar em homens com asas. Acreditar num homem que tem a liberdade de pedir ou num Deus que tem a liberdade de responder equivale a aceitar a fábula do esquilo conversando com a montanha. Temos aqui uma negação humana e racional que pessoalmente hei de sempre respeitar. Mas me recuso a mostrar algum respeito por aqueles que primeiro cortam as asas, prendem o esquilo, soldam as correntes e recusam a liberdade, fecham atrás nós todas as portas da prisão cósmica com um clangor de ferro eterno, dizem que nossa emancipação é um sonho e nossa masmorra uma necessidade — e depois calmamente viram as costas e nos informam que eles têm um pensamento mais livre e uma teologia mais liberal.

A moral disso tudo é muito antiga: religião é revelação. Em outras palavras, é uma visão, e uma visão recebida pela fé, mas é uma visão da realidade. A fé consiste numa convicção de sua realidade. Essa, por exemplo, é a diferença entre uma visão e um devaneio. E essa é a diferença entre religião e mitologia. Essa é a diferença entre a fé e todas aquelas fantasias, muito humanas e mais ou menos sadias, que consideramos no capítulo da mitologia. Existe algo no próprio emprego da palavra visão que implica duas coisas a seu respeito: primeiro, que ela acontece muito raramente, talvez apenas uma vez; e, segundo, que ela provavelmente acontece de uma vez por todas. Um devaneio pode acontecer todos os dias, pode ser diferente a cada dia. Trata-se de uma diferença maior que aquela entre contar histórias de fantasmas e encontrar-se com um fantasma.

Mas, se não é uma mitologia, tampouco é uma filosofia. Não é uma filosofia porque, sendo uma visão, não é um modelo, mas sim um quadro. Não é uma daquelas simplificações que reduzem tudo a uma explicação abstrata, dizendo, por exemplo, que tudo é recorrente, ou que tudo é relativo, ou que tudo é inevitável, ou que tudo é ilusório. Não é um processo, mas uma história. Tem proporções, daquele tipo que se vê numa pintura ou numa história. Não tem repetições regulares de um modelo ou de um processo. Pelo contrário, ela as substitui pelo fato de ser convincente como um quadro ou uma história. Em outras palavras, ela é como se diz exatamente como a vida. De fato ela é vida. Um exemplo daquilo que aqui se quer dizer poderia ser encontrado no tratamento do problema do mal. É bastante fácil fazer um plano de vida com um pano de fundo negro, como fazem os pessimistas, e depois admitir uma ou duas manchas douradas mais ou menos acidentais ou, pelo menos no sentido liberal, insignificantes. E é bastante fácil fazer outro plano sobre um papel em branco, como fazem os cientistas cristãos, e explicar ou de algum modo descartar esses pontos e manchas talvez difíceis de negar. Por fim, talvez o mais fácil de tudo seja dizer, como fazem os dualistas, que a vida é como um tabuleiro de xadrez em que as duas partes são iguais; e que se pode realmente dizer que ela é feita de quadrados brancos sobre um fundo preto ou de quadrados pretos sobre um fundo branco. Mas todos os homens no fundo do coração sentem que nenhum desses três planos de papel se parece com a vida; que nenhum desses mundos é um mundo no qual possamos viver. Alguma coisa lhes diz que a ideia definitiva de um mundo não é ruim ou mesmo neutra: contemplando o céu, ou a relva, ou as verdades da matemática, ou até mesmo um ovo que acabou de ser botado, eles têm uma vaga sensação semelhante a uma sombra daquela frase do grande filósofo cristão Tomás de Aquino: "Cada existência, como tal, é boa". Em contrapartida, alguma coisa lhes diz que é desumano, aviltante e até malsão reduzir o mal a um pontinho ou mesmo a uma mancha. Os homens percebem que esse otimismo é mórbido, talvez até mais mórbido que o pessimismo. Esses sentimentos vagos mas sadios, quando seguidos até as últimas consequências, resultariam na ideia de que o mal é de certo modo uma exceção, mas uma enorme exceção; e no fim mostrariam que o mal é uma invasão ou, ainda mais de acordo com a verdade, uma rebelião. Os homens não acham que tudo está certo ou que tudo está errado, ou que tudo está igualmente certo e errado. Mas acham que o certo tem direito de estar certo e, portanto, tem direito de existir; e o errado não tem direito de estar errado e, portanto, não tem direito de existir. O mal é o príncipe do mundo, mas é também um usurpador. Assim, os homens vagamente apreendem aquilo que a visão lhes mostrará de modo evidente, e com a mesma clareza eles entenderão toda aquela estranha história de traição nos céus com a grande deserção pela qual o mal danificou e tentou destruir um cosmo que ele não seria capaz de criar. É uma história muito estranha, e suas proporções, linhas e cores são arbitrárias e absolutas como a composição artística de um quadro. É uma visão que nós de fato simbolizamos em quadros usando titânicas asas e apaixonados tons de plumagens, com toda aquela paisagem abissal de estrelas cadentes e pavonescas panóplias noturnas. Mas essa estranha história tem uma vantagem sobre os diagramas. Parece a vida.

Outro exemplo poderíamos encontrar não no problema do mal, mas naquilo que é chamado de problema do progresso. Um dos mais argutos agnósticos de nossa época perguntou-me certa vez se eu achava que a humanidade estava ficando melhor ou pior, ou se continuava a mesma. Ele estava seguro de que a alternativa cobria todas as possibilidades. Não percebia que ela só cobria modelos e não quadros, processos e não histórias. Eu lhe perguntei se ele achava que o sr. Smith de Golder's Green havia ficado melhor ou pior, ou se havia permanecido exatamente o mesmo entre os trinta e os quarenta. Depois disso pareceu surgir nele a suspeita de que tudo dependeria principalmente do sr. Smith e de como ele escolhera proceder na vida. Nunca lhe ocorrera antes que tudo poderia depender de como a humanidade escolhera proceder; e que seu curso não era uma linha reta ou uma curva ascendente ou descendente, mas sim uma trilha como aquela de um homem que atravessa um vale, indo para onde quisesse e parando onde desejasse, entrando numa igreja ou caindo bêbado numa sarjeta. A vida de um ser humano é uma história: uma história de aventura. Em nossa visão o mesmo se aplica até mesmo à história de Deus.

A fé católica é reconciliação porque é a realização seja da mitologia, seja da filosofia. É uma história e nesse sentido uma história dentre centenas de outras, só que é verdadeira. É uma filosofia e nesse sentido uma filosofia dentre centenas de outras, só que é como a vida. Mas acima de tudo é uma reconciliação porque é algo que pode ser chamado a filosofia de histórias. O instinto narrativo normal que produziu todos os contos de fada é algo ignorado por todas as filosofias — exceto uma. A fé é a justificativa daquele instinto popular, a descoberta de uma filosofia para ele ou a análise da filosofia que existe nele. Exatamente como o homem numa história de aventura tem de passar por vários testes para salvar a vida, assim o homem nessa filosofia tem de passar por vários testes e salvar a alma. Nos dois casos há uma ideia de livre-arbítrio operando segundo o plano determinado; em outras palavras, há um objetivo e cabe ao homem tentar atingi-lo; nós portanto observamos para ver se ele o atingirá.

Ora, esse profundo, democrático e dramático instinto é ridicularizado e descartado em todas as outras filosofias. Pois todas elas confessadamente terminam onde começam; e uma história por definição termina de modo diferente: ela começa num lugar e termina em outro. De Buda com sua roda a Akenaton com seu disco, de Pitágoras com sua abstração de números a Confúcio com sua religião da rotina, nenhum deles de um modo ou de outro deixa de pecar contra a alma de uma história. Nenhum deles realmente capta essa noção humana de conto, de teste, de aventura: a provação do homem livre. Cada um deles sufoca o instinto de contar histórias, por assim dizer, e introduz alguma coisa para estragar a vida humana considerada um romance: ou por fatalismo (pessimista ou otimista) com aquele destino que é a morte da aventura; ou por indiferença e aquele desapego que é a morte do drama; ou por um ceticismo fundamental que dissolve os atores transformando-os em átomos; ou por uma limitação materialista que bloqueia o panorama das consequências morais; ou por uma recorrência mecânica que torna tudo monótono, até mesmo os testes morais; ou por um relativismo sem fundamento que torna inseguros até mesmo os testes morais. Existe isso que se chama história humana; e existe isso que é a história divina, que é também uma história humana; mas não existe uma história hegeliana, ou uma história monista, ou uma história relativista, ou uma história determinista; pois todas as histórias, até um romance de quinta categoria ou uma novela barata, contêm algo que pertence a nosso universo e não ao deles. Todos os contos realmente começam com a criação e terminam com um julgamento final.

Essa é a razão pela qual os mitos e os filósofos estavam em guerra até Cristo chegar. Foi por isso que democracia ateniense assassinou Sócrates motivada pelo respeito pelos deuses; por isso todos os sofistas errantes davam-se ares de um Sócrates sempre que podiam falar de um modo superior sobre os deuses; por isso o faraó Herege destruiu seus enormes ídolos e templos por uma abstração e depois os sacerdotes puderam retornar em triunfo e pisotear sua dinastia; por isso o budismo teve de separar-se do bramanismo; e por isso em todas as épocas e países fora da cristandade tem havido brigas entre os filósofos e os sacerdotes. É muito fácil dizer que o filósofo é geralmente o mais racional; é ainda mais fácil esquecer que o sacerdote é sempre o mais popular. Pois o sacerdote contava histórias ao povo; e o filósofo não entendia a filosofia das histórias que entrou no mundo com a história de Cristo.

É por isso que o cristianismo tinha de ser uma revelação ou visão proveniente do alto. Quem se dispuser a pensar na teoria da narrativa ou do quadro entenderá esse ponto com facilidade. A verdadeira história do mundo deve ser contada por alguém a outra pessoa. Pela própria natureza da história ela não pode ser deixada ao acaso. Uma história tem proporções, variações, surpresas, disposições particulares, que não podem ser resolvidas por uma regra abstrata, como uma soma. Não poderíamos deduzir se Aquiles devolveria ou não o corpo de Heitor a partir de uma teoria de Pitágoras sobre números e recorrência; e não poderíamos inferir por nós mesmos de que modo o mundo teria de volta o corpo de Cristo mediante a simples informação de que todas as coisas vão continuamente girando na roda de Buda. Talvez alguém pudesse resolver uma proposição de Euclides sem ter ouvido falar de Euclides; mas ninguém resolveria com precisão a lenda de Eurídice sem ter ouvido falar de Eurídice. Seja como for, ele não teria certeza de como uma história terminava e se Orfeu no fim foi derrotado. Muito menos ele poderia adivinhar o fim de nossa história; ou a lenda de nosso Orfeu surgindo, não derrotado, dentre os mortos.

Resumindo: a sanidade do mundo foi restaurada, e a alma do homem recebeu a salvação mediante algo que de fato satisfez as duas tendências adversárias do passado; tendências que nunca haviam sido plenamente satisfeitas e com a máxima certeza nunca haviam sido satisfeitas em conjunto. A busca mitológica do romance foi satisfeita por ser uma história e a busca filosófica da verdade foi satisfeita por ser uma história verdadeira. É por isso que a figura ideal teve de ser um personagem histórico, o que ninguém jamais pensou de Adônis ou Pã. Mas é também por isso que o personagem histórico teve de ser uma figura ideal e até preencher muitas das funções atribuídas a essas outras figuras ideais: eis por que foi ao mesmo tempo o sacrifício e o banquete, por que pode ser mostrado sob os emblemas da videira que vai crescendo e do sol que vai surgindo. Quanto mais profundamente pensamos no caso, tanto mais concluímos que, se de fato existe um Deus, sua criação não poderia ter atingido outro desfecho diferente dessa concessão ao mundo de um romance real. Caso contrário, os dois lados da mente humana teriam permanecido separados, e a mente do homem teria permanecido fendida e dupla: um lóbulo sonhando sonhos impossíveis, o outro repetindo cálculos invariáveis. Os pintores teriam continuado eternamente pintando o retrato de ninguém. Os sábios teriam continuado eternamente adicionando números que resultariam em nada. Era o abismo que nada exceto a encarnação poderia preencher: a encarnação divina de nossos sonhos. E paira sobre o abismo aquele cujo nome é mais que sacerdote e é mais antigo até mesmo que a cristandade: o Pontífice Máximo, o mais poderoso criador de uma ponte.

Mas, até mesmo com isso, voltamos outra vez ao símbolo mais especialmente cristão dentro da mesma tradição: o modelo perfeito das chaves. Este livro apresenta um esboço histórico, não teológico, e aqui meu dever não é defender em detalhes aquela teologia, mas simplesmente ressaltar que ela nem sequer poderia ser justificada em seu plano sem ser justificada em seus detalhes — como uma chave. Além da sugestão abrangente deste capítulo não tento apresentar nenhuma apologética mostrando por que o credo deveria ser aceito. Mas respondendo ao problema histórico da razão de sua aceitação no passado e no presente, falo por milhões de outras pessoas: porque ele se encaixa na fechadura, porque é como a vida. Trata-se de uma dentre muitas histórias; só que é uma história verdadeira. Trata-se de uma dentre muitas filosofias; só que é a verdade. Nós a aceitamos, e o chão sob nossos pés é sólido, e a estrada se abre diante de nós. Essa história não nos prende num sonho de destino ou numa consciência de ilusão universal. Abre-nos não apenas céus incríveis, mas também o que para muitos parece uma terra igualmente incrível e a torna crível. Este é o tipo de verdade que é difícil de explicar porque é um fato; mas é um fato para o qual podemos pedir testemunhas. Somos cristãos e católicos não porque adoramos uma chave, mas porque passamos por uma porta e sentimos o vento que é a trombeta do sopro de liberdade por sobre a terra dos vivos.

6

As cinco mortes da fé

Não é objetivo deste livro traçar a história posterior do cristianismo, em especial sua história mais recente, que envolve controvérsias sobre as quais espero escrever de modo mais detalhado em outro texto. Este livro dedica-se apenas à sugestão de que o cristianismo, surgindo em meio ao mundo pagão, tinha todas as características de uma coisa única e até mesmo de uma coisa sobrenatural. Não era como nenhuma das outras coisas, e quanto mais o estudamos tanto menos ele se parece com alguma delas. Mas há certa característica bastante peculiar que o marcou do princípio até o presente, e este livro bem pode terminar com uma nota sobre ela.

Eu disse que a Ásia e o mundo antigo davam a impressão de serem velhos demais para morrer. A cristandade teve um destino exatamente oposto. Ela passou por uma série de revoluções e em cada uma delas o cristianismo morreu. Morreu muitas vezes e tornou a ressuscitar, pois tinha um Deus que sabia como sair da tumba. Mas o primeiro fato extraordinário que marca essa história é o seguinte: a Europa foi virada de cabeça para baixo muitas e muitas vezes, e no fim de cada uma dessas revoluções a mesma religião estava outra vez no topo. A Fé sempre converte sua época, não como uma religião velha, mas como uma religião nova. Essa verdade é ocultada aos olhos de muitos por uma convenção que é muito pouco observada. É curioso que se trate de uma daquelas convenções que justo aqueles que a ignoram alegam saber especialmente descobrir e denunciar. Eles estão sempre nos dizendo que sacerdotes e cerimônias não são religião e que a organização religiosa pode ser uma farsa vazia; mas eles mal percebem como isso é verdade. É verdade que, pelo menos três ou quatro vezes na história da cristandade, toda a alma parecia ter abandonado o cristianismo, e quase todos no fundo do coração esperavam o fim dele. Esse fato só é mascarado nos tempos medievais e em outras épocas por aquela religião oficial que os tais críticos se orgulham de conhecer a fundo. O cristianismo continuou como a religião oficial de um príncipe da Renascença, ou a religião oficial de um bispo do século XVIII, exatamente como uma antiga mitologia continuou como a religião oficial de Júlio César, ou o credo ariano continuou por muito tempo como a religião oficial de Juliano, o apóstata. Mas havia uma diferença entre o caso de Júlio César e o de Juliano, porque a Igreja já tinha começado seu estranho percurso. Não havia motivo algum para que homens como Júlio César não devessem, em público, adorar para sempre deuses como Júpiter e para sempre, em particular, rir-se deles. Mas quando Juliano tratou o cristianismo como se estivesse morto, descobriu que ele voltara à vida novamente. Descobriu também, por acaso, que não havia o mais vago sinal de que Júpiter jamais voltaria a viver. O caso de Juliano e o episódio do arianismo são apenas os primeiros de uma série de exemplos que aqui só podem ser indicados de passagem. O arianismo, como já se disse, tinha toda a aparência humana de ser o caminho natural conduzindo ao desaparecimento daquela superstição específica de Constantino. Todos os estágios comuns haviam sido vividos: o credo se tornara algo respeitável, tornara-se um ritual, depois havia sido modificado e racionalizado, e os racionalistas estavam dispostos a dissipar o que sobrara dele exatamente como fazem hoje em dia. Quando o cristianismo de repente ressurgiu e os surpreendeu, foi algo tão inesperado como Cristo ressuscitando dentre os mortos. Mas há muitos outros exemplos da mesma coisa, mesmo por volta da mesma época. O afluxo de missionários da Irlanda, por exemplo, tem toda a aparência de uma incursão inesperada de jovens contra um mundo velho e até mesmo contra uma Igreja que mostrava sinais de senilidade. Alguns deles foram martirizados na costa da Cornualha, e a maior autoridade sobre antiguidades daquela região me disse não acreditar nem um pouco que eles foram martirizados por pagãos, mas sim (como disse ele com certo humor) "por cristãos bastante relapsos".

Ora, se examinássemos o que está sob a superfície da história, coisa que não é minha intenção fazer aqui, suspeito que acharíamos vários casos em que a cristandade foi assim, pelo que tudo indicava, internamente esvaziada pela dúvida e a indiferença, de modo que só sobrava a casca do velho cristianismo assim como subsistira por tanto tempo a casca do paganismo. Mas a diferença é que, em todos os casos em relação à fé, os filhos eram fanáticos quando os pais haviam sido relapsos. Isso é óbvio no caso da transição da Renascença para a Contrarreforma. É óbvio no caso da transição do século XVIII para muitos ressurgimentos católicos de nossa época. Mas minha suspeita é que existam muitos outros exemplos dignos de estudos à parte.

A Fé não é sobrevivência. Não é como se os druidas tivessem de algum modo conseguido sobreviver por dois mil anos. Isso é o que talvez houvesse acontecido na Ásia ou na antiga Europa, naquela indiferença ou tolerância em que mitologias e filosofias poderiam conviver para sempre lado a lado. A Fé não sobreviveu: ela voltou muitas e muitas vezes neste mundo ocidental de rápidas mudanças e instituições constantemente perecendo. A Europa, na tradição de Roma, estava sempre tentando revoluções e reconstruções: a reconstrução de uma república universal. E sempre começava rejeitando essa velha pedra e terminava fazendo dela a pedra angular, trazendo-a de volta do monturo de lixo para transformá-la no coroamento do capitólio. Algumas pedras de Stonehenge estão de pé, outras estão caídas; e como as pedras caem assim ficam. Não houve um renascimento druídico a cada um ou dois séculos, com jovens druidas coroados com visco novo, dançando ao sol nas planícies de Salisbury. Stonehenge não foi reconstruída em todos os estilos de arquitetura que vão do tosco normando redondo ao último rococó do barroco. O lugar sagrado dos druidas está protegido do vandalismo da restauração.

A Igreja do Ocidente, contudo, não estava num mundo em que as coisas eram velhas demais para morrer, mas sim num mundo em que elas eram sempre suficientemente jovens para serem assassinadas. A consequência foi que externa e superficialmente elas muitas vezes foram de fato assassinadas; mais que isso, elas às vezes desapareceram mesmo não sendo assassinadas. E daí decorre um fato que acho bastante difícil descrever, mas acredito ser muito real e bastante importante. Como um fantasma é a sombra de um homem, e nesse sentido a sombra da vida, assim a intervalos perpassou essa vida interminável uma espécie de sombra da morte. Chegava naquele momento em que a Igreja teria perecido se fosse perecível. Tudo o que era perecível ela secava. Se esses paralelos animais fossem dignos da ocasião, poderíamos dizer que a serpente estremecia, mudava de pele e seguia em frente, ou até mesmo que o gato entrava em convulsão quando perdia uma de suas novecentas e noventa e nove vidas. Está mais de acordo com a verdade dizer, usando uma imagem mais dignificante, que o relógio batia as horas e nada acontecia; ou que um sino tocava anunciando uma execução eternamente adiada.

Qual era o significado de todo esse desassossego confuso mas vasto do século XII, quando Juliano, como se disse com muita graça, se agitou em seu sono? Por que apareceu, estranhamente tão cedo, na dúbia luz da madrugada após a Idade das Trevas, um ceticismo tão profundo como aquele que estava implícito no atiçamento do nominalismo contra o realismo? Pois o realismo contra o nominalismo era realmente realismo opondo-se ao racionalismo, ou algo mais destrutivo que aquilo que chamamos de racionalismo. A resposta é que, exatamente como alguns poderiam ter pensado que a Igreja era simplesmente uma parte do Império Romano, outros mais tarde poderiam ter pensado que a Igreja era apenas uma parte da Idade das Trevas. A Idade das Trevas terminou como terminou o Império, e a Igreja deveria ter desaparecido com eles, se também tivesse sido uma das sombras da noite. Foi outra dessas mortes espectrais ou simulações da morte. Quero dizer que, se o nominalismo houvesse prevalecido, teria sido o começo de uma confissão de que o cristianismo havia fracassado. Pois o nominalismo é um ceticismo muito mais fundamental que o simples ateísmo. Essa era a pergunta que abertamente se fazia à medida que a Idade das Trevas se abria paulatinamente naquela luz diurna que chamamos de mundo moderno. Mas qual foi a resposta? A resposta foi Tomás de Aquino ocupando a cadeira de Aristóteles, transformando todo conhecimento em seu território; e dezenas de milhares de rapazes, descendo até as classes mais baixas de camponeses e servos, vivendo em trapos e alimentando-se de migalhas em volta das grandes faculdades para ouvir a filosofia escolástica.

Qual era o sentido daqueles sussurros de medo que percorreram o Ocidente sob a sombra do islamismo, sussurros que enchem todos os antigos romances com suas incongruentes imagens de cavaleiros sarracenos desfilando pela Noruega ou pelas Ilhas Hébridas? Por que alguns homens do Extremo Ocidente, como o rei João, se não me trai a memória, foram acusados de ser islamitas disfarçados, assim como outros foram acusados de ser secretamente ateus? Por que houve aquele intenso alarme entre algumas das autoridades acerca da versão racionalista de Aristóteles feita pelos árabes? As autoridades raramente se alarmam a não ser quando já é tarde demais. A resposta é que centenas de pessoas provavelmente acreditavam no fundo do coração que o islamismo conquistaria a cristandade; que Averroes era mais racional que Anselmo; que os sarracenos eram no fundo, como na superfície, uma cultura superior. Aqui provavelmente deveríamos encontrar de novo toda uma geração, a geração mais velha, cheia de dúvidas, deprimida e cansada. A chegada do islamismo teria sido simplesmente a chegada do unitarismo mil anos antes de seu tempo. Para muitos aquilo pode ter parecido muito normal, muito verossímil e muito provável de acontecer. Se foi assim, eles também se surpreenderam com o que aconteceu. O que de fato aconteceu foi um rugido feito um trovão de milhares e milhares de jovens jogando toda a sua juventude num exultante contra-ataque: as cruzadas. Eram os filhos de São Francisco, os malabaristas de Deus, que percorreram cantando todas as estradas do mundo; era o estilo gótico subindo como uma revoada de flechas; era o despertar do mundo. Analisando a guerra dos albigenses, vemos a brecha no coração da Europa e a derrocada de uma nova filosofia que quase acabou definitivamente com a cristandade. Nesse caso a nova filosofia era também uma filosofia muito nova: era o pessimismo. Ela, contudo, se parecia com as ideias modernas porque era tão antiga quanto a Ásia, assim como a maioria das ideias modernas. Era a volta dos gnósticos; mas por que os gnósticos voltaram? Porque era o fim de uma época, como o fim do Império, e deveria ter sido o fim da Igreja. Era Schopenhauer pairando sobre o futuro; mas era também Mani ressurgindo dentre os mortos; para que os homens pudessem ter morte e pudessem tê-la em maior abundância.

Isso é muito mais óbvio no caso da Renascença simplesmente porque esse período está bem mais perto de nós, e sabe-se muito mais sobre ele. No entanto, há muito mais nesse exemplo do que as pessoas sabem. Deixando de lado as controvérsias particulares que prefiro reservar para um estudo à parte, o período foi mais caótico que as controvérsias geralmente dão a entender. Quando os protestantes chamam Latimer de mártir do protestantismo, e os católicos respondem que Campion foi um mártir do catolicismo, esquece-se com frequência de que muitos dos que pereceram em perseguições como essas só poderiam ser descritos como mártires do ateísmo, ou do anarquismo, ou do demonismo. Aquele mundo era quase tão desvairado quanto o nosso; os homens que nele circulavam incluíam o tipo de gente que afirma que Deus não existe; o tipo de gente que se proclama Deus; o tipo de gente que diz coisas sem pé nem cabeça que ninguém entende. Se pudéssemos ter acesso às *conversas* da época que seguiu à Renascença, provavelmente ficaríamos chocados com suas impudentes negações. As observações atribuídas a Marlowe são muito típicas das conversas de muitas tabernas de intelectuais. A passagem da Europa da Pré-Reforma para a da Pós-Reforma foi feita sobre o vazio de questões escancaradas; e, no entanto, mais uma vez, a longo prazo as respostas foram as mesmas. Foi um daqueles momentos em que, como Cristo caminhou sobre as águas, assim o cristianismo caminhava pelos ares.

Mas todos esses casos são de datas remotas e só poderiam ser comprovados em detalhes. Podemos ver o fato de modo muito mais claro no caso em que o paganismo da Renascença pôs um fim ao cristianismo, e o cristianismo, inexplicavelmente, começou tudo de novo. Mas podemos vê-lo da maneira mais nítida possível no caso que se situa mais perto de nós e está repleto de provas claras e minuciosas: o caso do grande declínio da religião que começou por volta dos tempos de Voltaire. Trata-se de fato do nosso próprio caso, e nós mesmos testemunhamos o declínio desse declínio. Os últimos duzentos anos desde Voltaire não transcorrem céleres diante de nossos olhos como séculos IV e V ou os séculos XII e XIII. No nosso próprio caso conseguimos ver esse processo muitas vezes repetido bem de perto; sabemos de que maneira completa uma sociedade pode perder sua religião fundamental sem abolir a religião oficial; sabemos como os homens podem tornar-se agnósticos muito antes de abolir os bispos. E sabemos que também nesse fim, que realmente nos pareceu ser o fim definitivo, a coisa incrível de novo aconteceu: a Fé tem hoje mais seguidores entre os jovens que entre os velhos. Quando Ibsen se referiu a uma nova geração batendo à porta, com certeza jamais esperava que a porta fosse da Igreja.

Portanto, pelo menos cinco vezes, com os arianos e os albigenses, com os céticos humanistas, depois de Voltaire e depois de Darwin, a Fé ao que tudo indica foi atirada aos cães. Mas em cada um dos cinco casos os cães é que morreram. Em que medida o colapso foi completo e a reviravolta estranha, só podemos ver nos detalhes do caso mais próximo do nosso tempo.

Mil coisas têm sido ditas sobre o movimento de Oxford e o paralelo renascimento católico francês, mas poucos nos fizeram perceber o fato mais simples em relação a isso: que foi uma surpresa. Foi um enigma bem como uma surpresa, porque aos olhos da maioria das pessoas parecia um rio começando a voltar para o mar e tentando remontar até as montanhas. Quem leu a literatura dos séculos XVIII e XIX sabe que quase todo o mundo havia começado a aceitar que a religião era um fenômeno que se alargaria continuamente como um rio até atingir um mar infinito. Alguns esperavam que ele acabasse numa catarata catastrófica; a maioria esperava que se espraiasse num estuário de igualdade e moderação; mas todos achavam que seu retrocesso sobre si mesmo era um prodígio tão incrível como uma obra de bruxaria. Em outras palavras, a maioria das pessoas moderadas achava que a fé, assim como a liberdade, lentamente se alargaria, e algumas pessoas mais avançadas achavam que ela muito em breve se alargaria, para não dizer se achataria. Todo aquele mundo de Guizot e de Maculay e o liberalismo comercial e científico tinham talvez mais certeza do que todos os que vieram antes ou depois sobre a direção da história, diferindo apenas sobre o ritmo. Muitos anteciparam alarmados, e alguns com simpatia, uma revolta jacobina que levaria o arcebispo de Cantuária à guilhotina, ou um tumulto cartista que enforcaria eclesiásticos em postes da via pública. Mas causou a impressão de uma convulsão da natureza o fato de o arcebispo, em vez de perder a cabeça, ir procurar sua mitra; e o fato de, em vez de diminuirmos o respeito pelos eclesiásticos, fortalecermos o respeito devido aos sacerdotes. Isso revolucionou a própria visão de revolução e tornou confusa a própria confusão.

Resumindo, o mundo inteiro dividido, sem saber se a corrente era agora mais veloz ou mais lenta, tomou consciência de algo vago mas vasto que estava indo contra a corrente. No caso concreto existe alguma coisa profundamente perturbadora envolvendo essa situação, e isso por uma razão essencial. Uma coisa morta pode seguir com a corrente, mas só uma coisa viva pode ir contra ela. Um cachorro morto pode ser levantado nas águas agitadas com toda a rapidez de um cachorro saltitante, mas só um cachorro vivo pode nadar para trás. Um barco de papel pode cavalgar o crescente dilúvio com toda aquela aparência arrogante de um navio encantado, mas se o navio encantado avançar corrente acima então ele é de fato conduzido por espíritos. E entre as coisas que simplesmente seguiam a maré do aparente progresso e da expansão havia muitos demagogos ou sofistas cujos desvairados gestos constituíam na verdade um movimento tão sem vida como aquele dos membros de um cachorro morto ondulando no turbilhão das águas; e havia muitas filosofias estranhamente semelhantes a barcos de papel, daquele tipo que não é difícil transformar em chapéus de abas viradas para cima. Mas nem sequer as coisas realmente vivas e vivificantes que acompanhavam a corrente davam com isso provas de estarem vivas e darem vida. Era essa outra força que estava inquestionável e inexplicavelmente viva: a misteriosa e incalculável energia que empurrava o rio para trás. O fenômeno foi sentido como o movimento de um grande monstro; e esse monstro, todavia, estava vivo porque a maioria das pessoas o considerou pré-histórico. Era apesar de tudo um monstro inatural, incongruente e na opinião de alguns uma convulsão cômica; era como se a Grande Serpente do Mar houvesse de repente saído do Charco Redondo — a não ser que consideremos que é mais provável que a Serpente do Mar more na Galeria Serpentina.[1] Esse irrelevante elemento da fantasia não pode ser esquecido, pois foi um dos testemunhos mais claros da inesperada natureza da reviravolta. Aquela época de fato sentiu que uma característica absurda dos animais pré-históricos também pertencia aos rituais históricos; que mitras e tiaras eram como chifres ou cristas de criaturas antediluvianas; e que apelar para a Igreja primitiva era como vestir-se como o homem primitivo.

O mundo ainda se sente perplexo diante daquele movimento, principalmente porque o movimento ainda persiste. Eu já disse algo em outra parte sobre as acusações aleatórias dirigidas contra ele e suas consequências que são muito maiores. Aqui basta dizer que quanto mais os críticos o censuram tanto menos o explicam. Em certo sentido minha preocupação aqui, se não é explicá-lo, é pelo menos sugerir a direção da explicação; mas, acima de tudo, minha preocupação é sublinhar um aspecto especial do movimento: tudo já havia acontecido antes, até mesmo muitas vezes.

Resumindo: na medida em que é verdade que os séculos mais recentes têm testemunhado uma atenuação da doutrina cristã, eles apenas testemunharam o que testemunharam os séculos mais remotos. E até mesmo o exemplo moderno terminou exatamente como terminaram os exemplos medievais e pré-medievais. Já está claro, e cada dia fica mais claro que a história do cristianismo não vai acabar no desaparecimento do credo suavizado, mas no retorno daquelas partes do credo que realmente haviam desaparecido. Vai terminar como terminou o acordo com o arianismo, como terminaram as tentativas de um acordo com o nominalismo e até mesmo com o albigensianismo. Mas o ponto principal que se deve perceber no caso moderno, como em todos os outros casos, é que aquilo que retorna não é uma teologia simplificada; não de acordo com a visão de uma teologia purificada: é simplesmente teologia. É esse entusiasmo pelos estudos teológicos que marcou as épocas mais doutrinais: é a ciência divina. Um velho professor que a seu nome acrescente as letras D. D.[2] pode tornar-se a figura típica de um chato; mas se isso acontecer é porque ele mesmo se chateia com sua teologia, não porque se entusiasma com ela. Foi precisamente porque ele confessadamente se interessa mais pelo latim de Plauto que pelo latim de Agostinho mais pelo grego de Xenofonte que pelo grego de Crisóstomo. É precisamente porque ele se interessa mais pela tradição morta que pela tradição decididamente viva. Em resumo, foi precisamente porque ele mesmo é um símbolo do tempo em que a fé cristã é fraca. Não foi porque os homens não aclamariam, se pudessem, a maravilhosa e quase louca visão de um doutor em teologia.

Há quem afirme desejar que o cristianismo permaneça como um espírito. Eles querem dizer, muito literalmente, que gostariam que ele permanecesse como um fantasma. Mas ele não vai permanecer como um fantasma. O que vem depois deste processo de morte aparente não é a permanência de uma sombra; é a ressurreição do corpo. Essa gente está muito preparada para verter piedosas lágrimas sobre o sepulcro do Filho do Homem; mas não está preparada para ver o Filho de Deus mais uma vez caminhando sobre as colinas do amanhecer. Essa gente, e de fato a maioria das pessoas, está a esta altura muito acostumada com a ideia de que a velha luz da vela cristã desapareceria na luz de um dia normal. Para muitos ficou a impressão bastante honesta de que essa luz era como aquela pálida chama amarelada de uma vela ardendo à luz do dia. Assim foi muito mais inesperado, e portanto muito mais inconfundível, o fato de o candelabro de sete braços de repente subir aos céus como uma árvore milagrosa, ardendo a ponto de empalidecer o sol. Mas outras épocas viram o dia conquistar a luz da vela, e depois a luz da vela conquistar o dia. Muitas e muitas vezes, antes de nosso tempo, os homens se contentaram com uma doutrina diluída. Muitas e muitas vezes fluiu dessa diluição, jorrando das trevas como uma rubra catarata, a força do vinho tinto original. E hoje em dia nós apenas dizemos mais uma vez o que muitas vezes foi dito pelos nossos pais: "Longos anos e séculos atrás nossos pais, ou seja, os fundadores de nosso povo beberam, enquanto sonhavam, do sangue de Deus. Longos anos e séculos se passaram desde que a força daquela safra gigante se tornou apenas uma lenda da época dos gigantes. Séculos atrás situa-se o tempo sombrio da segunda fermentação, quando o vinho do catolicismo se transformou no vinagre do calvinismo. Há muito tempo essa bebida amarga vem sendo diluída: enxaguada e lavada pelas águas do esquecimento e pela onda do mundo. Nunca mais pensávamos provar outra vez nem mesmo daquele gosto amargo da sinceridade e do espírito, e muito menos da força mais doce e mais rica das purpúreas vinhas de nossos sonhos com a idade do ouro. Dia após dia, ano após ano diminuímos nossas esperanças e convicções: ficamos cada vez mais acostumados a ver aqueles tonéis e vinhedos submersos em dilúvios de água, sentindo o último sabor e sugestão daquele elemento especial desaparecer como uma marcha purpúrea sobre um mar cinzento. Habituamo-nos à diluição, à dissolução, a uma aguagem que não acabava nunca. Mas tu guardaste o bom vinho até agora".

Esse é o fato final, de todos o mais extraordinário. A fé não apenas morreu muitas vezes como também muitas vezes morreu de velha. Não apenas foi muitas vezes morta como também muitas vezes morreu de morte natural, no sentido de atingir um fim natural e necessário. É óbvio que ela sobreviveu às mais selvagens e mais universais perseguições desde o choque da fúria de Diocleciano até o choque da Revolução Francesa. Mas ela tem uma tenacidade muito estranha e muito extraordinária: ela sobreviveu não apenas à guerra, mas também à paz. Não só ela morreu muitas vezes, se degenerou e se arruinou; ela sobreviveu à própria fraqueza e à própria rendição. Não precisamos repetir o que é muito óbvio acerca da beleza do fim de Cristo em suas núpcias da juventude com a morte. Mas é como se Cristo houvesse vivido até o último suspiro possível, como se ele tivesse sido um sábio centenário de barbas brancas e morresse devido à deterioração natural, e depois outra vez ressuscitasse rejuvenescido, surgindo ao som de trombetas numa abertura dos céus. Alguém disse não sem razão que o cristianismo em sua recorrente fraqueza às vezes se casou demais com os poderes do mundo; mas se ele se casou ele também muitas vezes enviuvou. Trata-se de uma espécie estranhamente imortal de viuvez. Um inimigo talvez dissesse a certa altura que o cristianismo foi apenas um aspecto do poder dos césares; e isso soa tão estranho hoje em dia como chamá-lo de um aspecto dos faraós. Um inimigo poderia dizer que o cristianismo foi a fé oficial do feudalismo; e isso soa tão convincente hoje em dia como dizer que ele estava fadado a perecer junto com a antiga vila romana. Todas essas coisas de fato seguiram seu curso até seu fim normal; e parecia não haver outro curso para a religião a não ser terminar junto com elas. Ela terminou e ela começou de novo.

"Passará o céu e a terra, porém as minhas palavras não passarão." A civilização da antiguidade era o mundo inteiro: e os homens não sonhavam mais com seu fim do que sonhavam com o fim da luz do dia. Eles não conseguiam imaginar outra ordem a não ser que fosse em outro mundo. A civilização do mundo passou, e aquelas palavras de Cristo não passaram. Na longa noite da Idade das Trevas o feudalismo era algo tão familiar que homem algum podia imaginar-se sem um senhor: e a religião estava tão entrelaçada naquele tecido que homem algum teria acreditado que poderia ser arrancado daquele contexto. O feudalismo em si foi estraçalhado e se decompôs na vida popular da verdadeira Idade Média; e a primeira e mais viçosa força nessa nova liberdade foi a velha religião. O feudalismo havia passado, e as palavras de Cristo não passaram. Toda a ordem medieval, que de muitas maneiras era tão completa e constituía quase uma casa cósmica para o ser humano, gradativamente por sua vez se desgastou: e pelo menos aqui se pensou que as palavras de Cristo pereceriam. Elas seguiram em frente através do radiante abismo da Renascença e dentro de cinquenta anos estavam usando toda sua luz e erudição para novas fundações religiosas, novas apologéticas, novos santos. Imaginou-se que elas por fim haviam secado à árida luz do racionalismo; imaginou-se que elas haviam desaparecido ulteriormente no terremoto da época da revolução. A ciência as descartou, mas elas continuaram lá. A história as desenterrou no passado; e elas de repente apareceram no futuro. Hoje elas mais uma vez estão em nosso caminho: e enquanto as observamos, elas se desenvolvem.

Se nossas relações e registros sociais mantiverem sua continuidade, se os homens realmente aprenderem a usar a razão para acumular os fatos de uma história tão esmagadora, a impressão é de que mais cedo ou mais tarde até seus inimigos aprenderão com suas incessantes e intermináveis decepções a não ir atrás de algo tão simples como a morte do cristianismo. Eles podem continuar a combatê-lo, mas será como um combate contra a natureza: um combate contra uma paisagem, um combate contra o horizonte. "Passará o céu e a terra, porém as minhas palavras não passarão." Eles prestarão atenção para vê-lo tropeçar; prestarão atenção para vê-lo errar; já não esperarão seu fim. Sem perceber e até mesmo sem ter consciência do fato, em suas próprias silenciosas antecipações eles preencherão os termos relativos daquela assustadora profecia; eles se esquecerão de prestar atenção à mera extinção daquilo que tantas vezes foi extinto em vão; e instintivamente aprenderão a descobrir primeiro a chegada do cometa ou o congelamento da estrela.

Conclusão

O resumo deste livro

Tomei uma ou duas vezes a liberdade de usar a excelente denominação "um esboço da história",[1] embora este estudo de uma verdade especial e de um erro especial não possa obviamente reivindicar nenhuma comparação com a rica e multifacetada enciclopédia da história para a qual aquele título foi escolhido. E no entanto há certa razão nessa referência, e há um sentido em que uma coisa toca e até mesmo atravessa a outra. Pois a história do mundo como é contada pelo sr. Wells aqui só poderia ser criticada como esboço. O que é muito estranho é que a meu ver ela só está errada como esboço. É um admirável acúmulo de história; é um esplêndido repositório ou tesouro de história; é uma fascinante investigação da história; é uma amplificação extremamente sedutora da história; mas como esboço da história está totalmente errado. A coisa que me parece totalmente errada a seu respeito é o esboço: o tipo de esboço que pode ser realmente uma linha única, como a que estabelece toda a diferença entre a caricatura do perfil do sr. Winston Churchill e a de sir Alfred Mond. Falando com simplicidade e de modo caseiro, refiro-me às coisas que saltam aos olhos, às coisas que constituem a simplicidade de uma silhueta. Penso que as proporções estão erradas: as proporções do que é certo comparado ao que é incerto, as proporções do que desempenhou um papel importante comparado ao que desempenhou um papel menor, as proporções do que é ordinário comparado ao que é extraordinário, as proporções do que realmente ocupa o nível médio comparado ao que excepcionalmente sobressai.

Não digo isso para fazer uma pequena crítica de um grande autor, e não tenho motivo para isso, uma vez que no desempenho de minha própria tarefa muito menor percebo que cometi falhas bastante parecidas. Tenho muitas dúvidas sobre ter conseguido ou não transmitir ao leitor o ponto principal acerca das proporções da história, e não sei se me detive em demasia sobre algumas coisas em detrimento de outras. Tenho minhas dúvidas sobre ter preenchido ou não o plano apresentando no capítulo introdutório. Por isso neste capítulo conclusivo acrescento estas linhas como uma espécie de resumo. Eu realmente não acredito que as coisas sobre as quais insisti sejam mais essenciais para um esboço da história que as que foram expostas num segundo plano ou descartadas. Não creio que esteja mais de acordo com a verdade pintar o passado como uma coisa em que a humanidade simplesmente se esfuma na natureza, ou a civilização simplesmente se esfuma na barbárie, ou a religião simplesmente se esfuma na mitologia, ou a nossa religião simplesmente se esfuma nas religiões do mundo. Em resumo, não creio que a melhor maneira de produzir um esboço da história seja apagar as linhas. Creio que, das duas maneiras, a que estaria muito mais próxima da verdade seria a que conta a história com muita simplicidade, como um mito primitivo sobre um homem que criou o sol e as estrelas, ou um deus que entrou no corpo de um macaco sagrado. Quero portanto resumir tudo o que disse numa demonstração a meu ver realista e razoavelmente proporcionada: a breve história da humanidade.

Na terra iluminada por aquela estrela vizinha, cujo esplendor é a ampla luz do dia, existem muitas coisas muito variadas, imóveis e móveis. Move-se entre elas uma raça que em sua relação com as outras é uma raça de deuses. Essa realidade não é diminuída mas sim realçada pelo fato de essa raça poder comportar-se como uma raça de demônios. A superioridade dela não é uma ilusão individual, como um pássaro que se veste com sua própria plumagem; é algo muito sólido multifacetado. Isso fica demonstrado nas próprias especulações que levaram à sua negação. Que os homens, os deuses deste mundo inferior, estão ligados a ela de várias maneiras, é verdade; mas esse é outro aspecto da mesma verdade. Que eles crescem como cresce a relva e caminham como caminham os animais, é uma necessidade secundária que acentua a superioridade primária. É como dizer que um mágico deve no fim das contas ter a aparência de um homem; ou que até mesmo as fadas não poderiam dançar se não tivessem pés. Recentemente tem sido moda focar a inteligência inteiramente nessas semelhanças ligeiras e subordinadas e esquecer completamente o fato principal. Existe o costume de insistir que o homem se parece com as outras criaturas. Certo, e exatamente essa semelhança só ele pode ver. O peixe não descobre o modelo da espinha de peixe nas aves do céu, nem o elefante e o emu comparam esqueletos. Mesmo no sentido de que o homem está em harmonia com o universo, trata-se de uma universalidade absolutamente solitária. O próprio sentido de que está unido a todas as coisas é suficiente para separá-lo de todas.

Olhando a seu redor sob essa luz única, tão solitário como a chama que literalmente só ele acendeu, esse semideus ou demônio do mundo visível torna esse mundo visível. Ele vê ao seu redor um mundo de certo estilo ou tipo, que parece proceder seguindo certas normas ou pelo menos repetições. Ele observa a arquitetura verde que se constrói a si mesma sem mãos visíveis, mas se ergue formando um plano ou padrão muito exato, semelhante a um desenho já traçado no ar por um dedo invisível. Não se trata, como agora vagamente se sugere, de alguma coisa vaga. Não é um crescer ou um tatear de vida às cegas. Cada coisa procura um fim, um fim glorioso e radiante, até mesmo no caso de cada margarida ou dente-de-leão que vemos observando a superfície de um campo qualquer. Na própria forma das coisas existe algo mais que um crescimento verde: existe a finalidade da flor. É um mundo de corolas. Essa impressão, ilusória ou não, tem influenciado tão profundamente a raça de pensadores e mestres do mundo material que sua vasta maioria foi levada a assumir certa visão desse mundo. Eles concluíram, errando ou acertando, que o mundo tinha um plano, assim como a árvore parecia ter um plano; e tinha um fim e uma coroa como a flor. Mas, enquanto a raça de pensadores teve a capacidade de pensar, pareceu óbvio que a admissão dessa ideia de plano trazia consigo outro pensamento mais emocionante e até mais terrível. Havia mais alguém, algum ser estranho e nunca visto, que havia desenhado essas coisas, se é que de fato elas haviam sido desenhadas. Havia uma pessoa de fora que também era um amigo: um misterioso benfeitor que existira antes e construíra os bosques e as colinas para a chegada deles, e acendera o sol nascente para o surgimento deles como um servo acende o fogo da cozinha. Ora, essa ideia de uma mente que dá sentido ao universo recebeu confirmações cada vez maiores das mentes humanas, por meio de meditações e experiências muito mais sutis e investigadoras que qualquer argumento sobre o plano externo do mundo. Mas o que aqui me interessa é manter a história nos seus termos mais simples e até mais concretos: basta dizer aqui que a maioria dos homens, inclusive os mais sábios, chegou à conclusão de que o mundo tem esse propósito final e, portanto, essa causa primeira. Mas a maioria dos homens nalgum sentido se separou dos homens mais sábios quando se passou ao tratamento dessa ideia. Passaram a existir duas maneiras de tratar delas, que entre si constituíram a maior parte da história do mundo.

A maioria, assim como a minoria, tinha essa forte sensação da presença de um segundo significado nas coisas, de um perito estranho que conhecia o segredo do mundo. Mas a maioria, a multidão ou massa humana, tendia naturalmente a tratar disso num espírito um pouco fofoqueiro. Como toda fofoca, essas fofocas continham boa parte de verdade e de falsidade. O mundo começou a contar para si mesmo fábulas sobre o ser desconhecido ou sobre seus filhos, ou servos, ou mensageiros. Algumas das fábulas podem verdadeiramente ser chamadas de histórias de comadres, no sentido de que professam ser apenas histórias remotas do começo do mundo: mitos sobre o bebê lua ou as montanhas semiassadas. Algumas delas poderiam ser chamadas, mais de acordo com a verdade, de contos de viajantes; eram contos curiosos mas contemporâneos trazidos de certas fronteiras da experiência como curas milagrosas ou sussurros do que havia acontecido com os mortos. Muitas delas eram provavelmente contos verdadeiros, verdadeiros o suficiente para manter numa pessoa mais ou menos de bom senso a consciência de que realmente existe alguma coisa maravilhosa por trás da cortina cósmica. Mas em certo sentido isso se norteia pelas aparências, mesmo quando as aparências são chamadas de aparições. É uma questão de aparecimentos — e desaparecimentos. No máximo esses deuses são fantasmas; isto é, são vislumbres. Para a maioria de nós eles são fofocas sobre vislumbres. E para o resto, o mundo inteiro está repleto de boatos, e a maioria deles são quase confessadamente histórias de aventuras. A grande maioria dos contos sobre deuses e fantasmas e o rei invisível é contada, se não pelo amor do conto, pelo amor do tópico. São prova do eterno interesse do tema; não são prova de mais nada nem pretendem ser. São a mitologia ou a poesia que não está encadernada em livros — ou amarrada de nenhuma outra forma.

Entrementes a maioria, os sábios e pensadores, se afastara e assumira uma atividade igualmente agradável. Estavam traçando os planos do mundo: daquele mundo que todas acreditavam ter um plano. Estavam tentando estabelecer o plano com seriedade e dentro de uma escala. Fixavam-se de forma direta na mente que havia criado o misterioso mundo, considerando que tipo de mente poderia ser e qual poderia ser seu último objetivo. Alguns deles a tornaram muito mais impessoal que geralmente aparece aos olhos da humanidade; alguns a simplificaram e quase a reduziram a um vazio; poucos, muito poucos, duvidaram dela completamente. Um ou dois dos mais mórbidos imaginaram que ela pudesse ser o mal ou um inimigo; apenas um ou dois dos mais degradados da outra classe adoraram demônios em vez de deuses. Mas na maioria esses teóricos eram teístas: e eles não só viram um plano moral na natureza, mas em geral também estabeleceram um plano moral para a humanidade. Eram na maioria homens bons que realizaram um bom trabalho, e foram lembrados e reverenciados de várias maneiras. Eram escribas: e suas escrituras se tornaram mais ou menos escrituras sagradas. Eram legisladores: e sua tradição se tornou não apenas legal mas também cerimonial. Podemos dizer que receberam honras divinas no sentido de que reis e grandes capitães de certos países muitas vezes recebem honras divinas. Numa palavra, sempre que o outro espírito, o espírito da lenda e da fofoca, pôde entrar no jogo, eles foram envolvidos na atmosfera mística própria dos mitos. A poesia popular transformou sábios em santos. Mas foi só isso que ela fez. Os sábios continuaram sendo sábios, e os homens nunca de fato esqueceram que eles eram homens que só foram transformados em deuses no sentido de heróis. Divino Platão ou Divus Caesar — eram títulos e não dogmas. Na Ásia, onde a atmosfera era mais mitológica, o homem acabou sendo transformado e parecendo-se mais com um mito, porém permaneceu homem. Continuou sendo um homem de certa classe social ou de certa escola de homens, recebendo e merecendo grandes honras da humanidade. É a ordem ou a escola dos filósofos: homens que se dedicaram seriamente a descobrir a ordem através do caos aparente da visão da vida. Em vez de viverem de rumores da imaginação ou de remotas tradições e de excepcionais experiências sobre a mente e o significado da vida por trás do mundo, eles tentaram em certo sentido projetar o objetivo primário daquela mente *a priori*. Tentaram colocar no papel um possível plano do mundo, quase como se o mundo ainda não houvesse sido criado.

Exatamente no meio de tudo isso coisas surge uma enorme exceção. Ela é totalmente diferente de qualquer outra coisa. É algo final como a trombeta do juízo, embora também seja uma boa-nova, ou então uma notícia que parece boa demais para ser verdadeira. É nada menos que a altissonante afirmação de que o misterioso criador do mundo visitou a terra pessoalmente. Declara-se que realmente e até bem pouco tempo atrás, ou bem no meio dos tempos históricos, de fato entrou no mundo esse ser invisível das origens, sobre o qual os pensadores criam teorias e os mitólogos transmitem seus mitos: o Homem que Criou o Mundo. A existência dessa personalidade superior por trás de todas as coisas fora de fato insinuada por todos os melhores pensadores, bem como por todas as mais belas lendas. Mas nada desse tipo fora insinuado por algum pensador ou alguma lenda. É simplesmente falso dizer que os outros sábios e heróis haviam alegado ser esse misterioso senhor e criador, com o qual o mundo havia sonhado e sobre o qual havia debatido. Nenhum deles havia jamais alegado ser algo desse tipo. Nenhuma de suas seitas ou escolas nem sequer reivindicou ter alegado algo desse tipo. O máximo que algum profeta religioso havia dito fora que ele era o verdadeiro servo desse ser. O máximo que algum visionário jamais havia dito fora que os homens talvez pudessem ter um vislumbre da glória daquele ser espiritual; ou, mais frequentemente, um vislumbre de seres espirituais inferiores. O máximo que qualquer mito primitivo jamais havia sugerido era que o Criador estava presente na Criação. Mas que o Criador estivesse presente em cenas que aconteceram logo depois dos festins de Horácio, que conversasse com coletores de impostos e oficiais do governo em detalhados momentos do dia a dia do Império Romano, que esses fatos continuassem a ser firmemente declarados por toda aquela grande civilização por mais de mil anos — eis aí algo absolutamente diferente de qualquer outra coisa da natureza. É a maior e mais chocante declaração feita pelo homem desde que ele articulou sua primeira palavra em vez de latir feito um cachorro. Seu caráter único pode ser usado como um argumento a seu favor ou contra ele. Seria fácil concentrar-se nisso e ver um caso de insanidade singular; mas essa opção reduz a religião comparada a nada mais que pó e absurdo.

O anúncio caiu sobre o mundo com uma ventania e um impetuoso avanço de mensageiros proclamando aquele portento apocalíptico; e não é nenhuma fantasia indevida dizer que eles ainda estão correndo. O que intriga o mundo, e seus sábios filósofos e imaginativos poetas, acerca dos sacerdotes e dos fiéis da Igreja Católica é que eles ainda se comportam como se fossem mensageiros. Um mensageiro não sonha com qual poderia ser sua mensagem, nem discute acerca do que ela provavelmente seria. Ele a entrega como é. Não é uma teoria nem uma fantasia, é um fato. Não é relevante para este esboço intencionalmente superficial provar em detalhes que a mensagem é um fato; só é relevante ressaltar que esses mensageiros a tratam como um fato. Tudo o que se condena na tradição católica, a autoridade, o dogmatismo e a recusa de retratar-se e modificar são apenas atributos humanos naturais de um homem com uma mensagem relacionada a um fato. Quero evitar neste último resumo todas as complexidades controversas que mais uma vez podem ofuscar as linhas simples dessa estranha história, que já chamei, em palavras que são demasiado fracas, de a mais estranha história do mundo. Simplesmente desejo sublinhar aquelas linhas principais e especialmente sublinhar onde se deve realmente traçar a grande linha. A religião do mundo, em suas proporções certas, não se divide em delicados matizes de misticismo ou de formas de mitologia mais ou menos racionais. Ela é dividida pela linha que separa os homens que levam aquela mensagem dos homens que ainda não a ouviram, ou que ainda não conseguem crer nela.

Mas quando traduzimos os termos dessa estranha história usando a terminologia mais concreta e complicada de nosso tempo, descobrimos que a história está cheia de nomes e memórias cuja familiaridade por si só significa falsificação. Por exemplo, quando dizemos que um país conta com determinado número de muçulmanos, nós de fato queremos dizer que ele conta com determinado número de monoteístas; e com isso queremos dizer que lá vive determinado número de homens,

homens dentro da média daquela velha crença humana: que o soberano invisível permanece invisível. Eles a mantêm juntamente com certos costumes de certa cultura e sob as leis mais simples de certo legislador, mas fariam o mesmo se seu legislador fosse Licurgo ou Sólon. Eles testificam algo que é uma verdade necessária e nobre, mas nunca foi uma verdade nova. Seu credo não é uma cor nova: é o tom neutro e normal do pano de fundo da vida multicolorida dos homens. Ao contrário dos magos, Maomé não descobriu uma nova estrela; ele teve através de sua janela particular um vislumbre do grande campo cinzento da antiga luz da estrela. Da mesma forma, quando dizemos que determinado país conta com tantos confucionistas ou budistas, queremos dizer que ele conta com determinado número de pagãos cujos profetas lhes deram uma versão diferente e bastante vaga do poder invisível, tornando-o não apenas invisível, mas também quase impessoal. Quando dizemos que eles também têm templos, ídolos, sacerdotes e festas periódicas, simplesmente queremos dizer que esse tipo de pagão é humano o bastante para admitir o elemento popular da pompa e pinturas, festas e contos de fada. Queremos dizer que os pagãos têm mais sentimento que os puritanos. Mas o que os deuses supostamente *são*, o que os sacerdotes são encarregados de *dizer*, isso não é um segredo emocionante como o tinham para anunciar aqueles mensageiros apressados do Evangelho. Ninguém mais, exceto aqueles mensageiros, tem algum Evangelho: ninguém mais tem alguma boa-nova, pela simples razão de que ninguém tem nova alguma.

Aqueles mensageiros ganham impulso à medida que vão correndo. Séculos mais tarde, eles ainda falam como se alguma coisa houvesse acabado de acontecer. Não perderam a velocidade nem sua energia de mensageiros; mal perderam, por assim dizer, o olhar esbugalhado de testemunhas. Na Igreja Católica, que é a coorte da mensagem, ainda acontecem aqueles gestos precipitados da santidade que fala de algo rápido e recente: um sacrifício de si mesmo que assusta o mundo como um suicídio. Mas não é um suicídio: não é nada pessimista; é ainda otimista como o São Francisco das flores e dos pássaros. É algo novo no espírito como as mais novas escolas de pensamento; e está quase com certeza na véspera de novos triunfos. Pois esses homens servem a uma mãe que parece ficar mais bonita à medida que novas gerações vão surgindo e a chamam de bendita. Às vezes poderíamos imaginar que a Igreja fica mais jovem à medida que o mundo fica mais velho.

Pois esta é a última prova do milagre: que algo sobrenatural se tenha tornado natural. Quero dizer que algo tão único quando visto de fora deveria mesmo parecer universal quando visto de dentro. Não minimizei a dimensão do milagre, como alguns dos teólogos mais moderados julgam oportuno fazer. Em vez disso eu me debrucei deliberadamente naquela incrível interrupção, que foi como um golpe que partiu a própria espinha dorsal da história. Tenho muita simpatia pelos monoteístas, pelos muçulmanos, ou os judeus, para quem isso parece uma blasfêmia: uma blasfêmia que poderia sacudir o mundo. Mas ela não sacudiu o mundo: ela o consolidou. Esse fato, quanto mais o consideramos, tanto mais parecerá sólido e estranho. Considero um gesto de simples justiça para com todos os não crentes insistir na coragem do ato de fé que deles se exige. De boa vontade e com entusiasmo concordo que é, em si mesmo, uma sugestão diante da qual poderíamos esperar que o intelecto do crente cambaleasse ao compreender sua própria crença. Mas o intelecto do crente não cambaleia; é o intelecto do não crente que cambaleia. Podemos ver os intelectos cambaleando em todas as partes e em todas as extravagâncias da ética e da psicologia; no pessimismo e na negação da vida; no pragmatismo e na negação da lógica; procurando seus presságios em pesadelos e seus cânones em contradições; gritando de medo à vista de coisas remotas além do bem e do mal, ou sussurrando sobre estranhas estrelas onde dois mais dois são cinco. Entrementes, essa coisa única que à primeira vista parece tão exorbitante em seu esboço mantém-se sólida e sadia em sua alma. Permanece como o moderador de todas essas manais: resgatando a razão dos pragmáticos exatamente como resgatou o riso dos puritanos. Repito que deliberadamente enfatizei seu caráter intrinsecamente desafiador e dogmático. O mistério é como algo tão alarmante pode ter permanecido desafiador e dogmático, tornando-se mesmo assim perfeitamente normal e natural. Admiti sinceramente que, considerando-se o incidente em si mesmo, um homem que se diz Deus pode ser classificado com outro que se diz vidro. Mas o que se diz vidro não é um vidraceiro que faz janelas para o mundo inteiro. Ele não permanece época após época como uma figura brilhante e cristalina, em cuja luz tudo é claro como cristal.

Mas essa loucura se manteve sadia. A loucura permaneceu sadia quando todo o resto enlouqueceu. O hospício tem sido uma casa para a qual, época após época, os homens estão continuamente voltando como quem volta para o lar. Este é o enigma que permanece: que uma coisa tão abrupta e anormal ainda seja vista como algo habitável e hospitaleiro. Não me importo se o cético diz que é uma história quase inacreditável; não consigo ver como uma torre tão alta poderia permanecer de pé por tanto tempo sem fundações. Muito menos consigo ver como ela poderia tornar-se, como de fato se tornou, a casa dos homens. Se ela houvesse simplesmente aparecido e desaparecido, talvez pudesse ter sido lembrada ou explicada como o último salto do furor da ilusão, o mito extremo do último ânimo com que a mente bateu no céu e se quebrou. Mas aquela mente não se quebrou. É a única mente que permanece intacta no mundo fragmentado. Se ela fosse um erro, pareceria que esse erro mal teria durado um dia. Se fosse um mero êxtase, pareceria que esse êxtase não poderia durar uma hora. Durou por quase dois mil anos; e em seu seio o mundo tem sido mais lúcido, mais equilibrado, mais racional em suas esperanças, mais sadio em seus instintos, mais sereno e alegre diante do destino e da morte do que todo mundo de fora. Pois foi a alma da cristandade que nasceu daquele incrível Cristo: e essa alma era o bom senso. Embora não ousássemos olhar para seu rosto, poderíamos olhar para seus frutos; e por seus frutos o reconheceremos. Os frutos são sólidos e a produção é muito mais que uma metáfora; em lugar algum deste triste mundo encontram-se meninos mais felizes no alto das macieiras, ou homens formando coros mais uniformes enquanto pisam as uvas que sob o clarão fixo dessa urgente e intolerante iluminação: o relâmpago eternizado como luz.

Apêndice 1

Sobre o homem pré-histórico

Lendo estas páginas percebo que tentei, em muitas passagens e com muitas palavras, dizer alguma coisa que poderia ser dita numa só palavra. Em certo sentido este estudo é intencionalmente superficial. Ou seja, não pretende ser um estudo de coisas que precisem ser estudadas. É antes um lembrete das coisas que são percebidas tão rapidamente que são esquecidas quase com a mesma rapidez. Sua moral, por assim dizer, é que os primeiros pensamentos são os melhores; assim o clarão de um raio pode revelar uma paisagem, com a Torre Eiffel e o Matterhorn apresentando-se dentro dele como nunca mais se apresentariam à luz do dia. Terminei o livro com uma imagem do clarão de um raio eternizado; num sentido muito diferente, ai de nós, esse pequeno clarão durou até demais. Mas o método também tem certas desvantagens práticas sobre as quais acho conveniente acrescentar estas duas notas. Pode parecer simplificar demais ou ignorar por ignorância. Sinto isso especialmente na passagem acerca das pinturas pré-históricas, que não trata de tudo aquilo que um erudito pode aprender com elas, mas com o único ponto que é o que qualquer um pode aprender com o fato de simplesmente existirem pinturas desse gênero. Estou consciente de que essa tentativa de expressar isso em termos de inocência pode exagerar até mesmo a minha ignorância. Sem nenhuma pretensão de apresentar pesquisa ou informação científica, eu lamentaria que se pensasse que eu não sabia mais que o estritamente necessário, naquela passagem, sobre as condições em que a humanidade primitiva havia sido dividida. Tenho consciência, é claro, de que a história é elaboradamente estratificada; e de que houve muitos estágios antes do homem Cro-Magnon de qualquer povo no qual associamos tais pinturas. De fato, estudos recentes sobre o Neanderthal e outras raças tendem mais a repetir a moral que aqui é a mais relevante. A noção mencionada nestas páginas de algo necessariamente lento ou tardio no desenvolvimento da religião na verdade pouco lucrará dessas revelações mais recentes acerca dos precursores do pintor da rena. Os eruditos parecem acreditar que, fosse a pintura da rena religiosa ou não, as pessoas que viveram antes dela já eram religiosas: enterravam seus mortos com significativos sinais de mistério e esperança. Isso obviamente nos leva de volta ao mesmo argumento, um argumento que não se torna mais acessível devido a alguma mensuração do crânio de homens primitivos. Pouco adianta neste caso comparar a cabeça de um homem com a cabeça de um macaco, se com certeza jamais passou pela cabeça do macaco enterrar outro macaco colocando nozes em sua sepultura para ajudá-lo em a viagem para celestial morada dos macacos. Falando em crânios, tenho plena consciência da história do crânio do Cro-Magnon, que era muito maior e mais refinado do que um crânio moderno. É uma história muito engraçada, porque um eminente evolucionista, tomado de um espírito de tardia cautela, protestou contra qualquer coisa que se inferisse de um único espécime. Cabe a um crânio solitário o dever de provar que nossos pais foram inferiores a nós. Qualquer crânio solitário que presuma provar que eles eram superiores é visto como uma cabeça inchada.

Apêndice 2

Sobre autoridade e exatidão

Neste livro que só pretende ser uma crítica popular de falácias populares, na verdade erros frequentemente muito grosseiros, percebo que às vezes causei a impressão de escarnecer de trabalhos científicos sérios. Minha intenção, porém, era fazer exatamente o contrário. Não estou discutindo com o cientista que explica o elefante, mas apenas com o sofista que o descarta. E de fato o sofista joga para a torcida, como fazia na Grécia antiga. Ele apela para os ignorantes, especialmente quando apela para os eruditos. Mas em minha crítica eu jamais quis cometer uma pertinência contra os verdadeiros eruditos. Temos todos uma dívida infinita com a pesquisa, especialmente a pesquisa recente, de estudiosos focados nessas matérias; e eu só professei pegar coisas aqui e ali de suas obras. Não carreguei meus argumentos abstratos com citações e referências, o que só serve para fazer alguém parecer mais erudito que é; mas em alguns casos vejo que meu jeito solto de fazer alusões causa uma impressão bastante errada acerca do que quero dizer. A passagem sobre Chaucer e o Menino Mártir está mal colocada; eu só quero dizer que o poeta inglês provavelmente tinha em mente o santo inglês, de cuja história ele apresenta uma espécie de versão estrangeira. Da mesma forma duas afirmações no capítulo sobre mitologia seguem-se uma à outra de tal modo que pode parecer que se sugira que a segunda história sobre o monoteísmo se refere aos Mares do Sul. Posso explicar que Athocan pertence aos selvagens não australasianos, mas sim americanos. Assim, no capítulo intitulado "A antiguidade da civilização", que considero o mais insatisfatório, apresentei minha impressão pessoal do significado da monarquia egípcia exagerando, talvez, como se fosse idêntica aos fatos sobre os quais se formou, fatos dados em obras como as do professor J. L. Myres. Mas a confusão não foi intencional, tampouco houve intenção alguma de dar a entender, no restante do capítulo, que as especulações antropológicas sobre as raças são menos valiosas que indubitavelmente são. Minha crítica é estritamente relativa; posso dizer que as pirâmides são mais óbvias que as trilhas do deserto, sem negar que homens mais sábios que eu podem ver trilhas onde para mim só existe areia sem trilha alguma.

Notas

Nota ao leitor

[1] Evidências internas sugerem que G. K. Chesterton escreveu o presente livro, publicado em 1925, em resposta à conhecida obra de H. G. Wells, *An Outline of History*, publicada em 1920. Essa obra foi traduzida para o português por Anísio Teixeira e publicada pela Companhia Editora Nacional, sob o título *História universal*. [Todas as notas são do tradutor.]

Introdução

[1] Chesterton está se referindo a figuras como o Uffington White Horse, desenho pré-histórico altamente estilizado, visível na encosta de uma montanha nas cercanias de Oxford. A figura foi recortada na turfa que cobre a montanha, revelando o calcário branco da rocha. Em virtude do ângulo da encosta em que foi desenhado, o cavalo só pode ser visto, parcialmente, por um observador postado no chão. É interessante notar que Chesterton havia escrito, em 1911, *The Ballad of the White Horse* [A balada do cavalo branco], poema épico sobre os feitos do rei saxão Alfred, o Grande, cujo desfecho se dá na mesma montanha.

Da criatura chamada homem

Capítulo 1

[1] Chesterton diz "an outline of history", numa óbvia referência à já mencionada obra de H. G. Wells, *An Outline of History*.

[2] Mr. Mantalini é um personagem do escritor inglês Charles Dickens. Por ser um italiano entre os ingleses, ele fala com certo sotaque, imitado pelo narrador.

[3] Chesterton faz alusão a uma brincadeira conhecida em sua época, baseada no duplo sentido atribuído a um verso de um hino religioso de Jonathan Cowper (séc. XVIII). Em inglês, os versos são: *Can a woman's tender care / Cease toward the child she bear?* [Podem os ternos cuidados de uma mãe para com o filho que ela carrega jamais se extinguir?]. O duplo sentido é entre *child she bear* [criança que ela carrega] e *child she-bear* [filhotinha de urso].

[4] Caverna fictícia no fundo do mar, onde se reúnem espíritos malignos, magos e gnomos.
[5] Escola cristã anglo-saxã comumente associada a Tolstói, que por volta de 1876 se converteu a uma doutrina cristã do amor, da não violência e simplicidade de vida.
[6] O nome "gimnosofista", que significa "filósofo nu", foi atribuído pelos gregos a certos antigos filósofos indianos que perseguiam o ascetismo de modo tão ferrenho a ponto de considerar prejudiciais à pureza do pensamento comida e roupas.
[7] Ídolos babilônicos mencionados na Bíblia.

Capítulo 2

[1] Reza uma lenda antiga que na noite de Natal os bois se põem de joelhos em homenagem ao menino Jesus.
[2] *Couvade* é um costume vigente em algumas sociedades segundo o qual o homem vive simbolicamente o parto da mulher e, após o nascimento do filho, ele se recolhe como se estivesse de resguardo.

Capítulo 3

[1] Frase extraída do discurso "Opinião pública", proferido em 1852 por Wendell Phillips, advogado abolicionista norte-americano.
[2] No antigo Império otomano empregava-se esse termo para designar o Conselho dos Ministros.
[3] Richard Clare Pembroke, também conhecido como Richard Strongbow, foi um nobre inglês que auxiliou o rei Henrique II a conquistar a Irlanda, na Idade Média.
[4] Chesterton se refere aos primeiros registros de escrita que possuímos, feitos em placas de argila, na Babilônia, e datados aproximadamente de 3100 a.C.
[5] Rochas com inscrições pré-históricas em forma de taça e anel foram encontradas em Northumberland e na região de Yorkshire, na Inglaterra.
[6] O autor alude a uma coleção de histórias infantis de Joel Chandler Harris (1848-1908), autor norte-americano cujas obras eram inspiradas na tradição das narrativas orais africanas. Uncle Remus [Tio Remo], personagem central, é um negro que conta as histórias de Brer Rabbit [Irmão Coelho] e vários outros personagens, entre eles, Brer Wolf [Irmão Lobo]. *Brer* é uma forma dialetal para *brother*, e reflete o modo de falar de Remus. Não seria absurdo supor também que Chesterton estivesse brincando com a lenda da fundação de Roma e com os irmãos gêmeos Rômulo e Remo, amamentados por uma loba.
[7] Expressão criada na época da expansão colonial britânica para descrever os rituais religiosos dos nativos africanos, misteriosos e incompreensíveis aos olhos dos colonizadores.

[8] *Jumbo* era o nome de um enorme elefante africano, que foi capturado e exibido em várias partes da Europa durante o século XIX. Era a grande atração do zoológico de Londres.

[9] O alemão Friedrich Schiller compôs um poema sobre uma estátua velada que encerrava a verdade, mas não deveria ser descoberta a não ser por si própria. Um jovem curioso, sedento de conhecer a verdade, arrancou-lhe o véu, o que fez recair sobre ele a maldição de uma tristeza que o levou à morte.

[10] Thomas Carlyle (1795-1891), famoso ensaísta e crítico social escocês, exerceu grande influência sobre sua época.

[11] Está situada ao sul da Inglaterra, entre as regiões de Hampshire e Sussex. É famosa por suas rochas calcárias, cortadas por muitas trilhas para caminheiros.

[12] Provável referência a algumas dinastias chinesas que alegavam ter um "mandato do céu".

[13] General e líder político chinês do século XIX.

[14] A *Ilíada* termina com o nome de Heitor e seu epíteto: Εκτορος ιπποδαμοιο, "Heitor, domador de cavalos".

Capítulo 4

[1] Sileno, na mitologia greco-romana, era seguidor e professor de Dioniso-Baco. É representado como uma figura gorda, careca, com lábios grossos e nariz achatado que vivia embriagada.

[2] Phineas Taylor Barnum foi um *showman* americano criador de um famoso circo entre cujas atrações figuravam personagens aberrantes.

[3] Antes de ser expurgado, o hino intitulava-se "Nearer My God to Thee", traduzido para o português como "Mais Perto, ó Deus, de Ti".

[4] Soma é uma bebida ritual da cultura indiana.

Capítulo 5

[1] Hiawatha é o nome de um líder político de tribos iroquesas nativas dos Estados Unidos.

[2] Becky Sharpe é uma formosa personagem do romance inglês *A feira das vaidades*, de Thackeray.

[3] Referência aos livros de Anthony Hope, ambientados num país fictício da Europa Central.

[4] Ver *Hamlet*, ato III, cena ii. Hamlet faz o volúvel Polônio seguidamente concordar que uma nuvem parece um camelo, depois uma doninha e depois uma baleia.

[5] Ver Atos 19.28. "Grande é a Diana dos efésios!".

[6] Samuel Johnson (1709-1784), crítico, poeta, romancista e lexicógrafo, foi um dos gênios de seu tempo. Embora não tenha conseguido terminar os estudos devido à falência financeira de seu pai, as universidades de Dublin e de Oxford outorgaram-lhe o título de "doutor", pelo qual é conhecido e honrado.

O dr. Johnson apresentava algumas manias, como tocar todos os postes de iluminação ao longo de uma rua, recolher cascas de laranja e soltar o ar como uma baleia.

[7] Os lares são divindades domésticas romanas.

[8] O autor se refere a uma estátua de bronze de um rapaz com as mãos estendidas para o céu, em atitude de oração. A estátua data de 300 a.C.

Capítulo 6

[1] "Jabberwocky" e "The Jumblies" são dois poemas infantis da literatura inglesa. O primeiro aparece em *Alice através do espelho*, de Lewis Carroll, publicado em 1871; o segundo, numa antologia de Edward Lear. Ambos são composições do tipo *nonsense*, sem sentido lógico.

[2] Assim denominado aquele que professa um patriotismo exclusivista.

Capítulo 7

[1] Referência a um poema narrativo do poeta vitoriano Thomas Hood (1799-1845). Miss Kilmansegg é uma moça rica e mimada que, ao ter amputada a perna direita, exige uma prótese de ouro maciço.

[2] Personagem manipulador e perfeccionista do romance satírico *The Egoist* [O egoísta], de George Meredith (1828-1909).

[3] Referência aos personagens Dick Whittington e seu gato de estimação, protagonistas de uma história do folclore inglês.

[4] Pasht era uma deusa egípcia, representada com cabeça de gato.

[5] Daniel Quilp, personagem do romance *The Old Curiosity Shop* [A velha loja de curiosidades], de Charles Dickens, é um agiota que representa a encarnação do mal.

[6] Referência a um ritual descrito por James Frazer em *The Golden Bough* [O ramo dourado]. Situado num bosque em Arícia (cidade próxima a Roma), o templo de Diana era guardado pelo sacerdote. Ele devia permanecer em constante vigilância, pois a qualquer momento poderia ser atacado e morto por alguém que desejava tornar-se sacerdote. Assim, todos os que assumiam essa função eram, no mínimo, potenciais assassinos à espera de serem assassinados.

[7] Referência à principal propriedade rural que o poeta latino Horácio recebeu (e onde morou pelo resto da vida) como presente de Mecenas.

[8] Nome da região onde ficava a casa de campo do poeta latino Catulo.

Do homem chamado Cristo

Capítulo 1

[1] Citação extraída de um poema do inglês Algernon Charles Swinburne (1837-1909).

[2] Ver Isaías 52.7: "Que formosos são sobre os montes os pés do que anuncia as boas-novas".
[3] Grupo cristão de origem russa que rejeitava o governo secular.
[4] Herodes, chamado o Grande, era idumeu por parte de pai, o administrador da Judeia chamado Herodes Antipatro.

Capítulo 2

[1] O ministro anglicano John Cumming (1807-1881) previu que o mundo acabaria em 1865.

Capítulo 3

[1] Robert Herrick (1591-1674) foi um expoente da escola dos Poetas cavaleiros na literatura inglesa.
[2] Chesterton está citando dois versos do poema "Pippa Passes", de Robert Browning: *God's in his heaven / All's right with the world!*

Capítulo 4

[1] Mary Baker Eddy foi a fundadora da Ciência Cristã, em 1866.
[2] Citação extraída de *A Battle of the Books*, de Jonathan Swift.
[3] Embora a formulação dessa ideia paradoxal geralmente apresente ligeira diferença ("Creio porque é absurdo"), é a formulação de Chesterton que está de acordo com o original.

Capítulo 5

[1] Peça escrita em 1922 pelo escritor inglês James Elroy Flecker.
[2] Grupo de assaltantes e assassinos profissionais da Índia que estrangulavam suas vítimas seguindo um ritual.
[3] *Juggernaut*, termo inglês de origem sânscrita, é usado para definir uma força, de qualquer natureza, considerada irresistível e destrutiva.

Capítulo 6

[1] Referência a duas atrações dos Jardins de Kensington em Londres.
[2] D. D. corresponde a *Doctor Divinitatis*, expressão latina para Doutor em Teologia.

Conclusão

[1] Convém relembrar que Chesterton se refere à obra *An Outline of History*, de H. G. Wells, título que literalmente poderia ser traduzido como *Um esboço da História*, mas que para o público de língua portuguesa foi traduzido como *História universal*.

Compartilhe suas impressões de leitura escrevendo para:
opiniao-do-leitor@mundocristao.com.br
Acesse nosso *site*: www.mundocristao.com.br

Equipe MC:	Daniel Faria (editor)
	Natália Custódio
Diagramação:	Triall Editorial Ltda.
Revisão:	Andrea Filatro
Fonte:	Janson Text
Gráfica:	Assahi
Papel:	Pólen Soft 70 g/m^2 (miolo)
	Cartão 250 g/m^2 (capa)